2020
室井光広追悼号

てんでんこ

ゲンテルセン通信スムーレ篇

室井光広の古い携帯電話に、《ゲンテルセン通信スムーレ篇》と名づけられた、送受信合わせて150通ほどのメールが残されていた。

急な入院の2日後に個室に移った7月5日から、抗がん剤治療中に昏倒した9月25日までの、面識のない人物との通信。その人物、金子昭氏とのかかわりは、1年前の2018年7月に始まっている。キルケゴール研究者の大谷愛人先生の逝去を伝えるメールが「幻塾庵てんでんこ」のブログを通じて届き、そのメールに返事を書き送ってからの文書のやりとりが《ゲンテルセン通信》と命名されて、頻繁に交されるようになっていた。

「ゲンテルセン」は、キルケゴールのキーワード「受取り直し」のデンマーク語ゲンターエルセ（Gjentagelse）とアンデルセンの「sen」（息子の意であり、「遅れた、遅い」の意もある）を結び付けた造語。本人好みの自称でもあり、「遅れてやってきた後輩」にぴったりの呼び名（幻弟生とも表記）として大学の後輩にあたる6歳違いの金子昭氏に対しても使われた。

スムーレ（Smule）は「断片、破片、屑片、かけら」の意のデンマーク語。これを「欠け端」と言い換え、「欠け端」は「架け橋」に通じるとしていた。

7月5日　8：47

金子さん、入院して、病室からです。とうとう僕も本物の病人に。あまり多くを書けません。このメールが届くかどうかのテストです。室井光広

5日　9：09

室井光広先生　おはようございます。入院されたとのこと、心からお見舞い申し上げます。メールは無事着いています。どうかくれぐれもお大事にしてください。私にできることがあれば、ご遠慮なくおっしゃっていただければ幸いでございます。近鉄菖蒲池駅にて。金子昭拝

5日　10：59

さっそくサンクス。金子さん、この通信、身内同士みたいなものになることをお許しあれ。極力、ことばを削ぎ落とした形でしかできない。これから最後の生検のための手術、また途絶えるでしょう。でも金子さんにだけはこれからの惨めな状態も出来るだけ報告したい。室井光広

5日　12：53

生検前の時間にご返信くださり、恐縮に存じます。義兄弟として接していただければ、こんなに嬉しいことはありません。短くて十分ＯＫですのでどうぞよろしくお願いいたします。金子昭拝

7月6日　16：09
詳しく書く気力がないのですが、どうやら僕も「二人に一人かかる」厄介な死にいたる病に。まだ二つのうちどちらなのか診断できない。僕としては「あれかこれか」のアレのほうを望んでいる。いずれにしてもガンなのですが、金子さん、真面目な話、親神さまに僕のことを代理で（笑）お願いしたい。

＊耳鼻科入院後の生検で悪性耳下腺腫瘍と診断されると、T大学病院に転院の必要があると言われていた。アレは悪性リンパ腫、コレは耳下腺腫瘍のこと。

6日　17：57
もちろん室井光広先輩のために今日から毎日、親神様に祈らせていただきます。必ず回復します。また何かあればいつでもご連絡くださいませ。金子昭拝

7月7日　10：08
困った時の神頼み、を絵にかいたようなことを書いたが、本当に僕のために親神さまに祈ってくれる、と。涙がこぼれた。高熱が出て、薬で下げ、下がると、寒気で震える……そんな毎日。体温が調節できない。朦朧としたアタマで、金子さんは真柱になるような人だが、我々義兄弟は互いに「以心伝心柱」だと。なんとしてももう一度元気になって、金子さんにお目にかかりたいものだ、と。室井光広

7日　10：22

私のほうこそ嬉しく、ありがたいことです。親神に限らずあらゆる神は必ず人間の祈りに答えてくれるもの。これは大谷先生が教えてくれたことであります。『倫理学講義』の最終章も「人類の祈り」……。いま、京都行の近鉄急行の中ですが、実はこれからキェルケゴール協会年次大会への初参加、しかも会場が大谷大学（笑）。そんな時にメールいただき、なんというデンス！　どうかしっかりとご療養にお勤めくださいませ。

7日　20：26

午前のお返事また中途半端になってしまいました。高熱が出るのは大変つらいことです。でも「以心伝心柱」といつものジョークが出るからきっと大丈夫、今日は七夕ですし、まさに以心伝心デンスの日。キェルケゴール協会は懇親会は出ないで帰宅しました。大谷大学には大谷長先生の蔵書が寄贈されているそうですが、こちらも整理が進んでないとのこと。大谷大学横の書店でボルヘスの岩波文庫を五冊ゲット！　と思いきや、帰りに喫茶店で紙袋を開けて見たら、『詩という仕事について』が二冊も（笑）……熱が安定しますよう、お祈りしています。金子昭

7月8日　12：51

サンクスサンクス。金子さんの法力の効用で、望んでいたほうの病に……あれかこれかのアレに70％傾きつつある。まあ、まだ診断は確定ではないが。室井光広

8日　15：35

室井先輩、それは何よりです！　アレに決まればもう大丈夫です。いま天理図書館でキルケゴール関係の整理をしていました。この世は思いの世界。大谷先生にも応援していただいていますよ。

8日　16：16

金子さん、昨年のちょうど今頃、あの奇跡の福音をもらって改めてキルケゴールが迫ってきたが……本当にその思想がしみたのはこんどの難儀な病を得てから……恐ろしいまでのデンス。思いの世界……これまたしみた。室井光広

8日　19：45

室井先輩からそのように言っていただいて、恐縮の限りでございます。私のほうこそ、まさに奇跡の福音であります。実は先ほど、一週間ほど飼っていたノコギリクワガタを元のくぬぎ林に。先輩の回復を祈ってささやかな放生会であります。お手紙の末文をハッと思い出しました。「やはり野に置け単独者精神（ノコギリクワガタ）」

7月9日　7：50

ノコギリクワガタの放生会、涙、涙、合掌。そのメールをもらってすぐ、見切り治療が開始され、ステロイド剤が投与、すると、地獄の高熱スパイラルが劇的に止まった！　ひさびさに寝られた。近くにクヌギ林があるのですね。僕はこの、苦・脱ぎ、の林をみると気持ちがよくなる。室井光広

9日　10：16

おはようございます。「苦・脱ぎ」とは秀逸です‼　ともかくも高熱が下がって何よりでございました。ぐっすりと眠られたことが一番です。クワガタムシも小さな体で感謝の思いを放ってくれたのでしょうか。ありがたいことです。クヌギ林は住宅に囲まれた小さなサンクチュアリーです。これから少しずつ良くなっていかれることと信じます。今日もしっかり安静にお過ごしくださいますように。

9日　15：21

僕は前からガンで「出直し」するのも悪くないと思っていたのですが、いざ死の淵に立ってみると、業平の「きのふけふとは思はざりしを」が沁みて（笑）。それにしても死に至る病、絶望とのたたかいを理論ではなくこの身をもって敢行するに至ったあの福音からの歳月の凄さに恐れとおののきを覚えずにはおれません。全ては天命。室井光広

9日　16：27

いま研究室で『零の力』を反復読書中に著者からのメールの言霊。「出直し」もまた反復、その場で一回転してもう一度生き直すことであります。逮捕と軟禁という無敵の不幸がパウンドの詩美を作ったように、いま室井文学もまた起死回生の復活的反復のただ中にあると、不肖ゲンテルセンは想像いたします。必ず良くなります。人の思い煩いより、機縁＝天命を信じるのが、神（紙）に生きる読者教徒の信仰信念でございます。

金子昭拝

9日　16：40
サンクス、涙、涙。今日は高熱スパイラル地獄から解放され……しかしあすからは本格的な抗がん剤治療が……嵐の前の静けさ？　金子さん、昨年の福音をもらってからのことをいろいろ考えていたが、大谷先生の訃報で始まった我々のそんじょそこらにはない縁の受取り直し……僕にとっては、メメント・モリの天声も潜んでいたと今にして。そうでなければ、この一年、モノにとりつかれたようにゲンテルセン通信を書き続けるというわが生涯でも他にない事件を説明できない。室井光広

9日　20：10
室井先輩からそう言っていただいて、私こそ、こんなに嬉しいことはないです。明日からの抗がん剤治療も大丈夫、うまく乗り切ることができます。どうか安心してくださいませ。夕方読み終えたのはちょうど「霊の力」の章……。このご縁も大谷先生の霊が召喚してくれたようです。

9日　20：15
金子さん、訂正。明日からの抗がん剤治療というのは早とちり、生検の結果待ちはかわらず。今やっているのは「時間稼ぎの治療」だそうです。室井光広

9日　22：00
すぐにお返事をと思ったら、横須賀にいる年下の友人から一時間半の長電話。彼は大谷先生の旧宅で蔵書整理の助手をしてくれた人です。夜、すっかり遅くなり申し訳ございい

ません。「時間稼ぎ」もボルヘス的円環時間からすれば、もう治療に入っているようなもの。このプレリュード的治療で体力をつけていただいて……と拝察します。ぐっすり眠られるように親神（紙）様にお祈りしています。読者教徒ゲンテルセンこと金子昭拝

7月10日　8：54

ゲンテルセン通信スムーレ篇……と命名しました、この「ひとかけらの、ちっぽけな」一本指打ちの通信を。飛行機がダッチロール状態になり、残された30秒で、心にかかる人々に、震える字でメモを書き残す、そんなイメージも引き寄せて。拙著にも書いたがキルケゴールが自ら言い聞かせたシンプルな格言？　一日一生の覚悟で生きよ　これが本当にわかったのは今です。「今なお生ける者」氏より（笑）

10日　10：41

おはようございます。「ゲンテルセン通信スムーレ篇」、土器の欠け端が思いの架け橋になりますように。いまなお生ける者の手記がキルケゴールの処女作になったように、このスムーレ篇もニッポンのキルコゲールの起死回生と反復復活の足がかりとなりますように。日本のシュヴァイッツアこと金子昭拝

＊キルケゴールがキルコゲールとなっている誤植を大谷先生の著書の扉に見つけた光広が、自分にぴったりの井蛙ふうの呼称だと喜んで使い始めたのが、キルコゲール。

大谷先生の同じ著書の中にシュヴァイッツアと表記されているのは、カタカナ表記として奇

妙でどうにも残念だと、『シュヴァイツァーその著作活動の研究』の著者でもある金子昭さんに教えられ、光広が金子さんを時にシュヴァイッツアと呼ぶようになった。

7月11日　7：23

賢治「ドングリと山猫」の山猫が一郎に出したハガキ……明日、めんどなさいばんをしますから、とびどぐもたないで来てくなさい。山猫拝。

僕のアレカコレカもめんどなさいばんが……アレというのは悪性リンパ腫、コレは、耳下腺の腫瘍。両者がさいばん中で近日中にカフカ的「判決」が。もし耳下腺ガンの場合僕には最悪……ここではその治療ができないため転院する必要が。その病院がなんとT大学病院（笑）……貧乏人の悲しさで、ここにいれば個室料金もなんとか借金してでも。T大学病院の経営方針は「富裕層優遇」で個室も高い。ああ真理探求の場だったはずの大学のこの悪辣ぶりよ。

室井光広

11日　10：41

これほどの大変な時でも文学的センスを忘れない室井先輩に脱帽。「めんどなさいばん」でも、始まってしまえば、もう大丈夫です。どんな現実性であっても、無限性である可能性よりは遥かに良いもの。こちらも持てる力をもって、全力で対応できるものでありますから。どちらの可能性でも現実性になってしまえば、いかなるカフカ的「判決」でもおそれる必要なしと。万が一、T大学病院になっても必ずなんとかなります。いざとなれば、元教員、A賞受賞者として文学的構想をしているという「印籠」を出すこともできます。「悪辣」であればあるほど、「印籠」は意外な効果を発揮するもの。運命の可能性はそれが現実性になるのを待ち、人間的な可能性にはこちらの可能性で対応していく。クスリと笑っていただくだけでも、ユーモアの効用……。シュヴァイッツア流処世術が東海辺のカフカにとって、少しでも薬となりますように。奈良の山猫こと金子昭拝

7月12日　6:47

賢治「疾中詩篇」をどうしても思い出して……この夜半に驚き覚め……高熱にうなされながら書きつけた断章……その中にある当方気にいりの「目にて言う」、一読を勧める。それをもじって、あなたは台湾学会の帰りかなにかは知らないが、こんなにユーモラスで異様に（笑）粘り強い「処世術」の開陳でスペシャルな福音治療？　をしていただけて本望。あなたからみれば惨憺たる景色でしょうがキルコゲールから見えるのはシュヴァイッツァ的に爽快な青空です。しゃばは異常気象で青空は見当たらないが。室井光広

12日　7:17

私も今日は早起きデンス（です）。ちょっと苦しい（笑）。高熱の中、大変恐縮です。でも、くれぐれもご無理なさらないようにしてくださいませ。「疾中詩篇」の「目にて言う」、いまネット上の青空文庫で一読しました。「きれいな青空とすきとおった風」のように見える、キルコゲールからのシュヴァイッツァ的に爽快な青空、なんとありがたい形容なのでしょう！　そして、この詩篇を最後まで通読しました。生死を超えた賢治の

心象世界が室井文学の復活反復の境地に重なります。台湾は「微熱の国」とも言われます。どうか少しでも高熱から微熱に治まりますように、親神にお祈りいたしております。

金子昭拝

12日 7:44

青空文庫なるものがあるのですね、これも、賢治詩篇と小さなデンス?

本当に金子さんは不可思議なひと。僕は、強力な「処世術」を武器に組織でパワフルに行動するタイプのひとが最も苦手（笑）……ニモカカワラズなぜ金子さんは奇跡的な「例外者」たりえたのか？ 生還したら、その謎を探求……高熱は確かに苦しいが、しかし実はこの症状、僕が望んでいるほうのガンの典型的症状、だから複雑な心境（笑）……室井光広

12日 9:48

高熱の中、ご返信恐縮に存じます。青空文庫は著作権の切れた作家の作品をネット上に上げたもの。検索に便利ですが、学生のコピペの元なのでちょっと困りもの（笑）。私が強力な「処世術」なんて、またとんでもないこと。要領がいつも悪いので、処世訓や人生論の類が書棚に山のように。妻からバカにされているのが実態です（苦笑）。熱は体の自然な防御作用と聞きました。いわば体の強力な処世術（自然治癒力）。高熱は最大の処世術の発揮かと。19世紀のキルケゴールが体験しなかったこの複雑な心境こそ、21世紀に生きるニッポンのキルコゲールの新境地ではないでしょうか。丹波市の町はクマゼミが初鳴きですが、しゃばは曇り空。大学行きのバス停にて、ゲンテルセン拝

7月13日　7：19

めんどなさいばんの判決がほぼ確定。アレのほう、悪性リンパ腫に。どちらにしてもガンの苦行にかわりはないが、僕にとっては決定的な恩寵。クワガタ放生会のおかげです！　砂を蹴って辞めた大学にだけは死んでも戻りたくないと思っていたので。ワークシェアリングを叫んで若いひとにもっと道を譲るべきと。３人の同僚が辞職願を胸にプロテスト。しかし実際に辞めたのは僕一人（笑）。皆さん、お遊びでドン・キホーテをみるまなざし。筆頭理事なる人物が来て、雑務無しの特別待遇にするから残らないか、と言われたが、これを拒否。僕の後任で若いひとが2名採用。

13日　7：57

おはようございます。「めんどなさいばん」の判決ほぼ確定、何よりであります。この後の治療も（大変かとは拝察しますが）安心して乗り切れることでしょう！　放生会したのは、クワガタ以外にカブトムシ二匹もいたのです。こちらのほうは幼虫から飼っていて、植木鉢に金網を被せていたのを、彼らはこれを押しのけて出て行ってしまいました。自主的な放生会!?　私はついに彼らの姿を見ませんでした。室井先輩のような大学の先生ばかりだったら、後進の研究者や学生たちも真実と勇気を得ていたことでしょう！　小賢しい者ばかりはびこる世の中、ドン・キホーテ的なものこそ、求められるのではないでしょうか。セルバンテスの真意もそこにあったのではないかと。大学の公募はいま無茶苦茶な状況。しゃばの暗い話になって申し訳ございませんでした。賢治の青

空とすきとおった風がしゃばにも吹いてくれますように！　金子昭拝

13日　8：43

これより連日の高熱スパイラルに……その前に舌足らずを補足。いくらドン・キホーテでも、全ての高齢教授は辞めろとはもちろん一言も。ただマンモス大学なので、高報酬の人々の待遇を「ほんの少し」生活に響かない程度削っただけで、若いひとに希望を与える人事は、やる気があればできると。げんに一般企業でもそういう動きがあり、大学でも「客観的な研究」を……しかし自分たちのいる組織には頬かぶり……つくづく「絶望」……金子家のカブトムシのように自主的放生会を断行（笑）。金子さん、本当に勇気づけられます、いつも丹波市のほうを念じて合掌。室井光広

13日　11：33

嵐の前の静けさの貴重なお時間にご返信下さり、恐縮の限りに存じます。大学はいまや学問の府の看板を下ろし、営利企業に。教員は老いも若きも、みな営業部員（苦笑）。自主的放生会したカブトたちが無事に「野の生活」に帰っていきますように！「三田文学」夏季号を購入。連休中の癒しの読書です。金子昭拝

＊時間稼ぎの治療が追い付かないほどの症状の悪化で7月14日以降メールは途絶えた。15日には体温が40度まで上がって肺炎と腹水を確認。「肺炎の治療と抗がん剤治療は矛盾するが、抗がん剤を入れないと望みがない。数日中に上向かなければどちらにしても覚悟を

……」と主治医の宣告を受ける。

16日夕刻、悪性リンパ腫の型の確定を待てずに見切りの（汎用性のある）抗がん剤を通常の半量、2・5時間で入れた数時間後、呼吸状態が悪化。午前2時に呼び出されて病院に出向く。耳元に口を近づけて「苦しい？」と聞くと、「虫の息だ」「人工呼吸器に繋ぐと言われたらどうする？」「仕方ないだろう」。気管挿管をなんとか避けたいという専門医の判断で鼻マスク式人工呼吸器を付けられＩＣＵ内の個室に移された。

ＩＣＵでは「テレビもラジオもなく、1日中ずっと動けず眠れず上を向いていられるのはスゴイ」とスタッフに驚かれ、呼吸器内科の医師には「不平不満も言わず、よく頑張った」と言われたとのこと。ＩＣＵ内の個室は通常「器材庫」とされ、いよいよ危ない患者を収容する場所と後に判明した。

ＩＣＵにいる間に「6月24日付のお手紙のお返事のつもりで、入院中の無聊をお慰めするためにお届けする」15日付の《ゲンテルセン通信》が届く。――『てんでんこ』連載の田中和生氏の「極私的なカブトムシの神話」が面白くて、この春、ホームセンターで幼虫二匹を買い、植木鉢に土を入れ金網をかぶせて煉瓦を置きました。カブトムシが力持ちだということを忘れていたため、「自発的放生会」となってしまった次第。それがちょっと残念だったので童心に戻り、近所のクヌギ林でノコギリクワガタを発見して一週間ほど飼っていたところ、思いがけず室井先輩入院のご連絡……これは「やはり野に置け単独者精神」の虫の知らせと直感し、元の場所にそっと戻しに行ってきました。これが「苦・脱ぎ」の放生会の顛末でありました。

7月16日　15：10

私のほうからデンス（電子）メールお許し下さい。ご返信はご不要でございます。高熱スパイラルの日々、とてもつらいことと想像いたします。くれぐれもご自愛くださいますように、心よりお見舞いとお祈り申し上げております。金子昭拝

7月19日　14：04

7月19日、13時40分現在、一瞬の時間を拾って。この一週間はまさしくダンテ地獄篇矮小版を生きた……高熱スパイラルに出血が重なり、さらに感染症からついに敗血症に。死を覚悟すること数回。そのうち一回は、会ったこともない金子さんの「声」が……拳を握り戻して、まだ「彼岸」に渡るのははやい、「此岸」に出直せと。きっとお祈りをしている最中？　入院する前しゃかりきになって強調した、ボルヘス最大の危機、事故による敗血症で一週間、生死の境をさまよった……この後起死回生で書かれたのがピエールメナール！　つまり金子さん、僕も完全なドン・キホーテになれた！　もう限界。またバトルに戻ります。今、もと器材庫の（笑）ＩＣＵに。ドン百姓にぴったり。室井

19日　15：54

ＩＣＵで大変な状態の中、ご懇切なデンス（電子）メールをお送り下さり、痛みいります。感激いたしました。また、安心いたしました。いつも室井先輩のためにお祈りいたして

おります。「此岸」での出直し、それはまさしく、同じ病から復活したボルヘスの受け取り直し。21世紀の「ドン・キホーテ」として出直し＝復活、素晴らしいです。室井文学の起死回生の大きな大きな一打となりました！　私も嬉しくなって、ついつい沢山書いてしまいそうです。でも、まだこれから治療は続くと思います。ご返信はご不要でございますので、今は何よりもご静養につとめられますようにしてくださいませ！　心よりお見舞い、そしてお祈りを申し上げております。金子昭拝

7月20日　8：32
一週間血が止まりませんが、まだ生きて生きています！　抗がん剤関ヶ原、は終始こちらが優位をキープ。しかしその後のゲリラ戦ふうドウジタハツテロが。

20日　8：51
おはようございます。メール嬉しく拝受いたしました。たとえお体はつらくても、室井先輩の意気軒昂な姿勢に感動しました。「血戦関ヶ原」、どうかそのまま優位をくずさず、がんばってください！　勝利を心よりお祈り申し上げております。金子昭拝

7月21日　5：25
とうとう血が止まり、恐怖の敗血零男は生き延びた！　つげ義春「ネジ式」のあの腕の蛇口を止めた。

21日　8：47
おはようございます。グッドニュースありがとうございます！　血が止まって本当に何

よりでした。室井先輩のユーモア力の勝利です。しゃばは夏本番。クマゼミが盛んに鳴きはじめました。ご快復を祝福しているかのようです。金子昭拝

21日　10：00

サンクス。お次の得難い苦行……肺水腫のため、数日間、水がそばにあるのに飲めない……砂漠にオアシスを求め……でも僕はらくだのちから無し。金子さんこれはつらい。あの哀れな被爆者の最後の叫び、水を、水を、水を……しかしそれもたった今、解除！　金子さんに合掌。室井

21日　10：46

メールありがとうございました。出血も止まり、今度はついに水を飲むことができたとの嬉しいご報告！　本当に良かったです！　それにしても、大変な苦行の中、次々と新たな文学的形象の追体験（反復）。「1日一生の覚悟」とキルケゴールは日誌に書きましたが、1日に二生も三生も受け取り直し。文学を超えて宗教的境地に近くなっているようです。「水を飲めば水の味がする」とは中山みきの言葉。遠く丹波市からの祈りも通じたのでは……と。私も今しがた『キルケゴールとアンデルセン』の四回目の読了。大デンスです。嬉しくてついつい長くなってしまい、申し訳ございませんでした。

金子昭拝

21日　11：41

水を飲めば水の味がする……凄いお言葉。金子さん、生還できたら、「宗教的」な境地に向

け全く新しい歩みを、と。合掌。室井

21日　12:47

ご返信どうもありがとうございます。お水が飲めれば、もう大丈夫。ご快復の一里塚をひとつ越えました。昼下がりの今、近所の林のクマゼミもアブラゼミも小休止。自然の中にも日曜日があるかのようです。室井文学ファン一同、新境地を期待しております。どうかくれぐれもお大事になさってくださいますように。心より、お祈りいたしております。金子昭拝

7月22日　12:03

呼吸困難と敗血症をギリギリ克服し、たった今、6日間とらわれの身だった集中治療室を辛うじて脱出！　室井

22日　12:13

メールありがとうございます。集中治療室を脱出できたとのこと、誠におめでとうございます！　今まで大変苦しかったことと拝察いたします。もうこれで集中治療室にはで戻りにならないように。ちょうど今は遅めの通勤で､電車は薬師寺のある西ノ京駅を通ったところです。奈良の神仏もみな応援しています。金子昭拝

22日　16:13

一難去ってまた一難……一週間点滴だけで食事も受け付けず……完璧な病床六尺状態。筋力が衰え、自力歩行が困難に！　ああ……ラザヒロよ起きなさい（笑）　室井

22日　16：07
メールありがとうございました。点滴だけで1週間、病床にあって筋力が衰えていることも、大変おつらいことと拝察申し上げます。でもこんな時でも忘れない室井先輩のユーモア（ガルゲンフモール？）には脱帽！　強い人にハンディがつくのは、ゴルフの場合と同じ。どうかくれぐれもご無理なさらず、少しずつご快復目指しておつとめいただけば幸いです。今天理図書館整理室でちょうど大谷先生の本を整理中……大谷先生も応援していますよ。金子昭拝

7月23日　8：31
この金子さんのアドレスは中国音ですね……トイレまで歩くのはこれからだが、早朝から、会津玩具、起き上がりこぼしのように、ベッドの上に……ラザヒロの会心の笑み。今日のお昼から8日ぶりの三分粥にトライ。断食主義者の明けの心……金子さんに合掌。室井

23日　10：31
おはようございます。少しずつご快復の動きのご連絡、ありがとうございます。ラザヒロの復活に乾杯！　本当に良かったです。関西ではクマゼミが大合唱、復活を祝福しているかのようです。そうです、私の携帯アドレスは中国音……唯一、会話が少しだけできるのが中国語。会津玩具の起き上がりこぼし、おどるでくの反復受け取り直し……幸先の良い1日のスタートです。お昼のお食事もうまくいきますように、お祈り申し上げております。金子昭拝

23日　10：35
たった今、はじめて自力トイレ行に成功！　丹波市のクマゼミにも感謝。室井
23日　12：37
たった今、断食明けの粥を食べられた！　金子パパ、僕えらかったよ（笑）　室井
23日　16：07
嬉しいご報告、度々ありがとうございます。お昼のお粥に自力でのトイレ、大進歩でした！　お返事が遅くなって申し訳ございませんでした。実は実家の教会で月次祭。御神楽歌6下りの五番目「心得違いは反復出直しや」も行いました。本場おどるでくの祈りが室井先輩のリハビリに届いたのでは、と勝手に想像。今片付けも終わりました。クマゼミたちも大喜びの大合唱、どうかくれぐれもご無理なさらず、お大事にしてくださいますようお祈り申し上げております。金子パパ拝
7月24日　5：42
心得違いは反復出直しや……これってキルコゲールそのもの。本場おどるでく……どうも、これは、日本のシュヴァイッツァこと奈良のオンバシラ独自の脱構築臭い（笑）……あの諏訪のオンバシラ祭のように、オヤガミやキルコゲールや拙著などを、天から、生命倫理に基づく新しい宗教思想の息づく生活世界に一気に引き下ろす……室井
24日　9：18
おはようございます。いつものお元気なメールに戻って、私もほっと胸をなでおろしま

した。室井文学の耽読者として私も病膏肓……そのうち、「おどるでく」の作者ゲンテルセンになってしまうかも（笑）。小中高は夏休みなのに、大学は7月いっぱいまで春学期。文科省の進めるグローバル化は狂気の沙汰です。奈良のオンバシラこと金子昭拝

24日　9：24

サンクス。以前に組織の「悪辣さ」を呪ったが……金子パパよ、死の淵に何度も立たされた体感を経たいま、不可思議な境地に。人間はそれでこそよい、と。人間を慈悲のまなざしで……まあしかしこれも、川端康成いや芥川のいう「末期の目」？　室井

24日　12：30

メールありがとうございました。組織は、どの組織もしょせんは組織の論理で動く非倫理的なしろものでございます。近畿は今日やっと梅雨明け、クマゼミたちも室井先輩の病状改善と二重の喜びの大合唱です。いまのご境地はまさに、宗教的境地かと拝察申し上げます。これをいつかぜひ文学的な作物に、と思うのはしゃばの発想……いまは、くれぐれもご無理なさらず、お体を御大切にしてくださいますように。金子パパ拝

7月25日　5：37

昨日、兄と姉が見舞いに。姉がりんごを切って持参……食えるわけないと思ったが、あにはからんや、それがあまりにうまかった！　エデンの園と禁断の木の実。それを体感。原罪の香り。しかし翻って、およそ全く同じ味の病院食に辟易していただけのことか……室井

25日　6：51
ペイシャント……試験に出る英単語（笑）……耐え忍ぶ者、結局、これを反復。
一方、金子さんの賢いパートナーの文に触発されて以前にゲンテルセン通信に書いたことも。
つまり、完璧な赤ん坊として出直したこと。自分では何も出来ず、ただ、他者のケアを受けなければ生きられない存在。室井

25日　8：40
おはようございます。りんごを食べることができた、しかも美味しく！　というのは、ご快復への大きな進歩ではないでしょうか。先日の復活のラザヒロに続いて、昨日は新しいアダムのご心境。まさに人生日々新たなりですね。私など当り前のようにリンゴを食べていますが、りんごをそれほど美味しく食べられたのはすごいことです。金子昭拝

7月26日　7：46
おはようございます。自らのペイシャンスをユーモアで包み込むペイシャントの境地。新しいアダムは、ニーチェの三様の変化の最後の姿の「幼子」にも重なりますね。完璧な赤ん坊としての出直し＝反復、素晴らしいことでございます。梅雨明けの青空が今日も朝から眩しいです。賢いパートナーのしがない夫こと金子昭拝

26日　8：01
賢いパートナーでうろんな記憶が……さまざまな点滴が使用された、その中に反復して「ソルディム」なる商標名が。

僕は金子さんみたいにエキスパートとして哲学的修練をしていない、キルケゴールのいう「エキストラ作家」……キルケゴールの著作なども、理論は飛ばして、エピソードにばかり……たしか『不安の概念』のどこかで……コペンハーゲンに実在した古本屋のソルディーン？この男、夢中になると周りが見えなくなる……キルケゴールの話者曰く、こういう男には気立てがやさしく賢い細君が必要、と。で、その男、話に夢中になり、細君のレベッカに曰く、「レベッカ、話しているのは私かね!?」（笑）……室井

26日　9：26

いえいえ、理論よりずっと大切なのはエピソードというスムーレの部分。ソルディーンのエピソードは『キルケゴールとアンデルセン』でも反復引用されていましたが、印象深いエピソードですね。そのお喋りが回り回って点滴の登録商標になってしまったとは、ニッポンのキルコゲールに会いたくなったのかも。今朝の朝日新聞の折々の言葉はキルケゴールというデンス。「世間ではいつでもどうでもいいことが一番話題にされる」『死に至る病』より。今日の春学期最後の倫理学の授業は実存思想。キルケゴールを取り上げるのもデンスの三重奏でしょうか。今日から夏の「子供おぢば帰り」、キルケゴールの魂も幼子になっておぢば帰り中と拝察しています。金子昭拝

26日　9：30

頭が呆けて……逸話篇で何度も読んだが……おぢばとは何でしたか？

26日　9：47

説明不足で申し訳ございませんでした。おぢばとは御地場、親里とも言い、親神の聖地のことを申します。いま通勤途中で乗り換え駅にいますが、田舎駅なのに参拝者でごった返しています。子供おぢば帰りの行事のはずが、高齢者ばかり……でも、体は老いても心は子供心かも。

7月27日　6：32

新しい体感。敗北の歴史を引き継ぐ宿命の会津人……加えて、あの大震災で汚れちまったフクシマ人に……しかし、大震災が、今回のゴウビョウ臨死体験で「つながった」……ペイシャント、患者……の他にも、戦場で例えばマラリアで死んだソルジャーの心も体感。室井

27日　12：29

メールありがとうございました。病の床にあって新しい体感を得られたこと、何より作家としての大きな収穫であると拝察申し上げます。病床六尺の子規とはまた異質な会津人としての貴重なパッション（受難）のご体験。ペイシャントからの復活出直し後の室井文学の新展開が楽しみになりました。しゃばは台風の影響で雨模様。丹波市の町の一部も水に浸ってしまいました。金子昭拝

7月28日　6：32

新たな苦行が発生しているが、九死に一生体験を重んじ、以後はうじうじと書くのを慎む。なんとしても生還を、と念じているが、仮にそれが果たされたとして、僕に与えられた「最後の」

時間は限られている。なにしろガンだからね。その最終ステージをどう過ごすか……金子さんの期待に添えないのは確実（笑）……だが、吉本が描いた！　最後の親鸞……気取りでもう始まっているが「最後の室井光広」の証人となってください。室井

28日　8：53

おはようございます。ご容態が落ち着いたところで、本格的な治療が始まったことと拝察申し上げます。時にうじうじされることも大切。そして、なんとしてでも生還をというお気持ちが何より大事。私も毎日室井先輩と室井文学のためにお祈り申し上げております。吉本と言えば、今しゃばでは吉本興業騒動が世間を賑わせていますが、やはり吉本隆明こそ文学者・思想家のよって立つ試金石であります。今日は台風一過、穏やかな日になりますように。

28日　9：03

吉本興業の社長は、天理大学アメフト出身だってね（笑）……六千人もの人間を抱えていたとは知らなかったが……芸人は河原乞食、作家も狂言の徒の原点にたちかえるべし……「人外の者」が文化人として偉くなりすぎた……室井

28日　10：00

早々のご返信、どうもありがとうございました。室井先輩が下世話の話題に詳しくてビックリ！　でもそうでなければ、作家とは言えないのではないでしょうか。こちらでは吉本興業と天理教団の体質が同じだという話題で盛り上がってますよ……どちらも土

俗性・体育会系という共通項があります。聖と俗はこれまた容易に入れ替え可能な概念かと。芸人も作家もアートに関わる点で、俗と聖をつなぐディスクリーメンレルム。しゃばへの飽くなき好奇心こそ最大の快復源。室井文学の復活に期待が膨らみました！

金子昭拝

28日 10：22

吉本興業と天理教のデンス、無礼だが、インテレサント（笑）

調子に乗って、世俗的関心の記憶を……今どき「三田文学」に金子さんのような「読者」がいることに感銘。田中和生氏に同誌新人賞を……それを機に無報酬の理事として関与。実は前前編集長のとき、次期編集長はX氏と、そのための全ての編集技術を彼に伝授……ところが、稀代の俗物、芸術院入りの理事長がなぜか彼を嫌い抜き、結局はじかれたまま……その後僕の塾長をしていたこともあり文芸誌からも長く冷遇。しかしときは過ぎ、入院でわからないが、先般、「群像」に長編評論を一挙掲載の情報が。そういうわけで、X氏登板の可能性はある、と。室井

28日 15：02

「三田文学」の文壇打ち明け話、私にとってまさにインテレサント最上級であります。学会でもこのような話は事欠きません。残念ながら「三田文学」ならぬ「三田哲学」においても……。筒井康隆が文壇と学会を撫で斬りにしたのは、彼の慧眼ではありました。学会ゴロにはなってはいけないという大谷先生の言いつけを愚直に守ってきた私は、い

まも日本倫理学会の平会員（笑）。「三田文学」に対する私の印象なのですが、確かに編集方針がちょっと学術的……そのバランスを取るためか（?）、若手作家たちのいささか幼稚な作品特集……。私を満足させる作家は室井光広、編集者はもちろん田中和生氏で！「三田文学」出直しのために両氏の復活を期待いたしております。今なお生ける文学中年こと金子昭拝

7月29日　6：20

立ち上がったラザヒロの決死の自力歩行リハビリ訓練……僕には経験がないが、這えば立て、立てば歩めのオヤサト心……今、ようやっと3歳児くらい（笑）……3歳ではちと早いが……少年キルケゴールと父ミカエルの、室内の「空想の散歩」……3歳児のほうは、同じフロアの、院内一周に成功。「みにくいアヒルの子」の母親アヒルが一緒に散歩中の雛たちにいうセリフ……「おまえたち、これが世界の全部だとでも思っているのかい、世界はね、遠く牧師さんの庭のほうまで続いているんだよ」室井

29日　8：47

おはようございます。自力歩行リハビリ訓練を開始され、しかも院内一周に成功したとは、一大進歩で、何より慶賀に存じます。3歳のキルケゴールの追体験は貴重なご体験です。昨日我が家の庭の木の蝉の脱け殻を数えたら、13個ありました。蝉たちは早々と広い世界に飛び立っていったようで、今頃は遠く牧師さんの庭で鳴いていることかと……。金子昭拝

29日　9：07
サンクス。盲目のボルヘス曰く、「隣の農場に行くのは、隣の天体に行くようなもの」……「七つの夜」の「盲目について」は畏怖すべき文ですね！　障害者論の白眉！　オヤサトの「大黒柱」の金子パパよ、これまでクリアでないお写真を何枚かみた限りでも、金子さんは貫禄十分、僕のほうは体重激減のうえこれから抗がん剤治療で髪も抜け……どうみても、僕のほうが弟弟子だね。室井光広

29日　11：29
ご丁寧なご返信、恐縮の限りに存じます。ボルヘスの「盲目について」はとても印象深く読みました。文学者による障害者論としてもっと注目を浴びてもよいかもしれません。私など貫禄ゼロ、大黒柱にしたらすぐにポキリと折れてしまいそう。室井先輩はなんといっても大先輩です。たとえ抗がん剤で、髪が抜けてもまた生え、体重も快復すれば元に戻ります。私の場合は髪（神）に見放されて、薄まる一方（笑）。今日も会議でオヤサト参りです。金子昭拝

7月30日　6：36
逆さまポエジーを奉じるＤＱの末裔は、弟弟子に「兄事」……ちょうど、五歳下の多和田さんをこの二十年間、兄事ならぬ「妹事」……こんな言葉はないが……してきたように。その多和田さんが、超多忙の合間を縫って、世界各地の滞在先から、僕の「限られた最後の時間」の活用方法について、じつにインテレサントな励ましをくださった。それは全く「ウエット」

なものではないが、こちらは田舎のキルコゲールなるカエルなので、涙した。室井

30日　8：38

おはようございます。メールありがとうございました。多和田氏から励ましのご連絡、素晴らしいことです。現師大谷愛人先生には最後まで叱られ通しでしたが、今思い出すのは懐かしいエピソードばかり。ある授業で、生命倫理が話題になったとき、大谷師はどんなことがあっても生命を大切にし、生き抜くことが肝心だと、力を込めて言われたのを覚えています。師のバイオフィリアに、シュヴァイッツァの徒は感激。その後、30年間、嫌なことや辛いことは山ほどありましたし、今なおありますが、最後の拠り所は生命への畏敬。超有名と無名人の違いこそあれ、多和田葉子氏は私と同級生の年齢。同じく、室井兄に妹弟として師事しています。毎朝、室井兄のメールと熊蝉の大合唱で目が覚める日々、「私は生きんとする生命に囲まれた生きんとする生命である」というシュヴァ師の生命への畏敬に思いをいたしています。抗がん剤で髪が多少なくなっても何のその。大切なのは内なるWille zum Lebenに忠実であることかと。以上、長くなりましたが、日本のシュヴァイッツァからのハゲましの言葉でございます。金子弟拝

30日　8：55

僕が本音のところで最愛の文学形式はエピソードの綴ら織り、アフォリズム、断章……ゲーテ、ニーチェ……これにならったカフカ……いや、もしかしたら僕がキルケゴールで一番好きな、あの「あれかこれか」巻頭のアフォリズム。世界文学の最高傑作。

うろんな記憶だが、その「ディアプサルマータ」のどこかに、中世の魔術師のエピソードが……若返りの秘薬を作ったが、調合を間違えて、赤ん坊に……。日本の昔話にもこれに似たエピソードがたしか。

明日、二回目の抗がん剤。また一回目みたいな地獄が来たら……あな、おそろしや。室井

30日 10：24
ご返信、どうもありがとうございます。「ディアプサルマータ」の当該箇所をゲンテルセン賞の副賞の『これか、あれか』で早速確認。魔法使ウィルギリウスの話ですね！調合を間違えたのではなくて、見張りの者が中を見たいという誘惑に負けて、早く覗きこんでしまったようです。あの吉本隆明の「機縁」にも通じ、昔のご飯炊きの「赤ん坊泣いても蓋取るな」にも通じる、聖俗共通の人生訓。二回目は大丈夫でございます。多和田氏ならKein Problemと独語されることでしょう！　金子昭拝

30日 11：39
多忙の大黒柱にまた余談。金子さんは、あの出直しの福音をもらったときからサンタクロースみたいな人と。わが東洋のイメージで、大黒様（笑）。シチフク舟に乗り、大きな袋を。そこにギフトが。室井

30日 19：24
ご返信が、遅くなり、申し訳ありませんでした。サンタクロースに大黒様とはまた過分のお言葉。私はどちらかといえば、サンタの乗る橇やシチフク舟のような慎ましやかな

（？）存在。しゃばでは昼間は真夏日、夜は熱帯夜です。明日から抗がん剤治療の2回目でございますね。頑張ってくださいますよう、お祈り申し上げております。金子昭拝

30日　19：34

訂正、金子さんに出来るだけ正確に……明日から臨むつもりが、筋力の衰えが戻っておらず、一週間のばして体重を少しでも増やしてから、と明朝陽子さんに一任して主治医に頼む予定。七回死んだあの極限状況は、やはり一回目の副作用！　と今頃医者が認めた……返信無用です。室井

7月31日　6：34

金子さん、もし御蔵書のなかに、以下の古書？　があったら、必ず返却するので、貸与願えませんか。倉田百三『地に垂れる乳房』……無論、図書館蔵書の場合は結構です。室井

31日　7：39

おはようございます。メールありがとうございます。また、昨日夜のメールもお疲れのところ、どうもありがとうございました。抗がん剤治療がそのように大変なものだったとは……認識不足で申し訳ございませんでした。

倉田百三『大地にしく乳房』は昭和12年の本ですね。残念なことに私の手元にはないのですが、もし時間が多少かかっても良いようでございましたら、図書館等でコピーしたいと思いますが……倉田百三と言えば、親鸞を描いた『出家とその弟子』の作家。中山みきもこのように小説化していたとは……私はタイトルだけ知っていて未見の本です。

金子昭拝

31日　7：48

どんなきっかけか思い出せないが、倉田百三、高校生時に愛読していた……あの倉田がそんな本を。と少し驚いて……でも八面六臂の大黒様、これは急ぐ必要なし。むしろ生還を遂げたあとの楽しみに。今は、ひとまとまりの本はじつは読めない。室井

31日　8：31

早々のご返信、どうもありがとうございました。実は、今、インターネットの古書店に戦後の再刊として出ているのを見つけましたので、早速注文いたしました。現在、書店からの返信待ちですが、値段も手頃なので、その点はご心配ご無用でございます。私の手元に届きましたら、室井先輩のご自宅宛にささやかなギフトとして送らせて（贈らせて）いただきます。金子昭拝

31日　10：04

急展開！　二回目の抗がん剤治療は、いったん退院してから、に……

体力はまだ十分ではないが、ともあれ、これで一回はしゃばに「生還」できることに！

まっさきに……金子さんに報告したかった！　まあ、家でも大変だろうが。ちょうど倉田氏の本のプレゼントの報とデンス、空恐ろしいね！　退院予定は金曜日の午前中。室井

31日　10：18

嬉しいニュースをありがとうございます！　いったんとは言え、退院は退院、本当に良

かったです！　福音を真っ先に知らせて下さり、光栄に存じます。倉田百三の本、来週あたりになりそうですが、お楽しみに！　金子昭拝

31日　12：52
じつは、退院期間はたったの一週間……味けない病院食を1ヵ月……こんどは急に、なにを食べてもよい、と。囚人の一時釈放……室井

31日　13：43
ご返信ありがとうございました。そういえば、ご入院はもう1ヵ月になられているのですね。たとえ一週間の退院であっても、その期間に体力をつけられて、また治療に臨むということと拝察します。倉田百三の本、在庫有りと返信ありましたので、早ければ今週中にはお送りできそうです。金子昭拝

31日　13：48
オヤガミさまに不遜な物言いですが……僕も、最後に与えられた時間を使って、エトバスを大地にしきたいです。室井

＊エトバスはドイツ語で「あるもの、あること」。大地に母乳をかけて実りを豊かにしていくことは、男性にはできないが、それに代わる「あるもの」をかける、著作家として作品や思想を世に出していく。

31日　14：50

ご返信ありがとうございます。いえいえ、オヤガミも室井先輩の執筆意欲には大いにお喜びかと拝察です。金子昭拝

8月1日　6：20

明日午前中退院予定。血液の病の宿命でほぼ毎日血液検査……ホネカワスジオの両腕はどす黒くただれ正視に耐えない……上半身を脱いで、曙光にあてた……この無残な姿は、鶏ガラ……田んぼでは食えない我が家はありとあらゆることをやって……その最たるものが養鶏。俳句の季語「羽抜け鶏」は多分夏。髪も散り始まって……まさしく恐怖の羽抜け男（笑）……室井

1日　8：02

おはようございます。明日には一時退院、何よりに存じます。しかし、毎日血液検査は辛いですね。鶏ガラのようにまで痩せられたとは……ここまでよく耐えてこられたことと拝察いたします。でも明日から1週間は「しゃば」で休養ですので、この機会にゆったりと過ごして、ぜひ命の洗濯をしていただければ、と願っています。金子昭拝

8月2日　6：14

本日、ラザヒロは、祖父が山から取ってきて手作りし、晩年の母も使用していた「転ばぬ先の杖」！　をついて、家に帰ります。僕もついに、あのスフィンクスの謎かけにある「三本足」の動物に……いつか自分が、と十年まえ、生家の納戸からもらい受けてきたこのスペシャ

ルな「杖」を、これこそ「用木」の唐変木版（笑）と。謹んで、オヤガミさまにご加護を深謝！

室井

2日　8：48
おはようございます。今日は一時ご退院される日、誠におめでとうございます。お送りいただいたメールも、いつもの室井文学節がサクレツ、素晴らしいです。「転ばぬ先の杖」、これほど嬉しい「用木」の活用法も他にはないことでありましょう。我が家でも、飛び立っていった熊蝉たちが「帰宅」して盛んに鳴いています。まるで室井先輩の退院を祝福しているかのよう。金子昭拝

＊自宅に戻った光広が「一度は復調したいと思ったが、この一週間がその一度かもな」と言う。

8月3日　6：47
マルガリータ・ラザヒロより大黒様。昨日、羽抜け鳥が退院してまっさきに敢行したのは、丸坊主にすること。二目と見られぬ風貌に……しかしこれで小学生時代に若返り。それに、出家のセレモニーも！　アタマを丸めて「出直し」て来い、の天の声。室井

3日　8：33
おはようございます。ご退院の際にマルガリータになられたとは……奇しくも今朝入っ

ていたピザハットの広告にマルゲリータの写真が。幸先の良いデンスを感じました。暑い夏でもありますし、そのほうがスッキリされるかも。出直しとは若返りと見つけたり！　出家の精神で入家され、非僧非俗の親鸞の境地かと。昨日、午後の郵便で倉田百三の本を送らせていただきました。大黒様よりオヤガミの快気祝いのギフトでございます。金子昭拝

8月7日　9：18

おはようございます。ご自宅でくつろいでおられることと拝察申し上げます。ご不自由な中、お手紙と会津のおみやげをお送り下さり、誠にありがとうございました。起き上がり小法師は早速、シチフク舟の仲間入り、縄文土器のかけはしの横に。ラザヒロ先輩の起き上がりを祈っています。私のほうは真夏の8月というのに、今日も出勤。会議ばかりが3つもあります。大学はもはや正気の沙汰ではありません。大黒様も夏バテで小黒様に……。金子昭拝

7日　9：48

会津から三個取り寄せた起き上がりこぼし、一つは大黒様に……一つは、9日に再入院して臨む第二回の抗がん剤治療に生還を「呪」して……僕のゴウビョウの場合、この治療で帰らぬ人になる確率は20から30パーセントの由。ああ大黒様よ、この中に入らぬよう、オヤガミさまによろしく、よろしく。金子さんとほぼデンスして、N賞候補にも噂される幻妹からメール。「回復したら、私と連詩をやりませんか……メールは味気ないので、ノートのようなも

のに詩を書いて郵便で送ってもらえれば、こちらも書いて郵便で送ります」と。そんな悠長なことを、世界文学の最前線にいる人が……金子さん同様に、僕にはまだやらねばならない「こちら側」の仕事が……とけしかけることで根源的な生命力を付与しよう……と。全くもって、涙、涙、涙。連詩のなんたるかも知らないのに、さっそく陽子さんに頼んで参考書を注文（笑）……ものなど読める体調からほど遠いにもかかわらず。

三個目の起き上がりこぼしは僕が来春まで生きのびられた際に……室井光広

7日　17：42

貴重なご自宅でのお時間に、ご懇切なご返信を頂き、とても痛み入ります。わざわざ会津から取り寄せられた三個の起き上がりこぼしの貴重な一個を幻弟に……大変ありがたいことでございます。親神様に治療がうまくいくようにお祈りしました。神は髪に通じ、さらに紙にも通じます。髪をお供えされてご生還の起き上がりの暁には、N賞候補の幻妹様とお手紙による連詩の開始へ。こんなにすごい展開はありません。「こちら側」へとたえず起き上がる生きんとする意志。連詩（私も知りませんでした）の参考書を注文される心意気、これが根源的な生命力につながります。金子昭拝

＊8月2～8日の一時帰宅中、光広はかつてないほどものが美味しいと、意欲的に飲食をたのしんだ。入院中に体を動かせなかったための筋力の衰えで転倒しないようにするのが精いっぱいで、隣市の蕎麦屋で十割蕎麦を食べたいという願いはかなわなかったが、9日朝の

再入院の際に、小さな院内レストランのメニュウに、手打十割蕎麦とあるのを発見。主治医が「行っちゃえ！」と許可を出し、光広は「小カレー付き十割蕎麦ランチ」というセットメニュウを平らげた。それ以後は「十割蕎麦」が回復の目標にもなる。

8月15日　9：32

金子さん　死にぞこない数回の、今なお生けるらざひろより、謹んで。台風10、大丈夫？

今日中に列島を縦断の由。僕も全く新しい「劇薬」抗がん剤治療が、12日から開始され、今日中に「峠越え」に……この治療法、「スマイル」という「複合の劇薬」、名前が気にいって同意（笑）……つまりこの抗がん剤は単体ではなく「複雑な」僕にふさわしくいくつかの薬剤の組合せ……悪性リンパ腫といっても、僕を気にいってとりついた「性悪女」の正体を特定するまで3週間以上かかった……明日から3日休んで19日からまた断続的にこれを今月末に第一回が終了……その模様を見て、2回目の自宅生還できるか、決めると。これと同じ事を来月再度繰り返しスマイル療法は終わり、「あとは再発するまで何もしない……やれば危ない」と主治医。その再発が1年後か3年後か、はたまた奇跡がおきて10年くらい生きられるか、「それは神のみぞ知る」……以上、病状概略報告。疲れた。なんでも「コノ私性」に結びつける男……台風10号を「スマイル台風」と命名（笑）……くれぐれも用心!!

室井光広

15日　17：54

ご丁寧またご懇切なメール、これだけたくさんの文章を打ち込むのはさぞ大変だったことと拝察いたします。抗がん剤治療が「峠越え」されて何よりでありました。まさに「スマイル」なご報告、私も思わずスマイルでした。関西では台風10号は暴風圏も消え、いつの間にか峠越え。拍子抜けするほど平穏です。テレビは大げさな報道ですが、まさにスマイル台風。室井先輩の治療と同様、スマイルな着地点に……幸先の良いデンスです。私のほうは暑さでスランプ気味。論文はまるで書けず、気ままに好きな本を乱読の毎日でした。芥川龍之介の「河童」を再読していたら、ゲエルという名前の河童も登場し、ニッポンのキルコゲエルを思い出して、スランプもいつしかスマイルに……。どうぞくれぐれもお大事にしてくださいますよう。金子昭拝

8月16日　10：32

世界選手権実況中継……全死、4ラウンド。超超ライト級世界チャンピオン、鳥ガラ仙人事務所所属、赤コーナー、ディスクリーメン・レールム・ラザヒロ！

おっと、闘うまえからあざだらけ、ふらふら……とまあこんな調子。おやさと様のゴカセイも含めた「複合」的作戦は第一回ラウンド終了。「劇薬」を予定通りのみきったような体調。にっこり笑って敵を……。今日から3日休んで19日から断続的に第2回ラウンドへ。休みの間、運動を、と。わかっちゃいるよ……食欲減退でそれがすぐできたらほんとうのチャンピオン……これから2、3日、暑さが厳しい由。ご注意あれ。室井光広

16日　12：38
台風一過、夏空が広がっていますが、心なしか季節も秋へと変わりつつあるようです。世界選手権、第1ラウンドでのラザヒロ選手の勝ち、おめでとうございます！　おやさと・オジバからの遠距離応援のかいもありました。台風10号もオジバリヤで大過なくやり過ごせるパワースポットですから、ラザヒロ選手の加勢は朝飯前……。いや、それより何より室井先輩のユーモアの力の勝利です。スマイルがこの力に加勢したことと拝察いたします。私のほうは芥川を晩年の作品から逆に若い作品へと読んでいます。暑い夏は長編より、こまめに休憩が取れる短編、それも芥川くらいの短い作品が一番です。
金子昭拝

8月19日　11：30
大谷先生遺品のハガキ多謝。今日から第2回ラウンドへ。1日おきに31日まで計7回に分けて。聞きしに勝る抗がん剤副作用……死神の出現がこれまでないだけでも……と思うが……妊娠中のツワリ状態に近い？　食べられるものが無くなって……まあ、毒を食らわば皿までも……これに2ヵ月耐えるのはまさにペイシャント。おじばのパワースポットにいつの日か……それを支えに。室井光広

19日　15：38
こちらこそ、3日ぶりのデンス（電子）メールありがとうございました。今日から1日おき計七回に分けての抗がん剤治療、大変なことと拝察申し上げます。私には想像もつ

かない闘病のご体験、気持ちだけでも持ち前のユーモアの力で軽やかに乗りきっていただきますよう、お祈りするばかりでございます。パワースポット親里お地場から親神の元気エネルギーを送ります。食べられなくても、皿の前にはまだ水が。水を飲めば、水の味がすると、中山みきも反復しています。今日のしゃばは曇りで久しぶりにしのぎやすい1日になりました。私にできることがありましたら、ご遠慮なくおっしゃって下さいませ。金子昭拝

19日　15：59
薬剤がここまで「複雑」になると医者は痛苦軽減に関しては何もできない……その点、近代医学130年に対して、前近代1300年の歴史をもつはり・きゅう・あんまは、天理教と似た、説明できない神秘的パワーをもつ……何年も前から不可思議な「縁」で結ばれた友人の鍼灸師、僕は「くす師」と呼ぶが……この人にしょっちゅう病院に来てもらえている……詳細は不可だが、金子さんは来年この人に会う定め（笑）……室井

19日　16：23
近代医学の歴史を十倍超える伝統医学というのはすごいことです。「くす師」の先生が痛みの癒しを引き受けて下さるわけなのですね。私もちょっと安心いたしました。来年お目にかかることを、私も楽しみに。金子昭拝

8月20日　6：31
金子さん、朝はやくから失礼。魂の癒やしに頭を向け、さっそくの気持ち悪さをはらいたく

て……くすしの名前は山本秀史さん、僕より1世代下……彼に「グローカル天理」をあげたりしていたが、なんと実際に「下見」と称して、親郷の土地を見に行ってきた由！　この人は昔の風水師の能力を……じつに凄いパワースポットだと感じいっていた。以前もらったあの芭蕉とそらの図録を……ハリ・きゅう・あんま師付きなら、死神に魅入られた男もおやさとまで旅が……というような夢想を紡いで……彼は、台湾にもしょっちゅう……このデンス、ただらなぬもの、と（笑）……室井光広

20日　14：15

今日は昼から大学。世間では重役出勤かもしれないけれど、書きかけの論文をそのままにしての「おぢば帰り」は後ろ髪を引かれるよう。山本秀史氏の情報ありがとうございました。なんとおぢばに一足先に来られていらっしゃっているのですね。ネットでやまもと鍼灸院のＨＰも拝見。番地からして、室井先輩のご近所さん。同志社大学出身だったら奈良もお詳しいはず、しかも台湾通……まさしく「デンス」の三重奏。来年はぜひお二人でいらして下さい。親里には憩の家病院という奈良県の拠点病院もありますので、いざというときも大丈夫です（笑）。ただこの憩の家病院、西洋医学と天理教のお授け（治癒儀礼）だけで、両者を媒介する東洋の伝統医学が無いのが玉に傷……だからこその「くすし」との旅行脚とも言えるかと……。金子昭拝

8月21日　17：36

くすしをめぐる反応もノリがいいなあ……くすしを信頼するのは、西洋医学と対照的に、文

字通りの「手当て」に重きをおくところ……自らは「媒質」と化し、ツボに「気」をおくるべく反復……この「手」の運動は、御てぶりの出直しにも通底する、と勝手に。今日で第2回ラウンド終了……気分の悪さよ飛んでゆけ……憩の家病院の「お授け」は誰でも受けられる？　室井光広

21日　19：51

メールありがとうございます。第2ラウンド無事終了何よりでありました！

医療の「やまもとことば」はまさに「手当て」……「気」をおくる「手」の反復運動は、ご指摘の通り、お授けの手振りと同じものでございます。お授けは「ようぼく」であれば、誰でもできますし、やりたがります。患者の側からニーズが少ないものですから、逆にお授けさせてくださいと、ちょっとうるさいぐらいかも……。今日も私はオヤサトに出勤。室井先輩のご快復をオヤガミにお祈りして参りました。金子昭拝

8月22日　9：13

金子さん　またしても、大黒柱のゲンテルセン、日本のシュヴァイッツァの予言？　が的中……主治医他のスタッフに、2か月近く、自分の来し方についてさしたることは語らずに……ところが、ネットか何かで当方のA賞や、もとT大学教授などの情報を知られるに至り……この病院、T大学病院へ行く途中に位置し……つながりも深く……多分、主治医はそこの出身……別に態度の急変というわけではないが、「作家さん」なんて呼ばれるようになり……（笑）さすがに「聖・俗」のあわいで、粘り強い営みを脱構築的に持続してきたゲンテ

ルセンだけのことは……こちらは、業病にしてやられて脱構築どころか、体中の脱毛がせきの山……これは一種の「脱皮」の苦行！　室井光広

22日　10：49

おはようございます。お元気そうなメールありがとうございます！「精霊あるところに教会あり、P・M・メラーあるところにコルサールあり」と言って自ら災いを招いたのは19世紀のキルケゴール。一方、ニッポンのキルコゲールは21世紀のネット社会にあって、奥ゆかしく自ずとA賞作家と知られる栄誉。医師の世界はよくもあしくも序列の世界。自分たちの母校の元教授でA賞作家と分かったら、もう尊敬の眼差し、対応もおのずと変化していくことに……これはシュヴァイッツア第二の予言（笑）であります。「脱皮」の苦行もまたこの世での出直しの修行ではないでしょうか。この身ばれにより、また新たな幸先の良いデンスの波の到来を予感いたしております。金子昭拝

8月23日　11：14

金子さん　今日これから夕方まで第3ラウンド……毒を呑めば毒の味がする。だいぶヘロヘロになってきたので……ラザヒロあらためラザヘロ、と名乗ろうか（笑）……でも、シュヴァイツァのおやがみ祈願の霊験もあり、少しずつ、食べられるものを見つけられるように……合掌。室井光広

23日　15：08

室井先輩、早くも第三ラウンド、誠にお疲れ様でございます。

毒も濁り（ご）を取れば得にも徳にもなる……というのは、天理教流語呂合わせですが、毒を持って毒を制するラザヘロ選手はオヤサトでもチャンピオンになれそうです。今日は私も教会でお手振りのお勤め、さすがにヘロヘロになりました。金子昭拝

8月26日　10：47

金子さん　昨日4ラウンド……しかし、実は、1日おきの前、12日から4日連続で毒杯を……それを含めると、今月末までに、計11ラウンド……ギャロウズヒュウモアに似たスマイルが……気持ち悪さが安定している（笑）……という逆説的な身体状況も未曾有の体感。十三階段ならぬ11階段を上りきり、上から降りてくるのはクモノイトか、はたまた「永久初版作家」への判決か……室井

26日　16：26

第四ラウンド開始のご連絡をありがとうございました。計11ラウンドもあるとは……こんなときにスマイルが出るとは素晴らしいです。まさに薬のスマイルと合わせてのスマイルの2乗！　今日は天理教本部の祭典日。逆説的な身体状況も未曽有の体感。パワースポットのオヤサトで最もパワーが集まる日です。室井先輩のご快復を祈ってオヤガミのサイテンがよくなりますよう、お願いしました。室井文学はまだまだこれからです。新刊がヒットすれば、初版も再版に。金子昭拝

26日　17：54

金子さん　決してあきらめない神秘的な聖・俗アマルガムの保有者に、僕も、勝るともおと

らぬ粘り強さで毎度おなじみの反復ソングを……業病にとりつかれる前からマジョリティに受けるベストセラーを願ったことはただの一度もなく……まして死国霊場巡りを経たこれからは……最後に与えられた貴重な時間を「宗教的な営み」に、それもマイノリティ相手のピュアな仕事に……金子さん、僕ね、出直ししたときも、マスコミの死亡欄にものることなく、しばらく経って……「無名作家の室井光広が亡くなっていたんだってね」……冗談ではなく、そういう「最後」にできたら、捨て聖として理想的だと……死神との対話はその実現を決定的なものに……多和田さんとの連詩もマイノリティ相手の化身……

8月27日　9：14

金子さん　おはようございます。今日もソクラテスのように毒杯をあおる日……ささやかだけれど、個人的に驚いたことを一つ……それとももう書いたかな？　アタマが朦朧として……台湾でわが西川満先生が再評価……の話は聞いていたが……文化人として位人臣を極めた先鋭な詩人荒川洋治……をくさす話ではなく（笑）……荒川の初期詩篇にもっとも強い影響を与えたのが西川満の作品！……「最後の親鸞」と同時期に読んだ吉本の「戦後詩史論」を入院直前に再読してそれを知り、意外な感に打たれた……西川先生のは前時代の古風なイメージだったので荒川の前衛的な作風と結びつかなくて……文学史の「影響」というのは一筋縄ではいかない摩訶不思議な秘密があるな、と。室井光広

27日　9：19

おはようございます。昨日は二回目のメールにお返事できませず、申し訳ありませんで

した。毎月26日はパワースポットの特異日。色々会議などが集中します。一回目のメールも会議中にこっそり書いていて、天罰てきめん。文章の途中が混線してしまいました。それはさておき、室井先輩の思いをなかなか分かっておらず、誠に申し訳ない次第でございました。「欲のない者なけれども、神の前には欲はない」とはオヤガミの神言。室井文学はいまやその境地に……。有名無名にこだわる葛西善蔵や嘉村磯多ではなく、芭蕉や西行法師を彷彿とさせます。有名無名は結果論、ゲンテルセンの希望はあくまでこの世での反復出直し再出発、室井文学の再版刊行でございます。ここまで書いたら、今またデンスメールが……。金子昭拝

27日　9：45

ソクラテスのようにショウヨウと杯を仰ぐ室井先輩の勇ましいデンスメール、誠にありがとうございました。西川満先生の魂は室井文学の中に復活しているという印象です。人文系に強い天理台湾学会でもよく取り上げられるのが西川文学。荒川洋治氏への影響関係は初めて教えていただきました。私のほうは荒川ならぬ芥川の筑摩文庫版全集を後ろから三巻読了。さすがあのA賞の元の作家だけあって、次から次へと新しいスタイルの小説を書くものと感嘆することしきりです。

27日　10：16

ソクラテスと言えば、著書のどこやらにも書いたが……後世の誰かが作ったというエピソードも忘れ難い。毒杯をのむ日が近いのに、面会にきた弟子にリュート？　という楽器を差し

入れしてくれと……「でも先生はまもなくこのよをさるというのに、今更……」と不思議がるのに対して、「だからこそ練習するのだよ……死ぬまでにマスターしておきたいんだ」……フローベールをはじめ名だたる作家たちを感動させた話。この「最後」の行状がわかるかどうか……僕の人生の「最後」に付き合うべき人間かどうかの条件が（笑）　室井光広

27日　12：57
ソクラテスのエピソード、魂の永生を伝える感動的な逸話ですね。私も思い出して、『パイドン』『ソクラテスの思い出』などを読み返してみましたが見当たらず、ネットで検索……。ルーマニアの作家シオランの書いたものにあるという話。楽器はフルートのようです。出直し教の我が宗門でも、高齢の教会長があてもないのに英会話の勉強を始めて、なぜと聞かれた時の返事がまさにソクラテスと同じものでした。そして今度生まれ変わったら、海外布教に行くのだと。でも運命は神のみぞ知るところでございます。吉本隆明なら「若者よ、機縁は仏の御手にあるもの」と言われるところでは……。大谷先生は百歳まで生きると宣言されていました。惜しくも6年足りませんでしたが。先生の御母上様は満百歳の誕生日に天に召されました。金子昭杯（拝）

8月28日　8：03
夕べはいつになく副作用がひどく、悶え苦しみました。まあ、抗がん剤というのは農薬と同じといいますから、こんなもんでしょう……芥川を精読するゲンテルセンに好感が持てます（笑）……かつて批評家たちに批判され続けたが、芥川は近代文学の原点。旦那芸の巨匠、

谷崎潤一郎などに僕は一度も根源的な魅力を感じたことがない……太宰が言っているように芥川的「苦悩」がない作家なんて僕にとってなんの意味も……と言いたいほうだい。芥川のアフォリズムも素晴らしいし、晩年の鬼気迫る作品もいいね！　室井光広

28日　17：07

昨日は大変だったのですね。抗がん剤が農薬のようなものとは、比喩にしても恐ろしいですし、成分的にも同じようだとしたら、もっと恐ろしいです。どうかくれぐれもお大事にしてくださいますように！　芥川龍之介はなかなかのものです。当時の小説家たちの間では一頭地を抜いています。「グローカル」の連載の次の号でもちょっと引用いたします。今日は昼から久しぶりに天理図書館で大谷先生の旧蔵書の整理作業。これまた骨の折れる作業でした。金子昭拝

8月31日　14：35

金子さん　本日で、ワン・クールの投与終了……なんとか、「今なお生ける者」としてしのぎました。しかし残りのワンクールをまた9月に……げんなりです。この体験を通して、最後の最後までフモールを味方につける実存の根源への理解が……笑を味方につける……これもディアプサルマータのたしか最後の断章……では最初は?……詩人とはの定義……とろ火で焼かれるときのうめき声が、人々の耳には「美しい音楽」のように聞こえた……なんとピュアで凄絶なエピソード！

「美しい音楽」は無理だが、ヒュウモアなら、という見果てぬ夢……室井光広

31日　17：34
ワン・クールの投与終了、本当にお疲れ様でした。抗がん剤は私などは無論のこと、キルケゴールも体験したことのない過酷な治療。今まさに「フモールを味方につける実存の根源への理解」を得る文学者としてのご経験をなさっておられることと拝察いたします。室井先輩のユーモアは、抗がんの剤スマイルと共に、美しい二重奏を奏でることでありましょう！　私のほうは今日も出勤、図書整理の作業でした。金子昭拝

＊9月2日朝携帯が故障、通信手段を失い外とのつながりが断たれる。

9月5日　16：16
金子さん　わが肉体とデンスしてガラケーが故障……一応、なおったようで。ご懇切なお手紙と「グローカル天理」拝受、さっそくくすしにも……くすしは、金子さんのような学問的習練を経た人でも宗教家でもないが、宗教的な人……ホスピスでボランティアを続けたような人で……あんまによって痛みを極力緩和しているうち安らかに死者を看取るというような体験の持主。僕も、再発したらこの人に、と。明日、2回目の生還で自宅に。しかしこのスマイル療法、一筋縄ではいかない難儀な副作用が……はてさてどうなるものやら。近いうちまた再再入院……以上、状況報告まで。室井光広

5日　18：16
デンス（電子）メールありがとうございました。携帯電話がなおったようで、何よりです。実は私もガラケー利用者。これまたデンスでございます。使えるまで使わせてもらうのは、自分の肉体と同じこと。わが宗門では「体は神からの借り物、心一つが我がのもの」と教えられています。くすしの山本先生は、ホスピスでの看取り体験もお持ちとのこと、並の宗教家など足元にも及ばない、臨床的な癒し手であります。くれぐれも宜しくお伝えくださいませ。明日はまた一時退院、ほっと一息つけるのではないでしょうか。次のラウンドに向けて、ご体調を整えて頂けましたらと存じます。私は今日は天理図書館で図書整理の作業でした。金子昭拝

9月6日　9：27
金子さん　わが霊的な幻友も、スマホではなく、ガラケーだったとは！
ガラパゴス島みたいな反時代的なキルケゴール思想を牙城にして……独自の「進化」を遂げた我々は、シュヴァイツァとか、キルコゲールとかいう他の地域には生息しない奇妙な生きものに（笑）……この絶海の「孤島」にあって、我々は「ひとりぼっち」ではない。本日、午後退院。室井光広

6日　10：33
おはようございます。今日はお昼から一時ご退院、何よりでございます。どうかご自宅でゆっくりとおくつろぎくださいますように！　ガラケー派は今や保護が必要な絶滅危

惧種……かもしれません。でも、文学や思想はスマホからは生まれてくるものではなく、たとえガラケーでも携帯小説のようなライトノベルが関の山。大谷先生はキルコゲール、もといキルケゴールが読まれなくなった時代こそ、キルケゴールが最も必要とされると、時代を予言されていました。ガラパゴス島が実は時代を先取りするインコグニトである可能性大ではないかと密かに期待しているところでございます。ひとりぼっちの単独者が人間として生きることの潜在的な「グローカル」スタンダードと信じて……金子昭拝

6日　15：10

只今、ヘロヘロ状態で自宅に……かかるラザヘロに件の山本師は、ゆっくりゆっくり休むことに専念せよ……といいながら、天理の土地の話になると一転（笑）……「あの土地に行ったほうが……いや、ぜひにも行くべき」と強い口調で。僕の身体状況を知りながらの、この「逆説的な」何か…そこに隠れている正体は？　ゆっくりゆっくり時間をかけて、休みながら鍼灸あんまをやりながら行けば大丈夫、と。無論、今すぐの話ではないが……僕はこの前近代的なくすし・風水師の言うことには根源的な知恵があると信じている……かれがそこまで言う土地の力とは⁉……

6日　17：57

ご帰宅お疲れ様でした。貴重な一時ご退院の時間ですので、ゆっくり休んでいただければと思います。オヤサトは風水的にも良い土地で、古代はモノノベ氏の領地でした。その名残が石上神宮の存在。芭蕉も参詣に来ました。たしかに土地の守護霊、ゲニウス・

ロキを感じます。金子昭拝

＊「強い薬を使い続けるので胃かいようになることもある」と主治医からは最初に言われていた。胸やけがひどく、特に食後が辛かったようで、食べていると灼熱感が追いかけてくるのだという。前回の一時退院の時のように飲食をたのしめる状態ではなかった。

9月11日　10：02

2回目の退院で自宅に生還……17日には再入院……予定通りですが、医師から最初に言われたような薬剤性の胃潰瘍に近く……食事をすると苦しく、かといって食べなければ体力が一層なくなる……まさしく、引くも地獄、進むも地獄の、「あれか、これか」状況に転落……想定内とはいえ、崖っぷちに立っています。なんとか再入院の日まで胃袋さまの機嫌をよくしないと……2回目の抗がん剤治療には耐えられない……トホホのホ。すがりついているくすしの山本師が「グローカル天理」の金子さんの文を読んで、一言、「これは、学者・研究者の文ではないな」と。僕と同じ感触……何故か嬉しく。室井光広

11日　14：21

デンス（電子）メールありがとうございました。ご自宅に戻られて、ほっと一息つかれているところと拝察申し上げます。お食事のこと、大変なご様子……でもあと一週間もあれば、きっと胃袋さまも元通りになられることと期待いたしております。漱石の「明暗」

の出だしを思い出しました。でも、時代は21世紀、医学の進歩も有りますし、くすしの山本先生もついておられるので、胃かいようも何のその、大船に乗ったつもりでおられて大丈夫かと存じます。昨日から今日まで飛鳥で研究仲間と合宿研究会でした。石舞台や飛鳥寺にも行きました。日本最古の止利仏師作のお釈迦様に、室井先輩の一日も早いご快復を祈り、手を合わせて参りました。金子昭拝

9月13日　9：18

金子さん　少し、胃袋さまの機嫌が良くなったような……早朝の浜辺に数か月ぶりに佇んで潮の香りを吸うことが……退院時の悲願達成。祈りのおかげ。合掌。

それにしても金子さんが「仕事場」にする土地は素晴らしい！　丹波一京助さんが羨ましい……飛鳥の地で合宿……聞いただけでもワクワクします。当方所蔵の小林秀雄の一文、「蘇我馬子の墓」……新潮文庫『無常という事・モオツァルト』所収……ご存じと思いますが、未読なら、急ぎませんのでご一読を。小林がまだ骨董を愛する文化人になる直前？　の、不思議なエッセイ。入院前にも再読したが、「石舞台」というと、このエッセイを思い出します。

室井光広

＊「こゆるぎの浜を歩きたい」と願い、浜を目指して歩き始めてはやはり無理だと引返したりしていた。車で浜の近くまで行けるスポットに路上駐車できるとくすしの山本院長に教えられ、暗いうちに徒歩10分ほどのところまで車で行く。夜が明けるまで潮風を浴びることが

できた。

13日　17：36

外出もできるようになられたこと、何よりです！　浜辺で潮の香りに触れて、生命の活力を得られたことと拝察いたします。我が大和の土地、青垣山に囲まれた古のオヤサト、ここで仕事ができるのは有難いことです。でも一つだけ物足りないのが、海。三浦海岸のマンション六階の大谷先生のベランダから憧れの海が眺められました。先生はこの海が遥かデンマークにもつながっていると思いながら、毎日眺めていたのでは……と勝手に思いを馳せていたのは、もう一年半前のことです。小林秀雄の「蘇我馬子の墓」未読でしたので、ぜひ読んで見ます。石舞台は、中にも入れました。古の飛鳥人たちが巨大な岩を組み合わせて、よくぞこのようなものを作ったものとあらためて感動しました。今日は午後からデンマーク語の図書整理。『若き日のブランデス』など、思わずページを繰って見いってしまいました。丹波一京助こと金子昭拝

＊主治医の指示にあった「運動励行」にはつとめていた。
椅子にかけた状態から立ち座りを10回1セットで1日10セット、建物の周りを1周百歩として最終的には40周（4千歩）を目指すと決めた。絶対にムリ、というふうであったが、試みに1セットやってみると明らかに動きが楽になったそうで、効果が実感できるので正の字を

メモしながら日ごとに高くなる目標を達成していた。「14~16日の三連休、毎日10周(千歩)で、入院当日院内レストランの十割蕎麦」を最初の目標にしていたのに、歩けば歩くほど歩けるようになり、14日のうちに5周×8回と一気に4千歩を達成、自宅での階段の昇降も楽にできるようになっていた。

9月16日 11:48

今日は三連休の最終日。明日からの再入院に備えて、あわただしく過ごしておられることと拝察いたします。「蘇我馬子の墓」、私は筑摩現代文学大系60『小林秀雄集』が拙宅にありましたので、早速これで読みました。小林はこんな歴史エッセイを書いていたんだと、あらためて感銘を受けました。短いので二回読みました。蘇我氏は古代史では謎の豪族。文字通り『謎の豪族 蘇我氏』は松本清張奨励賞を受けて出版され、私は興味深く読んだことがあります(実は私も清張さんの愛好者)。小林秀雄は石舞台の上で弁当を食べたそうですが、今はもちろん上には登れません。しかし中には入れますので、私も回想の中で、小林のエッセイを反復体験……。
石舞台古墳は強力なパワースポットのようですので、ご快復を祈りつつ、室井先輩にもここでの記念写真を送って、ストーンパワーのお裾分けです。左から二番目の帽子の人間が私です。我々の今回の研究グループのテーマは「宗教と宗教研究の公共性」。果たしてそのようなものに公共性ありや無しや……キルコゲールもといキルケゴール的観点

からつい考えてしまいました。金子昭拝

＊入院を予定していた9月17日の前日に、絶え間のない頭痛に襲われてなすすべなく、入院を1日早めたいと言い出す。16日は三連休の最終日。病棟に連絡すると、救急外来に予約を入れて受診するようにとのこと、翌日入院とわかっていても、レントゲン、CT、心電図、血液検査など結局2時間がかり。待ち時間にはソファに倒れ込み、こうとわかっていたら来なかったかも……と言いつつ、昼頃個室のベッドに落着く。安堵の表情であった。

9月21日　15：44
金子さん　今、4日連続の抗がん剤治療が終了……いやはやの苦行……しかし、あの死の国地獄篇を思い出すと、なんとか耐えられた……「蘇我馬子の墓」、やはり興味を……お写真拡大して、陽子さん曰く以前のぼんやり感と比較して「かっこいい！」……背もたかい！（笑）
室井光広

21日　16：51
久しぶりのデンス（電子）メールありがとうございます！　4日連続の抗がん剤治療終了、誠にお疲れ様でございました。病気を治す治療が命懸けというのは、逆説的というほかはないですが、無事第二ラウンドもガッツラザヒロ選手の勝ち、おめでとうございます。石舞台古墳前での写真、奥様にもご覧いただいて、恐縮に存じます。人物のほう

は私も含め中高年世代でさして面白みがないですが（笑）、石舞台の巨石パワーはやはり迫力がありました。金子昭拝

9月25日　9：09

ラザヘロへの極限地獄は凄まじいが……1日おきの抗がん剤は続行、それ以外道がない……金子さんへのギリギリ通信……今なお生きてます……ギャロウズヒュウモアの極致で……

＊ギャロウズヒューモア（gallows humour）＝絞首台のユーモア。絶望的な状況で発せられるユーモア。

25日　13：36

ギリギリ通信をお送りくださり誠にありがとうございます。一日おきの抗がん剤治療、極限のギリギリな中にもかかわらず、渾身のメッセージ、とても痛みいります。ラザヒロ先輩のユーモア力でスマイル療法の効果にパワーアップを！　くれぐれもお大事にしてくださいますよう、オヤサトから私も祈っています。金子昭拝

＊光広は9月25日　9：09のメールの数時間後に昏倒し、返信をいただいたのは蘇生処置のさなかだった。

夏季休暇中の主治医に代って蘇生を指揮した医師の話では、瞳孔も開いていたので、もう心

拍も呼吸も戻らないと思ったが、昼休み後の時間でスタッフが多く、いっせいに蘇生に取り掛かってあきらめなかったので、心拍が戻り、人工呼吸器に繋いではいるが、肺が自力で動いている状態。意識が戻るかどうかは現段階ではわからない。貧血気味でカリウムも低めだったので、血圧が急激に下がってふわっと倒れたのだろうとのことであった。

ＩＣＵに移され、翌26日、休み明けの主治医は、「自分がいれば抗がん剤治療を中止できたのに、申し訳なかった」と謝罪された。

27日午前、輸液は続いているのに排泄ができず、むくみが出てきていた。「光広にこれ以上頑張らなくていいと言ってやってください」と主治医に頼むと、「意識が戻るわけではないからな」「もう限界かもしれない」と言われる。

昇圧剤の種類と量を減らす指示が出され、11時半に死亡が宣告された。

9月27日　17：00
金子昭さま

25日13時36分のメールは、光広が最後に受け取ったメール、9時9分にお送りしたメールは、光広最後の一本指メールとなりました。残念ながらいただいたメールを光広は見られませんでした。
昨日届いた「てんでんこ」第12号も光広に見せることはできませんでした。校了の時は一時帰宅中で、メガネをかけてゲラを見たりしていたのですけれど。

一昨日の抗がん剤治療がはじまって間もなく、光広は昏倒して心肺停止になりました。数えきれないほどのスタッフが一斉に飛び掛かるようにして蘇生をはじめ、時間はかかったものの拍動が回復、気管挿管で人工呼吸器につながれる、その近くに立ち尽くしておりましたので、それはちょっと感動的な光景ではあったのですが、蘇生をしないことが正しかったと今も思います。倒れて心肺停止だった光広の穏やかな表情が、挿管後は、もうやめてほしいと言いつづけているようで、いったいいつまでと主治医に問いただそうと思ったら、「今日中はもたない」と言われました。特別の許可をいただいて昨夜はＩＣＵに付き添い、今日11時半に死亡宣告となりました。

7月3日の入院以来、ずっと励ましをいただき、光広の闘病を支えていただきました。感謝のしようもありません。光広の資質からいって、だいたい相手を辟易させがちなのですが、同等のエネルギーで渡り合える唯一の存在でありながらお目にかかったことがないという不思議な間柄ならではの特別なかかわりだったようにはた目にも見えました。

くすしの山本院長が病室での治療のたびに、鍼灸マッサージを施しながらでも、おやさとに行きましょう！　と言っては光広を喜ばせていました。

室井陽子

思いの欠け端から言葉の架け橋へ

金子　昭

＊このメッセージは、２０２０年1月11日、大磯の室井光広氏のご自宅で行われた偲ぶ集いの席で、「くすし」の山本秀史様に前半を、ベルリン在住の文学研究者である齋藤由美子様にそれぞれ朗読をしていただきました。お二方には心より感謝申し上げます。

本日お集りの皆様方、初めまして。私は金子昭と申します。奈良県で大学の教員をしている一人のしがない「文学中年」でございます。「てんでんこ」では第11号に実名で埴谷雄高論を書かせていただき、また第12号にはペンネーム「丹波一京助」でコラムを書かせていただきました。今日の集いでは、室井陽子様からたってのお招きを頂いたのですが、どうしても折悪しく参加することができませず、誠に申し訳ない限りです。

皆様方の作品は、「てんでんこ」などを通じて読ませていただいております。私も執筆者の方々にお目にかかれないのは残念でございますが、きっと今日は室井光広様を偲びながら、文学談義に花を咲かせていらっしゃるのではないでしょうか。そして、私たちには見えないところから、光広様もまた、皆様方のそのようなご様子をご覧になって、共に楽しまれていることと想像いたします。

さて、私が室井光広様と交流を持たせて頂いたのは、わずか1年と2ヵ月でございました。それが光広様のご生涯の最後の1年2ヵ月と重なってしまうとは、夢にも思いませんでした。

私は、２０１８年7月下旬に「てんでんこ事務所」のブログを通じて、初めてメールをお送りいたしました。光広様から丁寧なご返信を頂いたのは、7月30日でありました。私がメールをお送りした理由は、室井先輩と共通の師である慶応大学のキルケゴール研究者の大谷愛人（おおたにひでひと）先生が93歳で逝去されて、そのことについてご報告したかったからであります。

皆様方よくご存知のように、光広様の『キルケゴールとアンデルセン』という作品の中には、幻の師と書いて「幻師」大谷愛人の名前が、キルケゴール研究者として頻出いたします。私はこの本が刊行されて間もない頃に読みましたが、大谷先生の教え子になんと芥川賞作家がおられるとは！　と、当時ひとり感嘆いたしておりました。

私は今ではすっかり「文学中年」ですが、学生時代の「文学青年」の頃から、日本や海外のさまざまな文学作品を乱読してきました。「おどるでく」も「文藝春秋」に芥川賞受賞作として掲載された時に既に読んでおりました。室井先輩からメールを頂いて、『キルケゴールとアンデルセン』はじめ幾つかの作品を読み返したところ、これがとても面白い！　そして、メールのお返事を頂いたことがきっかけで、最初はファンレターのような感じでお手紙を出しました。そうしたらまた熱いお返事をいただきました。私はたまたま文芸評論家の富岡幸一郎氏と知り合いでしたので、２００2年に同氏との対談で出した本をお送りしたところ、またまた熱いお返事をいただきました。

このお返事に私が嬉しくなってお手紙をお出ししたら、さらにまた熱いお返事をいただきました。それに対して私が感激してお手紙を出したら、またもや熱烈なお返事をいただきました。そのうち手紙のやり取りは、どれが往信でどれが返信なのか分からないくらい頻繁になり、ほぼ毎週のようなやり取りになって、手紙の行き違いまで何度か起きるほどでした。いま私の手許にある手紙のやり取り（お互いすべて自筆で毎回分量もたくさんでした。私は自分の分はコピーを取っております）は、大型ファイルで3冊分にもなっています。

陽子様はこうしたやり取りを横からご覧になられて、「いったい金子さんという人は何者なのかしら？」と半ばあきれつつ思われたとか……、そんなことも書かれておられました。このやりとりの合間に、光広様からは、「てんでんこ」のバックナンバーをはじめ、貴重なご本や初期の評論作品の数々を送っていただいて、私の手許には室井文学のほぼすべての作品が揃うことになりました。

２０１9年春以降、ちょっとお手紙が途絶えた時期があり、心配いたしておりましたら、２０１9年7月初旬に病院に入院されたとのこと。その後は、携帯メールでのやり取り（お互いにガラケーでした）になりました。その内容はすべて紙に印刷されて『ゲンテルセン通信スムーレ篇』となって、皆様のお目にも触れているものでございます。これもほぼ毎日のようなやり取りになりました。最後にいただいた通信は、9月25日午前9時過ぎのものでした。「今なお生きています……ギャロウズヒュウモアの極致で……」とありました。これに対して、私がお返事を差し上げたのが同日午後1時半過ぎでした。そのときは既に意識がなく、蘇生処置のさなかだったのことでございました……。

しかし、私は今でも、自分のガラケーにまた光広様からのメールが届くのではないかという気がしてなりません。

室井光広様は、私にとって幻の先輩としての「幻輩」だったのですが、室井先輩からすれば幻の後輩としての「幻輩」でありました。交流も手紙とメールのやり取りだけで、お目にかかることはもちろんお電話でお話することも、残念ながらついにかないませんでした。本来なら、今年の春以降、奈良の丹波市（天理市の旧名）を、「くすし」の山本秀史様と共に、芭蕉と曾良のようにお二人連れでいらっしゃっているはずでございます。そのことを思うと、あまりに早いご逝去に、かえすがえすも心残りがいたします。

光広様にとって、私は「幻」の弟分(年齢的にも実の弟様と同じだと伺いました)ということで、この遅れに遅れてやってきたしがない文学中年を義兄弟のように大切にしてくださいました。その記念にお送り頂いたのが、縄文土器のかけらでした。この縦横7センチある分厚な縄文土器のかけらは、私の自宅書斎の一番目に付く、目の前の書棚の上に置きました。土器の裏面には「2018年秋大磯」とマジックで記されています。

皆様ご存知のように、かけら、つまり欠け端というものは、時空を超えて人と人とをつなぐ懸け橋でもあるというのが、光広様の持論でありました。光広様ご自身、時空を超えて古今東西の世界文学の作品を縦横に渡り歩き、自ら世界文学の架け橋となってこられました。それらの成果の一端が、『ドン・キホーテ讃歌——世界文学練習帖』、『カフカ入門——世界文学依存症』、『プルースト逍遥——世界文学シュンポシオン』として著されたように思います。

世界文学の作品世界を少しでも覗き見た者にとっては、いかなる文学的独創性とて実はそれ自体「しがない」ものであって、巨人の肩に立つ小人としての謙虚さの自覚を持たざるを得ないものであります。それが今申し上げたご著書の副題の中に、「世界文学」の「練習帖」、「依存症」、「シュンポシオン」という形で巧みに織り込まれています。これは室井文学の通奏低音をなす独特なユーモアの精神であるように思います。

室井光広様は、こうした自覚に根差しながらも、ご自身による独自の味付けにより、自らの文学世界を稀に見るユニークなものへと展開させることに成功しました。実は、そこに室井文学が世界文学的に占める位置があります。これは、「評説」、つまり小説と評論を合わせた文学形態として、ボルヘスを反復的に読み深める運動の中から生み出されたものでありました。いや、小説と評論だけではありません、そこには何よりも室井文学ならではの詩的世界poésieがあります。小説と評論は、いわばその底辺に詩poemを置く三角形の二つの辺をなしています。詩と小説と評論の「三位一体」、これはまさに室井文学にこそ的確に当てはまるものであります。そして、この「三位一体」をなす三角形の底辺こそが、室井光広独自の詩的世界なのであります。

どうも、文学中年のしがない文学論が始まってしまったようで、恐縮の限りでございます。このところで、このご挨拶を閉じさせていただきたいと思います。皆様方にはご清聴を下さり、誠にありがとうございました。

空域

吉田　文憲

呼び出されるままにだれもいない場所に佇んでいた

杖をつき、わたしは損傷したままの脚を引きずり歩いていた

空を光りながら移動する黒い磁力のようなもの

雨雲のむこうにふるえながら隠されているもの

…………………………………

前の日六角堂の下を通り抜けた　その水音のむこうにかすかな静寂を聴いていた　そこを

訪れたもののふたつのちいさな鼓動をわたしはノートに記していた

あの日立ち去ったものの息にふれてわたしたちはここまできたのだ

追悼句による室井光広論のためのエスキース〔増補加筆版〕

井口　時男

【追悼・室井光広　七句】

九月二十七日夕刻、奥様・陽子さんからのメールで室井光広の死を知った。その前日「てんでんこ」十二号が届いたばかりだった。

「てんでんこ」は東日本大震災後に彼が仲間たちと創刊し、実質的に編集・主宰してきた雑誌である。十二号に彼は、「エセ物語編纂人」名義による長期連載小説『エセ物語』と実名での多和田葉子論と偽名でのコラム三本と無署名のコラム一本、計六本を発表していた。苦しい闘病の中でよく頑張ったものだと私は感嘆し、彼の病状の行方に光明を見たような気さえしていたのである。（偽名のコラム二本は私の俳句と『蓮田善明　戦争と文学』への感想だった。後日、十三号のコラムのための原稿が見つかった、と陽子さんが送ってくれた「遺稿」も私の俳句についての感想だった。）

その十二号に私はコラムを一本載せただけだった。

彼は七月三日に入院した。（「群像」十二月号の追悼文に六月半ば入院と書いたのは私の勘違いだった。）その時点では病名はまだ推測の段階だったが、八月初めに届いた彼自身からのメールは「悪性リンパ腫なる血液のガンにとりつかれた男からギリギリの一報」と書き出されていた。末尾に婉曲な原稿督促と読める文言があったので、大急ぎでコラムを書いて送ったのである。毎号書いていた俳句がらみの近況報告で、タイトルは「生還の声あつけらかんと」。

――昨年十一月末、肝臓癌で余命数年の宣告を受けた、とせつなげに電話してきた遠方の友人が、その後音沙汰なく、今年二月初めに電話したら、あれはほぼ完治した、とあっけらかんと応えたのだ。しかも、かくも速やかな治癒は抗癌剤治療のかたわら医師に内緒で大量に飲み続けていた乳酸菌のおかげにちがいない、などととぼけたことを言うのである。喜びもしたが驚きあきれもした。余命宣告からわずか三ヶ月での完治宣言である。〈**生還の声あつけらかんと木瓜の花**〉コラムの末尾は「奇跡は『あつけらかんと』起こるものらしいのだ」と結んだ。

癌の性質が違うことは承知で、ただの無責任な気休めとは知りつつ、それゆえかえって腹を立てられてもしかたないとも思いながら、書かずにおれなかったのだ。

折り返し、抗癌剤の副作用で朦朧としているが、陽子さんが枕元で二回読んでくれた、「心に沁みた」、と短いメールが来た。だが、彼に「奇跡」は起こらなかった。

彼が息を引き取ったのは二十七日の昼十一時半だったそうだ。その日、遠く離れた場所で私の体験した不思議――室井用語でいう「コウインシデンス」（偶然の一致、符合一致）、

「ねこまたの聞かせ」（虫の知らせ）――については「群像」十二月号の追悼文に書いた。散歩していた私は、ちょうどその時刻、梨畑に廻らされた二枚の薄いネットの間で出られなくなっていた黒揚羽をつかまえてスマホで「記念撮影」したのち「解放」してやったのだった。あたかも生と死のあわいでもがき苦しんでいた彼の魂を「解放」してやる（「解放」してしまう）ように。（写真は今もスマホに残してある。）

　蝶を人の魂とみなす伝承は洋の東西を問わず古くからあるが、ことに黒揚羽は私にとって格別で、夏の日盛りを歩いていると、木陰などから影そのものが揺れるようにして現れる。それは光（生）と影（死）の境界をゆらめき翔ぶ蝶なのだ。だからたとえば、齋藤愼爾句集『陸沈』に寄せて**〈陸沈や幽明ゆらぎ黒揚羽〉**（『をどり字』所収）と詠んだり**〈黒揚羽身重の天使ゆた〱と〉**（同前）と詠んだりしたのだった。（「陸沈」は市井の隠者のこと。出典は『荘子』の逸話。むろん荘周は夢で胡蝶に変じた男である。）

君逝くや秋たまゆらの黒揚羽
黒い揚羽の影がちらつく水の秋

「たまゆら」には「魂揺ら」の意が「エコー」するだろう。その背後には原義だという「玉響（たまゆら）」（巫女の手にした玉が触れ合って鳴る）も「エコー」する。それなら鎮魂または死者の霊魂を賦活するための「魂振り」の意味もこもるはずだ。

「エコー」は室井光広の愛用語である。言葉（文章）を読むとは、眼前の言葉（文章）の背後から聞こえてくる「エコー（こだま）」を聴き取ることなのだ。室井によれば、古今東西の全言語空間（全文学空間、全テクスト空間）は言葉同士が触れ合って反響し合う「エコー」の宇宙なのである。

夜になってから多摩川の土手に立ってみた。夜空は霽れていたが月はなく、私の眼には星もよく見えなかった。

銀河茫々君よく隠れよく生きたり

「よく隠れた者はよく生きた」はオヴィディウスに由来するラテン語の諺で、デカルトの座右の銘でもあったらしいが、私は秋山駿のなにかのエッセイで知ったはずである。

たしかに室井光広は「よく隠れた」。彼は東日本大震災の翌二〇一二年春に東海大学教員を辞めて文芸ジャーナリズムからも「隠遁」した。その決断には一年前に「隠遁」した私自身もほんの少し関わっていたのだが、私の中途半端な「隠遁」とちがって、彼の「隠遁」は徹底していて、諸雑誌編集部にわざわざ申し入れて雑誌寄贈をすべて断り、「文芸年鑑」からも名を削除してもらったという。

しかし彼は、その年の末に雑誌「てんでんこ」を創刊した。誌名は、津波が来たらとにかく「てんでんこ」（一人一人）で逃げろ、という、大震災後に話題になった東北の格言に由来する。

一九八八年にボルヘス論で「群像」新人賞評論部門を受賞して批評家として出発した彼は、一九九一年の『猫又拾遺』（掌篇十二篇の総題）から小説に転じた。小説の舞台は、『猫又拾遺』から死によって未完に終った最後の長編『エセ物語』まで一貫して、福島県南会津の彼の故郷をモデルにした土地だった。いわば「室井サーガ」である。（書き方はいわゆる「サーガ」（物語）とはまるで違うのだが。）

そういう彼が東日本大震災の大津波と原発事故によって大きな衝撃を受けたのは当然だろう。一週間ほど茫然自失の状態ですごしたのち、彼はおもむろに、大津波に襲われた土地の地名――太平洋岸五百キロにも及ぶ――を、まるで「写経」するように、大学ノートに書写し始めたという。むろん、名を呼び名を記すのは鎮魂の行為にほかならない。（齋藤愼爾氏をまじえて会食した際、その「写経」ノートも見せてもらった。）

彼の行為は現実的にはまったく無力であり無効である。だが、私はこの無力かつ無効の行為に感動した。文学は無力だ、と誰でもいうが（私も大震災後にそんなことを書いたりしゃべったりした）、彼ほど真剣に無力さに向き合い無力さに徹した文学者は他にいまい。大震災に接して様々なパフォーマンスを演じた作家や詩人たちの大半を私は信用しない。それらはたいてい世間向けの「ケレン」であって、無力さに踏みとどまることがいかに難しいかを実証する現代的な病の症例にすぎない。私はただ、この無力かつ無効の行為に徹した室井光広を信用するのだ。

そういう体験を経た彼が「てんでんこ」を創刊したのである。創刊号冒頭には「願文」（無署名だがもちろん室井光広の文体だ）が掲載されていて、吉田文憲の予言的な詩集『原子野』（二〇〇一年刊）を引いてはじまるその「願文」は、創刊同人を「七名からなる単独者組合」と呼び、「単独者の組合とは、すなわち単独者の精神を極限にまで尊重し、各自の主体的創作行動を信頼し尽すという見果てぬ夢の組合、不可能性のギルドです」と述べている。（私は創刊メンバーではない。私が寄稿し始めたのは第二号からである。）「てんでんこ」創刊自体が、その命名に込められた意味も含めて、世間への顧慮ばかりを優先させる現代文芸ジャーナリズムの中にあって、すぐれて倫理的なふるまいだったのだ。

しかも彼は、編集人・発行人でありながら、奥付にも名を出さず、連載小説やコラムも匿名・偽名で書き、二〇一六年の第八号のエッセイに署名するまで完全に隠れ続けていた。その意味で彼は黒子に徹していて、特に、大学の教え子でもある若い詩人や作家、批評家たちを世に出すのに熱心だった。第二号（一二年五月発行）に近況報告のつもりで送った私の俳句を初めて「作品」として誌面で扱ってくれたのも彼である。

彼はまさしく「よく隠れよく生きた」。

断腸花骨を拾ひに行く朝の

二十九日朝、「骨を拾ひに」出かけた。縄文土器のかけらを拾うように、という心である。

（彼は一時期縄文土器にのめり込んでいて、『縄文の記憶』という著書もある。彼にとって「縄文」は「東北」の基層なのだ。）くれぐれも、と念を押されたので、ふだん散歩するときのままの平服である。

私の町の駅前通りの花壇にこぼれるほど咲いているのは園芸種のベゴニアだが、ベゴニアと秋海棠はもともと同じ花らしい。「断腸花」は秋海棠の別名である。

大磯には少数の親族と私を含めて四人の文学仲間が、みんな平服で集まった。癌で亡くなった友人は何人も見てきて、その枯木のような死顔を見るのが辛かったのだが、室井光広の顔は生前とあまり変わらず穏やかだった。

棺にりんだう大字哀野を花野とす

彼は「室井サーガ」の舞台を「猫又」とか「八岐の園村」とか「下肥町」とか（わざとあざとく）命名したが、中篇小説のタイトルにもなった「大字哀野」もその一つ。正しくは「アイノ」だがここでは「アイヤ」と訓みたい、と書いている。この「アイヤ」が台湾人の母とユダヤ系アメリカ人の父の血を引く青年が発する感嘆詞「アイヤ！」と重なってさまざまな「エコー」へと変換されていくことになる。むろん漢字の示す「哀」も「野」にも響いている。言葉の繊維をほどいては結びまたほどいては結び直し、そうやって次々に変換して思いがけない「エコー」を引き出す室井流の方法だ。それはジェイムズ・ジョイス『フィネガンズ・ウェイク』の方法であり、かつ、柳田国男の方法なのでもあった。

君は燃え我は秋日の猫じゃらし

「焼き上がる」までの間、一人で火葬場裏の喫煙所に行ったら、ようやく差し始めた陽射の中に一匹の黒猫がいた。まだ華奢な若い野良だ。両耳の後ろに噛まれたらしい大きな傷痕があった。ちなみに、大字哀野では、猫は「現世と冥界との霊的往来の際の媒介者だと信じられている」そうだ。（この猫の写真も残してある。）

喉ぼとけ箸でつまゝれ黙す秋

参列者が二人一組で一つずつ骨を拾った後、黒服の係員が白い大きな骨を箸でつまんで、これが喉仏の骨です、とわざわざ紹介して骨壺に入れた。彼はただその火葬場でのルーティンに従っただけだったのだろう。しかしそれは、興に乗れば文学を語って倦むことない饒舌を繰り広げもしたあの室井光広の喉仏の骨なのだった。

【室井光広のモチーフによる変奏十八句】

残暑てふ漢字をほどきあはれかな〱

「かな〱」の「かな」は「仮名」。固定した漢字表記をかなにほどき、かなの背後に声を聴き、声をゆらして様々な「エコー（こだま）」を聴き取るのが、たとえば地名研究などで展開された柳田国男の方法であり、そのまま室井光広の方法でもあった。そして、漢字の傍らにそっと寄り添うふりがなは、「おどるでく」という千変万化する変化のものの一態でもあった。日本語の「あはれ」は仮名文字にこそ宿るのだ。

秋出水夜半の架け橋とだえして

室井光広の死をはさむ今年の九月十月、台風被害が相次ぎ、増水した川にいくつもの橋が落ちた。橋は此岸と彼岸をつなぐものだが、室井光広において「架け橋」は「欠け端」でもある。縄文土器の「かけら＝欠け端」が失われた「全体」の記憶をおぼろに内蔵しているように、断片であることによって「欠け端」はまぼろしの「全体」への「架け橋」となる。それならば、現（うつつ）には「欠け端」でしかない我々という存在も、我々の言葉も、失われた「全体」への郷愁において、夢の「架け橋」なのかもしれない。室井光広は死に、現の橋は途絶えて「欠け端」となったが、それゆえに、嵐が去って横雲が峰を離れる夜のほの明けに、この「欠け端」はいっそう純粋な「夢の浮橋」となって空に架かる。

なお、「欠け端＝架け橋」という着想を、彼はおそらく大江健三郎の短篇『もうひとり和泉式部が生れた日』から得ている。大江健三郎は室井光広が一番敬服していた日本の作家である。大江がノーベル文学賞を受賞した翌一九九五年、私は室井光広と松原新一と三人で「大江作品全ガイド」なる途方もない座談会を行なった。『群像特別編集　大江健三郎』に載っている。

秋さびし木霊かそけき森に来て

ギリシャ神話の「エコー」はニンフで若い女性イメージだが、日本語の「こだま」は木霊、木の精霊、魑魅魍魎のたぐいである。樹木もまばらに木霊たちの声もかそけきこの森は現代文学の森なのかもしれない。

行間に魑魅（すだま）隠れる秋灯下

小説『おどるでく』で室井光広は一九九四年上半期の芥川賞を受賞した。カフカの創造した奇妙な生き物「オドラデク」と似た性質も持つらしい「おどるでく」は、古民家に棲みついてめったに姿を現さない「スマッコワラシ」（室井流に変形したザシキワラシみたいなもの）にもなぞらえられるが、同時にそれは文字に取り憑く精霊、つまりは声に取り憑く「こだま（木霊）」と同類の魑魅(すだま)の一種でもあるらしい。「スマッコワラシ」にめったに遭遇できないように、「おどるでく」に出遭うのも難しい。ページを開いたとたん、彼らはわらわらと行間に逃げ込んでしまうのだ。

月の夜を木霊言霊をどる木偶

自然界でも言語界でも、いまやあらゆる精霊は死滅しかかっているのかもしれない。だが、陽光の下には姿を見せない彼ら木霊や言霊や「おどるでく」がどこからか現れてみんなそろって舞い踊る――そんななつかしい月夜がありそうな気がする。

評論「声とエコーの果て」によれば、生者の発した声はいったん死んで木霊になり、その木霊を聴き取って「廻向」（えこう＝エコー）するとき、木霊は言霊になるのだという。意外なことに、これは江戸の国学者・富士谷御杖の言霊論と基本認識を共有している。室井の文章に御杖の名は見えないのだが。

秋の夜は狢が婆を搗き殺す

私自身の木霊言霊の起源へと遡れば、幼い夜々、読み書きを知らぬ祖母から寝物語に聞いた昔話にまで行き着く。ある夜は殿様の前で「あやちゅうちゅ、こやちゅうちゅ、錦さらさら五葉のさかずき、きみらぴいー」と屁をひった爺が褒美をもらい、まねした隣の爺が散々打擲され、血だら真赤で帰って来る爺の姿を遠目に見て、高価な赤いべべを着て帰るのだと錯覚した婆が屋根の上でべっちょを叩いて大喜びし、別の夜は狸ならぬ狢が婆を臼に捻じ伏せて杵で搗き殺すのであった。おかしくもむごたらしいそんな話が私の「文学のふるさと」だ。私の木霊言霊は今でもそこで踊っている。

室井光広の「文学のふるさと」もおおかたそんなものだったろう。だが、室井の祖母は土蔵で首を吊って死んだ。『大字哀野』によれば発見したのは十七歳の彼自身だったという。

手習ひの兄おとうとよ霧の村

日清戦争の年に生れて子守に追われた祖母とちがって昭和も戦後に生れた孫は読み書きを教わる。私は得意気に「家の光」の小説を祖母に読んでやったりしたのだった。

「手習ひ」は学校の宿題だろう。「霧の村」のこの兄弟は越後南魚沼の井口兄弟か？　みちのく福島南会津の室井兄弟か？　もしかして、若き日の室井光広が私淑していたみちのくの血縁なき二人のシュージ兄弟、津島修治（太宰治）と寺山修司か？　それなら彼らの手習いは習字でもあり修辞でもあるか？

名刺あり「私設月光図書館司書」

口承の「ふるさと」を出離した私は文字の都の住人になった。室井光広も同じことだ。とりわけ彼は、若いころ或る私立図書館に勤務していた経歴をもつ。図書館は文字によって作られ文字によって閉ざされた文字の小宇宙だ。

ここは月光のあやかしが創り出した「月光図書館」。館長は「バベルの図書館」創設者でもあるボルヘスにちがいない。(もちろん室井光広は名刺など作らなかったろうが、『ドン・キホーテ讃歌』によれば、彼は一時期、講演などに招かれた際の自己紹介欄に「バベルの図書館勤務」と記していたそうだ。)

漆炎え縄文の蛇穴に入る

室井光広の故郷は木地師の伝統の残るような村だったらしいが、江戸時代から漆の産地で漆の木も多かったという。木工製品の仕上げに漆は不可欠だ。縄文人も漆を使いこなしていたらしい。その漆の木々が鮮やかに紅葉する季節、穴に入る蛇もまた縄目文様。「朽ち縄(口縄)」たる蛇はすべて「縄文」の蛇なのだ。(縄文人の蛇信仰を強調する吉野裕子『蛇』は室井の縄文論の根拠の一つだった。)

漆（漆器）は英語で japan である。彼は私家版の詩歌句集を『漆の歴史』と名付けていた。一九八八年の「初刷」限定二部以来何度か数部ずつ「増刷」（?）してきたらしいが、私の所持しているのは一九九六年の「限定十二部のうち4番」である。彼はたぶん、大事な言葉は人から人へじかに手渡しされるべきだ、と思っていたのだろう。

漆紅葉下照る道の文字かぶれ

大冊『漆の歴史』の「序詩」にいう。

ウルシ、はきっとウルワシの
双子座である
そしてウルシは
原詩（ウル）である

「やまとしうるわし。麗しの詩／たたなずく。すべなきものであったよのなかのみち／にひっそりと寄り添う如く／ねばねばとしたたって」とつづく。

その「やまと」の春の苑の「紅にほふ桃の花」ならぬみちのくの「たたなずく」山間の漆紅葉の下照る道にいま出で立つのは「少女（をとめ）」ならぬまだ十五歳ほどの「少年（をのこ）」と見える。「秋山の下氷壮夫（したびをとこ）」と呼ぶにはまだ幼いこの「少年（をのこ）」、漆ならぬ「原詩（ウル）」にかぶれた「詩ッ神かぶれ」にして「文字かぶれ」。いまだ「よのなかのみち」の「すべなさ」も知らぬくせに、辺陬の村で文字にかぶれ詩神にかぶれることの「恍惚と不安」だけは知っているのだ。

あんにやとて書読む秋を木挽唄

室井光広の小説第二作は『あんにゃ』と題されていた。「あんにゃ」は彼と私の故郷に共通する方言で、長男を指す言葉だ。次男以下は「おじ」である。「あんにゃ」は家父長権の継承予定者であり、家を統治し家族を保護する責任を要求される。「おじ」にはそういう重圧はなく自由だが、いずれ家から追放される不安がある。（彼の村と私の村では「あんにゃ」の用法がやや違うらしいが、そのことは「しししし」三号の「あんにゃとて」に書いた。）

「あんにゃ」は家を継ぎ家に残る。そこが山間の村ならさびれゆく村に残る。畑仕事や山仕事に追われる日々は彼から書物を読む習慣を奪うだろう。それでも読み続けるなら彼は孤立し、やがて村と対立してしまうかもしれない。森の中の村でダンテの『神曲』を読み続けた大江健三郎『懐かしい年への手紙』の「ギー兄さん」のごとく。

初めて室井光広に会ったとき、彼は私を「あんにゃ」に擬していて、実際、冗談めかして「あんにゃ」と呼びもした。「心のあんにゃ」（『おどるでく』）というわけだ。私が「群像」新人賞受賞の言葉で中村草田男の〈蟾蜍長子家去る由もなし〉を引いたのを覚えていてくれたのだろう。事実、私は彼より二歳年長で、しかも出自において長男であり、彼は次男だった。

彼は自分を究極の「おじ」的存在とみなしていたふしがある。「究極のおじ」とは、父や兄に心配ばかりかけている役立たずの存在、太宰治の津軽弁でいえば「おずかす」のことだ。たぶん彼はカフカ（カフカ家の長男だった）の「オドラデク」にもプラハの「おずかす」を見出していたはずだ。（『家父の気がかり』で通っているその短篇タイトルを、多和田葉子はぐっと砕けて『お父さんは心配なんだよ』と訳したが、それでは家長の権力性が見えにくくなる。）

しかし、私自身は、家を出て家に帰らず家を作りもしない「エセあんにゃ」だった。この「エセあんにゃ」は、東日本大震災直後の二〇一一年春に大学教員勤務を辞して「隠遁」を気取っていたが、その年六月、「究極のおじ」たる彼が勤務大学にいたたまれなくなって（彼には大江健三郎のいう「ヴァルネラブル」な一面、人間関係において理不尽な被害をこうむりやすい一面があったようだ）思いあぐねて相談に来たとき、言下に、「辞めれば楽になるよ」と無責任な悪魔の言葉を吹き込んだのだった。翌年春、彼はほんとうに大学教員を辞して「隠遁」した。

「てんでんこ」第四号（一四年四月発行）のための句稿を送った際、彼が電話をくれたことがあった。どうやら、句稿中の一句〈**隠れ棲む覚悟もなくて牛蛙**〉が自分のことではないかと気にしているらしかった。そんなことはない。散歩途中の多摩川べりに草木の繁った小さな中洲があって、夕暮れ時に岸辺に立つと、姿を見せぬまま「ぼわっ」「ぼわっ」と牛蛙が啼いている。それはほかならぬ半端な「隠遁者」たる私自身なのだった。もの書きはもの書きをやめない限り完全な「隠遁」などできやしない。私が時おり上げる声は牛蛙みたいにくぐもった声にすぎないが、彼の「てんでんこ」は立派な声だ。

むしろ作る際に彼の俤がちらりとよぎったのは、同じ句稿の中の〈**独学者老いたり銀漢冴えわたる**〉の方だった。むろんこれも最終的には私自身の自我像なのだが、私にとって室井光広こそ比類ない独学者だったのである。

黄落の中を眼病みの独学者

黄落の、おそらくは黄昏どきのうすい光のなかを、ゆっくり歩むこの独学者はボルヘスだが、書物のページにすら薄闇がかかる「眼病み」への恐怖と不安において、私自身でもあり室井光広であるかもしれない。

ボルヘス夜なべして言の葉を綴れ織る

もちろん作家ボルヘスが言の葉を綴って織るのは言葉の織物たる「テクスト」というものだろう。しかし、大きなタバコの葉を撚り縄に綴り込む作業に毎夜追われた室井光広の生家のように、「夜なべ」の似合うこのボルヘスは、どうも正真正銘の田舎者、山賤(やまがつ)ではないかと疑われる。もしかすると彼は言の葉ならぬ木の葉で綴れ織っているのかもしれない。『遠野物語』第四話で目撃された山人（山女）が「裾のあたりぼろぼろに破れたるを、いろいろの木の葉などを添えて綴りたり」と描写されているように。

ともあれ、経糸にボルヘスやカフカやジョイスという「世界文学」、横糸に柳田国男の諸著作、というのが自覚した「田舎者」たる室井光広の「テクスト」の織り方だった。

髑の贊なほあざらかな耳と舌

『日本霊異記』によれば、むかし、或る僧は山中で髑髏になっても舌だけは腐らずに法華経を唱え続けていたというが、室井光広の耳も舌もあっけなく灰になってしまった。ユニークな「言葉いじり」小説を書きつづけた彼は、最終的には、日本語版『フィネガンズ・ウェイク』を書きたかったのではないか、と私は思っている。もしそうなら、彼が心から欲しかったのは、日本語を聞き取り日本語を話せるジェイムズ・ジョイスの耳と舌ではなかったか。

言語野はヨミの花野ぞ踏み迷へ

「ヨミ」はむろん「読み」でもあり「訓み」でもあり「黄泉」でもあろう。道を失って行き暮れることを恐れるのでなく、「踏み迷へ」と積極的に奨励し誘惑するのは踏み迷う愉楽を知ればこそだ。『太平記』が「落花の雪に踏み迷ふ片野の春の桜狩り」と謳ったように、自在なステップを踏んで「ヨミの踊り」（『おどるでく』）を踊ったあげく、踊り疲れてたとえ花野に行き暮れようとも、薩摩守忠度に倣って花々を「今宵の主（あるじ）」とするだけのことだ。（とはいえ『太平記』の一節は後醍醐天皇側近の日野俊基が鎌倉へ護送される死出の旅路の綴れ織り、つまりは「黄泉」への道行き文だった。）

　室井光広の未完の長篇『エセ物語』は十干十二支で暦が一巡する還暦までの全六十回を予定していたようだが、日本語（会津弁）と朝鮮語と中国語（台湾語）という東アジア三言語の間で言葉の繊維の結んでほどいてを倦むことなくくりかえす小説だった。そこにはそもそも、主語‐述語の連鎖によって終り（目的地）へと直線的に進行するハナシ（ストーリー）というものがない。つまりそれは、書き出した時から、終り（目的地）なき小説だった。だからこそ終りは中国由来の暦法によって形式的に設定されるしかなかったのだ。

　偏愛するドン・キホーテのごとき「遍歴の騎士」ならぬ原稿用紙の区画整理された田畑を「筆耕」する半分「百姓」の「遍歴の郷士」あるいは実体のない言葉や文章ばかりを蒐集して廻る「遍歴の文士」または「遍歴の言語（幻語？）士」たる彼は、いわば花野の花から花へと舞い遊ぶ黒揚羽のように、己が言語野を楽しげに遍歴しつづけたのである。朝鮮語にも中国語にも（英語にもデンマーク語にもスペイン語にも）連接するその言語野は、ほんとうは「己が」という所有格では囲い込めないような広漠たる「原野（幻野？）」だった。ここでこそ、東アジア三言語は、言葉の縁（えにし）の糸を結んでほどいて自由に交通し合うのだ。それは非政治的で非歴史的な遊戯にみえるが、現実の政治や歴史の理不尽な拘束を根底から批判し超出するという意味で非「政治」的かつ非「歴史」的なのである。

オラオラデシトリエグベシ彼岸花

「Ora Orade Shitori Egumo」（オラオラデシトリエグモ）、「標準語」に「翻訳」すれば「私は私で一人で死んでいくもの」は、宮沢賢治のまだうら若い妹が死の間際に口にした言葉だった。室井光広はこれこそがキルケゴールのいう「単独者」の覚悟なのだという（『キルケゴールとアンデルセン』）。こうして彼は、キルケゴールの深淵な哲学概念を東北娘の素朴で真率な一言にほどいて「受け取り直し」た。（「受け取り直し」もキルケゴール由来の室井用語である。）室井によれば、デンマークはヨーロッパの東北であり、デンマーク語はズーズー弁みたいに訛っているのだ。

木守柿荒れ野をナマリの騎士が行く

「木守柿」が会津のみしらず柿なら、この「荒れ野」は彼の故郷の貧しい山野のことかもしれず、なおも放射線降る「原（子）野」かもしれない。あるいは、耕作放棄で田園まさに荒れ果てた日本全国到る所の風景か。しかし、彼の言語野が諸言語の「野」へと連接していたように、「荒れ野」はエリオット（彼の友人・佐藤亨が「てんでんこ」にエリオットの詩を翻訳連載中だった）が予言的に描いた「荒地」にも、イギリスに搾り取られて飢え続けるしかなかったアイルランド（ジョイスやベケットの故国）にも、通じているだろう。ならばそれは現代文学の「荒れ野」でもある。

秋も末、その「荒れ野」を一人の「騎士」がゆく。ドン・キホーテのような時代錯誤にして居場所錯誤のちょっとユーモラスな文学の騎士である。文学の黄金の時代は遠く過ぎ去り、銀の時代も銅の時代も過ぎ去って、もはや鉄の時代、どころか鉛の時代である。どうやら会津訛りらしいこの騎士はやっぱり室井光広にちがいない。

君逝きて電子文字降る枯野かな

もはや冬。文学の野も枯れ尽した。苦しい病床の日々、「憂い顔の文士」の夢も茫々たる文学の枯野を駆け巡ったのだろうか。（室井光広の原稿は最後まで手書きだった。）

＊「群系」第四三号（一九年一二月発行）に載せた「追悼句による室井光広論のためのエスキース」に、紙幅の関係で割愛したことを加筆し、句も二句推敲し、新たに四句追加して、〔増補加筆版〕とした。ただし、これが〔完成版〕になるかどうかわからない。

切手のような土地——室井さんとの思い出

佐藤　亨

「いつの日かオーフースへ行こう／彼の泥炭色の頭を見に／柔らかい豆のようなまぶたと／皮のとんがり帽を見に行こう」この一節、おぼえていますか？　もう19年も前になる『プリオキュ』の89ページに引かれたヒーニー自身の詩の一節です。今年やっと見てきました。優しい、おだやかな表情をしていました。オーデンセも訪問。すべては室井さんのおかげ。

　これは昨年、室井光広氏（以下、ときどき、室井さんと呼ばせてもらう）に出そうと思って出せなかったはがきの文面である。少し解説する。「いつの日か」で始まる一節は、シェイマス・ヒーニーの詩「トールン人」の書き出しで、トールン人とはユトランド（現地語ではユラン）半島東岸の都市オーフース近くのシルケボー博物館に展示されている、辺り一帯の泥炭地から発掘された鉄器時代の男性の通称である。紀元前四世紀に生きたと推定されるこの男の身体は埋葬された時のままと思わせるほど保存状態がよい。「とんがり帽」をかぶり、まどろむような、微笑んでいるような表情をしている。冷たさと湿度が一定である泥炭地は天然の冷蔵庫のような役割を果たしたのである。また、『プリオキュ』とは、氏とわたしが共訳したヒーニーの評論集『プリオキュペイションズ——散文選集１９６８～１９７８』（二〇〇〇年、国文社）のこと。ヒーニーはアイルランドを「ボグ・ランド」（泥炭地の国）と呼び、デンマークでの発掘を自国（ひいては彼の出身地、北アイルランド）の歴史的・文化的背景からとらえる。「地母神が春に土地を蘇生させ肥沃にするように、聖所であるボグに床を共にする新しい花婿たちを毎冬必要としていた」と、トールン人ら「ボグ・ピープル」（泥炭地から発掘された遺体の総称）が土地の女神への供儀であることを紹介し、そのことが「カスリーン・ニ・フーリハンを神として崇拝しつつ、正義のために命を賭けるアイルランドの政治的殉教」（『プリオキュペイションズ』P88）につながると説明する。カスリーン・ニ・フーリハンとはアイルランドの擬人化であり、女神である。最後にあるオーデンセは、言わずと知れたアンデルセンの故郷である。

　前置きが長くなったが、右の文面を縄文後期の土偶（北区西ヶ原、東谷戸遺跡発掘）の絵ハガキに書き、「トールン人」の小冊子、アンデルセン博物館で買った絵本や絵葉書などを箱に詰め、翌日、宅急便で送ることにしていた。二〇一九年九月二十七日のことである。しかし、なんということか、翌朝、妻の陽子さんからのメールで氏の逝去を知ることになる、「ＩＣＵに付き添い、27日11時半に死亡宣告となりました」と。一報を受け、呆然としたまま、大磯に向かい、修行僧のように眠る室井さんに再会した。

目の前に亡くなった室井さんがいるのにその死が信じられない。体が悪いことは知っていた。「佐藤さん、頑張って一報します。今、二種のガンのうちいずれかの絞りこみを。しかしすでにしんどい治療は始まっている。お見舞いとあったが、当分の間、ひと（と）会って話ができる体調ではありません。再びしゃばに戻って佐藤さんと話がしたいが、急激な身体の衰弱を目の当たりにすると……ガンで死ぬのも悪くないと思うが……とりあえず貧乏なので、一泊するごと個室料金のことばかり気になって（笑）まあ、借金してでも、相部屋には戻りたくない。室井光広」。七月九日、病床からメールをもらい、思わず泣けてきたが、元気な姿を見せてくれるものだと思っていた。

土産も渡せなかったが、生前の恩義にわたしは応えられないでいる。まずは、ずいぶんとごぶさたしていた。平田詩織さんが二〇一六年に第二十七回歴程新人賞を受賞したパーティの席でお会いして以来かもしれない。この五～六年は実際に会うことはあまりなく、二ヵ月に一度くらいのわりあいでメールとか手紙、はがきで連絡を取り合っていた。とはいえ、三十年近くのおつきあいとなる。

つきあいが始まったのは一九九三年のことだ。当時、東洋大学で助手をしていた妻が大学院の授業におもしろい人が来ている、きっと興味を持つと思うと、誘ってくれたのがそもそもの始まりである。わたしはその後、二年間、Ｔ・Ｓ・エリオットの評論の講読をする奥井潔先生の授業に参加させてもらうことになり、さらに授業後は、奥井・室井両氏と白山駅前の喫茶店「サム」で談笑するという放課後の楽しみまで得た。思い返せば、一九九五年一月十七日の阪神・淡路大震災を知ったのも、この喫茶店でであった。

わたしは専任講師になりたてで、つきあいといえば、学会や大学の関係者がほとんどだった。当時は「デコンストラクション」が批評の流行で、研究会などが競って開かれていた。作品を読むというより批評を読む、そういう傾向があった。わたしはなんとなく距離をとり、かといって流行歌に耳をふさぐわけにもいかなかった。そんななかに室井さんと会った。出会いは決定的だった。氏はだれとも比較しようもない人だった。とにかく止まらない人だった。話し出すと止まらない。しかも、おもしろいし、たのしい。電話で三時間ぐらい話したこともある（リービ英雄さんとは「話が合い」、喫茶店に六時間ぐらいいたという）。室井さんは三歳年上で、わたしは舎弟のように慕った。文学再入門の気分を味わっていた。

なによりも出会えたことに感謝している。「東京に来て一番良かったことは室井さんに会えたことです」と言ったことがある。正直、そう思う。岩手から東京に来て、会津出身の室井さんに会うとは、ある意味、逆説的だと思う。その室井さんから秋田出身の吉田文憲さんを紹介され、三人で「座敷わらしの会」なる同郷会的なものを結成した。室井さんの命名だが、われわれは東北に退行的なユートピアをみていただけではなかった。東北出身という出自はついて回るものだ。なにより三人は気が合った。それこそ何時間でも話ができた。わたしはといえば、出身が東北なだけで、東北に関する知識はとぼしく、読書量ときたら足元にもおよばず、ただただ二人のあとを追いかけた。そして、これも不思議な縁だと思うが、東北に気づいたことがアイルランドへの興味へとつながった。氏との出会いをとおし、ベクトルは内側に向き、重心は下半身に移動していった。

その後、『プリオキュ』こと、シェイマス・ヒーニーの『プリオキュペイションズ』を共訳することになる。この仕事が舞いこむと、「まずは前祝いだ」という一声のもと、各部屋露天風呂付という豪勢な会津の温泉に一泊、翌日は、氏の生家に向かい、母上お手製の山菜の煮物などをごちそうになり（「ここは水がいいんだ、だから煮物もうまいんだ」と自慢していた）、夜は従姉妹が経営するペンションに案内された。生家では親戚の人も来ていて、地元の入り組んだ選挙のエピソードを聞いた。「半票、〇・五票というのがあるんだよ」という。対立する候補者二人に義理立てするために、どちらも同じ姓だと、姓だけ投票用紙に書くのだという。もっと手が込んでいたかもしれない。そんなことがあるものかと思ったが、地元で聞くと本当らしく聞こえるのだから不思議である。

その旅で「木地師」なる語をわたしははじめて聞いた。「漆はジャパンって言うんだよな」などと言いながら、陽子さんの運転で地元のいくつかの博物館を訪ね、縄文の土器や漆器などをいっしょに見るのであるが、室井さんは、どこでも、あっという間に見終わってしまう。「うん、わかった」などと言っている。

翻訳はすぐには進まなかった。わたしの能力不足と本の収集などに時間をかけすぎ、最初の章を手渡すのに一年半ほどかかった。しかし、その後、本格的に始まると、氏はすべての訳稿をていねいに読み、直してくれた。わたし自身がまずヒーニーを訳し、氏はそれを原文と照らし合わせ、チェックする。いわばヒーニーとわたしを同時に翻訳する。そうした二重、三重の作業をたゆまずされた。丁寧な仕事ぶりで、そうとう時間をかけたと思われる。室井さんは英語もよくできた。「苦しんでする仕事は苦にならない」（出典はシェイクスピアの The labor we delight in cures pain.）とはげまされながらの手仕事で、五～六年かかったと思う。できあがると、「これはいくらおろしても減らない貯金のようなものだ。どんどん引き出せ」と言ってくれたのをおぼえている。

翻訳が縁で、わたしだけでなく、室井さんもアイルランドにのめり込んでいったと思う。みごとなシェイマス・ヒーニー論「ナチュラリストの死&フィールドワーク」も書き上げた。そもそもジェイムズ・ジョイスには心酔していた。亡くなる二年ほど前だったか、「結局、おれはジョイスなんだよな」と、しみじみ、みずからの文学のありかを語っていた。そして、アイルランドの作家ばかりでなく、アイルランドという土地や歴史にも独特な思い入れをいだいていた。

ウィリアム・ペティの『アイァランドの政治的解剖』をおもしろがったのも、いかにも室井さんらしい。一六九一年に出版された本書は、イングランドのアイルランドにたいする植民地政策の一環としてなされた統計的調査の報告書めいたものであるが、氏は、アイルランドのかまどや煙突の数などが具体的に書いてあるのがおもしろいと言う。こんな具合である──「スコットランド人は長老教会派教徒（Presbyterians）であり、アイァランド人はローマ教徒である。しかしイングランド人は一〇〇、〇〇〇以上が公認新教徒すなわち国教徒（legal Protestants or Conformists）で、残余は長老教会派教徒、独立教会派教徒（Independants）、再洗礼派教徒（Anabaptists）およびクェーカー教徒（Quakers）である。／**この世帯のうち、**／つくりつけの爐（fix'd Hearths）を一つももたないような世帯は一六〇、〇〇〇／一つしか煙突（Chimney）をもたないような世帯は二四、〇〇〇／二つ以上（more than one）もっているような世帯は一六、〇〇〇／**かまどのうち、**／一つしかかまどがない住居は（Single-Smoak-houses）は、まえに示したように一八四、〇〇〇／そして二つ以上の煙突をもっている住居は、平均して各戸に四つあまりもっている、すなわち全部で六六、〇〇〇」（松川七郎訳、岩波文庫、昭和二六年、P50。一部、旧字体は新字体に改めた）。こうして引用すると、会津で聞いた選挙の話を思い出す。「……地区から……票」と、票田を読むらしい。

思い出を書くと長くなる。わたしもなにかしら室井文学の特徴を言わないといけないだろう。そこで、本文を「切手のような土地」と名づけてみた。これはウィリアム・フォークナーの発言に由来していて、室井さんも「フォークナーは自分の故郷を切手みたいな土地と言うんだよ。いいよな」と言ったことがある。フォークナーは一九五六年の『パリス・レヴュー』の会見で「わたしは自分が生まれた切手のように小さい土地を書く価値がある、そして、どんなに長生きしてもそれを書き尽くすことはできないとわかった」と答えている。彼の小説はアメリカ南部のジェファーソンを舞台とし（実際の町名はオックスフォード）、『八月の光』、『アブサロム、アブサロム』などの小説群は「ヨクナパトファ・サガ」と呼ばれる。「ヨクナパトファ」も架空の群名で、そこが舞台となりアメリカの壮大な物語が展開する。こうした手法はフォークナーが最初ではない。オハイオ州ワインズバーグという架空の土地を設定して小説『ワインズバーグ・オハイオ』を書いたシャーウッド・アンダーソンがいた。

氏は会津とか、デンマークとか、アイルランドとか、小さな邦を愛した。哀惜した、と言ってもいい。Dear Dirty Dublin と、D音を三つ並べて、生まれ故郷のダブリンをアンビヴァレントに呼んだジョイスは、自分の小説を読みさえすればダブリンのすみずみまで再現できると豪語した。室井さんも描き方は違うが会津を執拗に描いた。「大字哀野」などと名づけて。そして周縁にある切手みたいに小さな土地を一つの世界とみなし、そこが宇宙であることを示した。それはヒーニーの先達、パトリック・カヴァナの唱えた「教区主義（パロキアリズム）」に通じると思われる――「教区主義と地方主義は相反する。田舎者は自分自身の精神を持たない。実際に自分が見たものであっても、それが何であれ、たえず都会人の意見を気にし、都会人に承認されるまで自分を信用することはない。一方、教区主義の精神性は自分が属す教区の社会や芸術の正当性に疑いを抱くことはない。ギリシア、イスラエル、英国、あらゆる偉大な文明は教区主義の上に築かれているのである」（「教区と宇宙」）。

アイルランドではW・B・イェイツのほうが有名であるが、アイルランド人はカヴァナが好きである。室井さん曰く、「カヴァナは心の琴線に触れる」。ケルト神話やアイルランドの伝承などにインスピレーションを求めたイェイツと違い、カヴァナは「現実にあるもの、身近なもの、とるに足らないものを大事にした」（ヒーニー評）。「教区主義は普遍的である。それは生活に必須なものと関わり合う。海外に渡った人々はいわゆる国民紙を読んで自分の心のふるさとに触れるのではない。ロンドンのカトリック教会の外ではアイルランドの地方紙が沢山売れている」と語るカヴァナは自身も郷土紙『ダンドーク・デモクラット』を買いもとめ「生まれ故郷の畑に戻っていった」。「私が地方紙へとたち戻って目をやるのは、誰それが死んだとか、誰それが農場を売ったというようなことを知りたいためなのである。」（『プリオキュペイションズ』P248―249）。

『プリオキュ』校正中の一九九九年一月二十九日、室井さんからの郵便には校正原稿のほか、『會津日報』、「新春インタヴューわが内なる会津」（第一回から第三回、同年一月一日、一月十九日、二十六日号）が入っていて、手紙にはこう書いてある――「国民紙ではなく地方紙を読んで心を慰めたカヴァナにあやかった（？）小生のド田舎新聞インタヴュー（誰にもおくれないシロモノ！）ひまな折に、お目通し下されば幸いです。第三回では翻訳宣伝の一環に貴方の名前も出してしまいました。こんな超ローカル紙で、PRもヘチマもないですけれど。しかし、こういう田舎じみた場所（トポス）でこそ〝異中者〟の意外なホンネが洩らされている気もします」。さらに、「『プリオキュペイションズ』Ⅱ部ゲラ一応見終わったのですが、少し間をおくうち、又又気になり、今、再度、はじめから気を入れて読み直しを開始しました。家人にも手伝ってもらいました。どうしてわれわれは実入りの期待できぬ（笑）仕事にこれほど〝魂をつめる〟宿命にあるのか…と、何もいわぬ家人の眼は語っておりました」と続く。

さて、フォークナーの「切手のように小さい土地」とカヴァナの「教区主義」を引き合いに出したので、これで文章を終えてもいいのだが、もうひとつ、最近、思い当たったことがある。最後にそれについて触れたい。

室井さんから紹介された人がもう一人いる。文芸評論家の田中和生氏である。数年前、室井さんが大磯で催した「文学学校」に参加した帰り道（だったと記憶している）、田中さんから吉本隆明の『母型論〈新版〉』（思潮社、二〇〇四年）を紹介された。「どうも、吉本の本は最後まで読めない」と室井さんに言ったことがあり、それをおもしろがっていたが、それはわたしの頭の悪さによるものだといまさらながらわかった。今年、『母型論』をゼミで読んでいるが、なんとなく吉本がわかってきた。新型コロナウィルス感染拡大の影響でオンライン授業であるが、毎回、音声ファイルを作成するにあたり、吉本を音読している。その中で室井さんがやろうとしていたのはこういうことではないかと思った一節に出会った。吉本とは、内容は違うが、目指す方向は同じだったのではないかと。長いが、「序文」の一部を引く。

「どうかんがえても奈良朝以後に、漢字を借りて表意的に、また表音的に文字にあらわされて古典語とか近代語とか呼ばれているものを日本語とかんがえると、日本語という枠組からはみだしてしまう表意や表音があるのではないか。それは『記』『紀』の神話や神名のなかに、また『万葉』や『おもろさうし』や『アイヌの神謡』や日本列島の『地名』のなかに、遺出物のように保管されている。そこで文字表記がなされなかった以前まで遡行して、日本語とはなにかをかんがえる必要があるのではないか。」

吉本はこれを「(1)」とし、ほかに二点、『母型論』を書いた動機をあげている。(2)は「日本の民族性とかんがえている風俗、習慣、宗教、倫理、自然観、それからわたしたちが顔を赤らめるような身体の表象としてあらわす心性や、美の感性など」が「たくさんの種族の持ちものの融合とかんがえた方がいいのではないか」という動機。そして、(3)は以下の通りである――「(1)(2)にどこかで加担するわけだが、明治の近代以後から現在までナショナリズムとかインター・ナショナリズムとか、西洋を基準に使われているオリエンタリズムといった概念や論議は、ほんとうは空虚で無意味なもので、さしあたってこういう概念を基にして流布されている論議、対立概念はすべて普遍性の方向にむかって解体されなくてはならないのではないか」。

吉本は本書で、ことば（日本語）の起源の問題を、乳幼児期の母と子の関係（「大洋」と呼んでいる）に由来することば以前のことばである「前言語」に求めていく。

室井さんは吉本と同じような志をいだき（とくに（1）と（3））、会津に象徴される切手のような土地とそこで話されている土地ことば（ヴァナキュラー）をとおし、日本の村落の起源とか、日本語の起源を求めようとしたのではないか。それが氏にとって探すべき「遺出物」で、それを探しにデンマークやアイルランド、コリアンなどに出向いたのではないか。そんな中で氏は「世界文学」なるものを手探りし続けたのではないか。

いつの日か東北を旅しよう――そう室井さんと約束したが、果たせなかったのがかえすがえすも残念である。「サトォー君、おれの代わりに行ってくれ」と言っているような気がする。いまはまだ読めないが、いずれ室井さんの文章を読み返す日がやってくるだろう。そのときにまたなにか書きたいと思っている。

世界文学をあざなう――室井光広論序説

田中　和生

〆

のっけからなにかに封をするような記号を置いたのは、書き出す前から文章を終わらせようとしているわけでもないし、またこの文章が大幅に締切を過ぎて書かれているせいでもない。二〇一九年九月に急逝した室井光広の文学について語ろうとしたとき、その文学を象徴するものがそこから引き出せるのではないかという、いささか呪術的な効果を期待してのことである。

しかし急いでつけ加えなくてはならないが、わたしはここで室井光広が書きつけて残した文学の、その全体像について論じるつもりはない。それにはいくつか理由があるが、なによりそれはきわめて重要だと思われる作品が簡単に読める状態になっていないからである。その一つが私家版で刊行された詩歌句集『漆の歴史――history of japan』であり、もう一つが遺作となった長篇小説『エセ物語』である。

一九五五年生まれの室井光広は、一九八八年に文芸評論「零の力――J・L・ボルヘスをめぐる断章」で群像新人文学賞を受け、書き手として出発した。けれども室井はそれまでに詩、短歌、俳句をかなり大量に書き溜めており、そこから選んだものを同年に限定二部の『漆の歴史』として刊行し、次いで一九九六年にはそれを限定一二部で再刊している。つまり室井は商業的な文芸評論家となる以前に詩人、歌人、俳人だったのだが、にもかかわらずその話題を共有できる読者は最大でも十四人しかいない。わたしの手許には縁あって再刊されたものの一冊があるが、これはいずれ必要とするすべての読者に届けられるべきものである。

一方の『エセ物語』は二〇〇八年に「三田文学」で連載が開始され、のち二〇一二年からは室井が中心となって創刊された文芸誌「てんでんこ」(不定期刊)に掲載場所を移し、亡くなった二〇一九年に刊行された第一二号まで書き継がれた。長篇小説という形式は一九九七年に刊行された『あとは野となれ』以来で、それは室井光広が試みてきた文学作品の集大成とも言うべき位置づけをもっているが、生前にわたしが私的に交わした話を思い出すかぎり、室井自身が読者に提示しようとしたかたちではまだ読むことができない。

つまり室井光広という書き手について論じるために、

二〇二〇年の現在その起源と終着点がよく見えない状態になっているのであり、だとすればわたしがどれだけ精密なやり方で論じようとしても、ここでは室井光広の文学という氷山の一角しか示すことができないだろう。いわばそれは一九二四年に亡くなったフランツ・カフカの文学について、それまでに刊行されていた中篇や短篇集だけで論じようとするようなことであり、その意味でこの文章は、いずれ起源と終着点を含めて書かれるべき室井光広論の序説であることを運命づけられている。

　けれどもその氷山の一角を示すだけでも、いかに室井光広という書き手が日本の現代文学において稀有な存在であり、また日本語による世界文学としてその作品にどれだけの可能性があったのかを理解することはできるはずである。では序説にふさわしく、根源的な問いからはじめよう。室井光広とはどのような作品を書いた、いったいどのような存在なのか。

　けれどもそういう問いを書きつけて、わたしたちはたちまち心許ない思いにとらわれる。なぜならJ・L・ボルヘスについての文芸評論を書いて商業的な書き手として出発した室井は、ジェイムズ・ジョイスやマルセル・プルーストといった作家たちへの関心を示した文芸評論や日本の現代文学についての書評を書き継ぎながら、文芸評論家として著書を刊行する前に一九九一年から小説を発表しはじめるからである。その第一作となる掌篇集「猫又拾遺」を収めた作品集『猫又拾遺』が、室井の第一著作である。

　いったい室井光広は文芸評論家なのか小説家なのか、という問いを置き去りにして、室井は一九九四年には中篇小説「おどるでく」で芥川龍之介賞を受け、それを収めた第二作品集『おどるでく』と第三作品集『そして考』を刊行する。そうしてすっかり小説家になってしまったのかと思っていると、ふいに思い出したようにデビュー作「零の力」を収めた文芸評論集『零の力』が一九九六年に刊行される。

　その意味では小説として、あるいは文芸評論として室井光広の作品を読もうとすることは、ほかの日本の現代文学における作家たちとは違って、あまり重要ではないように思われる。そのことは、室井光広が世界文学についての日本語による類例のない批評的散文の書き手であることが示される記念碑的な長篇評論『キルケゴールとアンデルセン』（二〇〇〇年）までの作品における、任意の一節を見ても理解することができる。たとえば一九九〇年代後半に発表された作品の末尾近くにある、次のような一節はどうだろうか。

《英語で「平原、野原」といえばplainを用いるのがふつうであり、fieldはおおむね、柵や垣や溝で仕切られた耕作地・畑を指すようだが、ジョイスの父が知悉していたというfieldはどんなものだったのか。彼の地独特の沼地・湿地の光景を含んだ緑野には、宮沢賢治が幻視しえた野の師父に似た聖なる野っ霊が鎮座して

いたように思われる。》

ここでこの作品の語り手は、ジェイムズ・ジョイスや宮沢賢治の作品に関連する文学的なイメージについて、plainやfieldといった英単語の違いに注意を払いながら考察を加えている。強いて言えば「野っ霊」という見慣れない単語に謎めいた感触が残るが、この一節が文芸評論のものだと言われて疑問を抱く人はそれほど多くないだろう。けれども実際は、これは長篇小説『あとは野となれ』から取ったものである。

では比較的初期となる、一九八〇年代後半に発表された次のような作品の一節はどうか。

《私はとつぜん思い出す。遠い昔私がボルヘスと同じ言語を話していたことを。――もしもそんなふうに書いてしまったとしたら、それは字義的には明らかに人をたぶらかす言辞ということになるが、古代ギリシャの「想起（アナムネーシス）」思想を血肉化すれば何ら不思議のない表現である。》

ここでは日本語で語っている「私」が、ボルヘスとおなじスペイン語を「遠い昔」に話していたことを「思い出す」と言い出し、その「人をたぶらかす言辞」は古代ギリシャの「想起」の考え方にしたがえば「不思議のない表現」だと断言する。個人的な文学体験を語っているようにも、文学にまつわる神秘的な思想を示そうとしているようにも見えるが、しかし「私」が「遠い昔」「ボルヘスと同じ言語を話していたことを」「とつぜん思い出す」ことが、この文章ではありうるものとして「私」の語りが成立しているとすれば、語り手の「私」は虚構を介してしか語れないものを語ろうとしていると言っても、それほど違和感はないだろう。けれどもこれは、室井光広のデビュー作である「零の力」から取ったものである。

こうして室井光広の文芸評論の記述には小説的なフィクションが紛れ込み、小説には文芸評論そのものとしか見えない記述が入り込んでいる。ここでその文学作品の感触を、起源と終着点という両端を切り落とした〆縄のようにつかんで、わたしたちはさらに室井光広の作品を成立させている言葉が、そこでどのように綯い合わせられているのかを見なくてはならない。

〆

どこからはじまっているともわからない室井光広的な言葉の綯い合わせを、たまたま文芸評論に見えるものとして切り出し、〆縄のように置いたものが『零の力』に収められたボルヘス論やエズラ・パウンド論（「靈の力――エズラ・パウンドを思う」一九九一年）や小林秀雄論（「批評家失格という事――初期小林秀雄の可能性」一九九二年）となり、あるいは小説として読めるように切り出したものが「あんにゃ」（一九九二年、『猫又拾遺』所収）や「おどるでく」（一九九四年、『おどるでく』所収）のような作品になるとすれば、そこで間違いなく一貫しているのは文字ないし言葉を読むという行為である。

文芸評論としてのボルヘス論やパウンド論や小林論が、ボルヘスやパウンドや小林の言葉や作品を読むという行為によって成立しているのは言うまでもないが、小説として差し出された室井光広の作品もまた、わたしには文字ないし言葉を読むという行為なしには書かれてはいないように思われる。たとえば「あんにゃ」では、癌に冒された血のつながっていない兄のために、エクトール・アンリ・マロの児童文学作品『家なき子』を読み聞かせしていた女性の「私」が語り手で、また「おどるでく」では、生家の二階で石川啄木の「ローマ字日記」のようなロシア文字で書かれた日記を発見し、それを読んでいる作者自身を思わせる「私」が語り手である。

そうした作品における語り手として、初期の「猫又拾遺」や「あんにゃ」では室井光広の故郷である福島県南会津の集落をモデルにしたと思しい土地に生きる人物も描かれたが、それは次第に「かなしがりや」(一九九三年、『猫又拾遺』所収)や「おどるでく」におけるような、作者自身を思わせる「私」に統一されていく。その「私」が一九八〇年代後半以降に文芸評論や小説を書く存在になっていく以上、文字ないし言葉を読むという行為が作品の大きな部分を占めていくのは当然とも言えるが、しかし『カフカ入門——世界文学依存症』(二〇〇七年)、『ドン・キホーテ讃歌——世界文学練習帖』(二〇〇九年)、『プルースト逍遙——世界文学シュンポシオン』(二〇〇九年)、『柳田国男の話』(二〇一四年)といった『キルケゴールとアンデルセン』以降の、世界文学について縦横に語った批評的散文による作品群が書かれたあとからふり返ってみたとき、文芸評論でも小説でも室井光広的な語り手の「私」が切実なものとして読んだり言及したりする作家や作品は、デビュー作である「零の力」から実はあまり変わっていない。

だから室井光広的な言葉の綯い合わせを織り上げる「私」がしばしば読んでいるのは、たとえば『ドン・キホーテ』であり、またフランツ・カフカであり、あるいはマルセル・プルーストであり、さらに柳田国男である。もちろんボルヘスはあちこちで登場し、ヴァルター・ベンヤミンもかなり出現頻度が高い。一方、それほどよく出てくるわけではないのだが、「私」が強い思い入れを抱いているらしいのはヨーロッパの東北地方たるデンマークの思想家キルケゴールであり、またそのキルケゴール「と」一緒に語られるアンデルセンである。ふいに石川啄木や宮沢賢治や太宰治といった、福島県が含まれる日本の東北地方に出自をもつ文学者たちについて言及されるときにも、それと同質の思い入れが感じられるが、その意味では室井光広的な「私」の文学観は、作者が三十代であった「零の力」の時点でほとんど完成してしまっている。

もちろんジェイムズ・ジョイスやシェイマス・ヒーニーや三島由紀夫のような、ある時期に集中して出てくる印象の文学者もいるが、なにより読むことが重要だという「私」の声明は、室井光広の文学作品でくり返し語られると同時に「私」がそれを実践して生きていることが示される、作品自体の大きな柱になっている。その室井光広的な〆縄を綯うために欠かすことのできない言葉の連なりに名前をあたえるとすれば、それは二〇一七年に書かれたエッセイで「私」自身が言っているように、「読者教」信者としての言葉ということになるだろう。

二〇二〇年に刊行された文芸評論集『詩記列伝序説』の冒頭に、「序に代えて」という副題をつけて収められたそのエッセイ「〈読者教〉信者のひとりごと」で、「私」はボルヘスの「詩的なるもの」についての講義『詩という仕事について』から「私は自分を、本質的に読者であると考えています。皆さんもご存知のとおり、私は無謀にも物を書くようになりました。しかし、自分が読んだものの方が自分で書いたものよりも遥かに重要であると信じています(……)」という一節を引き、こうつづける。《およそ三十年前、私はこの詩的言語の魔術師の説く非在の宗教〈読者教〉に入信したあげく、「無謀にも」その稚拙な広報文のようなものをしたためて著作家の末席を汚すことになった。教祖のいう通り、「自分が読んだものの方が自分で書いたものよりも遥かに重要である」との信心は、実存のリセットの時期、とされる還暦をすぎた今も、ますます深まるばかりという他ない。》

ここでボルヘスを「教祖」とする「読者教」の「稚拙な広報文」とは「零の力」のことだが、こうして「読者教」信者としての言葉は室井光広的な〆縄であざなわれる第一の連なりとなる。だとすればそれと綯い合わせられる第二の連なりは、おそらく書くことをめぐる言葉だが、これはボルヘスの講演自体がそういう語り方になっているように、もっとも重要な「読むこと」の裏側には「書くこと」が張りついているからである。

たとえば読んだ「から」書く、というあまりに単純な因果関係を表現した言い方は、しかし世界文学史上の巨星たちがどうにか実践しようとした、実現することがきわめて困難な真理でもある。騎士道物語を読んだ「から」、騎士道物語的な冒険を書きつけるような旅に出発するドン・キホーテはその最初の実践者だったが、そうして「読むこと」と綯い合わせられた「書くこと」は、室井光広的な語源学でしばしば語られるように「裏」に置かれると同時に、それなしでは「読むこと」という「表」が意味をもたない「心」へと転化する。

原理的に言って、文字ないし言葉を読むという行為は無限であり、それをそのまま書きつければ単なる無秩序にしかならない。「書くこと」と綯い合わせられる「読むこと」だけが意味をもつのであり、だとすれば「書くこと」は「読むこと」のウラ側から「読者教」信者の言葉にウラづけをあたえる。ここでのウラは「心」や「己」と表記されてもいいが、その意味では「読むこと」がそのまま「書くこと」へと転化している文芸評論におけるその綯い合わせは、比較的わかりやすいと言える。なぜならどんな主題について語っていたとしても、文芸評論や批評的散文による作品では「書くこと」に意味がある「読むこと」だけが記録されてしまうからである。

だからそれが室井光広的な〆縄で、文字ないし言葉を読むという行為をウラ打ちする一貫したものであることを理解するためには、作者自身を思わせる「私」が語り手ではない初期の小説を確認してみるのがいいだろう。たとえば第一作である掌篇集「猫又拾遺」の冒頭に置かれている「細部」で、文学少女だった姉が引き起こした男女問題をめぐる訴訟の顛末について語る「私」は、作品の末尾近くで「ある神父さんは云ったっけ、神は懺悔に宿る、と。そうして文学の神が『細部』に宿るという理論を姉は信奉した。私は文才もないので、スリルを感じながら『男』である神父さんの耳の中に、懺悔の物語を紡いだ。姉はじぶんで『細部』を創ることに成功しなかった代わりに、法廷でそれをむりやりひきずり出された」と言っているし、またまだ血がつながっていないことを知らなかった兄と一緒に、柳田国男の『遠野物語』にも通じるような話を祖母から聞き出して記録していた「あんにゃ」の「私」は、その話を下敷きにした「高校二年の夏休みに私が退屈しのぎに書いた物語のようなものが、地元の新聞社主催の学生懸賞小説コンクールに佳作入選したことがあった」という経験をしている。

つまり室井光広は、語り手の「私」が文芸評論や小説を書く存在だから「書くこと」が重要だと考えているのではない。なぜなら実際に自分で文芸評論や小説を書くことはなくても、だれもが自分が生きるという物語を「書くこと」をしているからである。もちろんそれは、文芸評論や小説としてほかの人が読めるものではないが、しかしそれがもっとも重要な「読むこと」に意味をあたえているということは、どんな「私」にとってもおなじである。そのような意味で「読むこと」と「書くこと」の綯い合わせは、個人的な「私」の物語に起源をもちながら、さらに普遍的な言葉の連なりを引き寄せることになる。

室井光広の文学作品が、日本語による世界文学として類例のない位置を獲得しているのは、おそらくそこにおいてである。

〆

もし「私」が「読むこと」と「書くこと」の往還で完結できるとすれば、その往還を表現する文芸評論を書くだけで済んだかもしれない。けれども、どうしてもその往還をはみ出してしまうものが「私」にあったとしたら、どうだろうか。と言うより、正確にはどんな「私」にも「読むこと」と「書くこと」をはみ出してしまうものがあるのだが、多くの人はそれに気がつかなかったり、たとえ気がついたとしても、あまり重要なものとは考えなかったりするのである。

　そもそも「読むこと」も「書くこと」も、他人と言語的な規範を共有しなくては成り立たない行為である。だからそこでは個人的な言語の記憶はなかったことになり、しばしば抑圧されてしまう。ここで個人的な言語の記憶というのは、おおむね口語的なものを指している。なぜならそれはそのまま「書くこと」ができないものであり、したがって「読むこと」もできないものだからである。わたし自身の経験で考えても、たとえば「だやい」や「はがやしい」といったわたしの出身地である富山県の方言がもたらす感覚は、書き言葉を中心とした「読むこと」と「書くこと」の往還では「なかったこと」にされてしまう。しかし「だるい」とも「めんどうくさい」とも違った「だやい」という口語がもたらす感覚は、たしかに個人的な「私」の物語には刻み込まれており、それは本来人類全体における言語的な記憶の一部を成すはずのものである。

　作者自身の故郷を思わせる土地を舞台にして、「読むこと」と「書くこと」の往還をはみ出してしまう個人的な「私」の物語に耳を傾けたという印象の掌篇集「猫又拾遺」に次いで書かれた室井光広の「あんにゃ」や「かなしがりや」といった小説は、表題に示されている方言の感覚を言語的な記憶に組み入れるようにして書かれている。それぞれの言葉について小説が書かれることによって、それらは「読むこと」のできるものになるからである。こうして室井光広的な〆縄において、わたしたちは文字ないし言葉を読むという行為とそれをウラ打ちする「書くこと」に加えて、個人的な言語の記憶にまつわる言葉の連なりを取り出すことができる。

　そのような言語の記憶は、わたし自身の富山弁がそうであるように個人的な「私」の物語に起源をもちながら「書くこと」と「読むこと」の往還に綯い合わせられることによって、人類全体における言語的な記憶に接続されることになる。そこではまた、「書くこと」と「読むこと」の往還によって成立している書き言葉の連なりが、個人的な「私」の物語に起源をもつ口語によってウラ打ちされるという関係が見えてくるが、室井光広の文学作品が〆縄のようにあざなわれているというのは、なによりそのような意味においてである。

　おそらく室井光広の作品が難解だと言われるときは、こうして綯い合わせられているものを同時に受けとってしまうからである。けれどもそこであざなわれている要素は、一つ一つはきわめて明確で難解ではない。けれども、それらの文字や言葉を読むという行為と「書くこと」と言語的な記憶の綯い合わせを別々に論じてしまっては、一本の縄としてあざなわれている文学作品のなかでもっている強度はまったく失われてしまうのであり、そういうものとして室井光広的な〆縄はある。

ちょうど個人的な「私」の物語に起源をもつ言語の記憶が、書き言葉と往還することによって普遍的な意味をあたえられるという過程がそのまま小説化されたような作品が、一九九四年に発表された「そして考」である。作者自身を思わせる「私」を語り手にしているその作品は、会津若松市と思しき土地で下宿をしていた「私」が中学から高校時代に行き来のあった人物の記憶を掘り起こしながら、その土地を舞台にしてしか生まれないような文学空間を現出させている。そこに「私」の中学時代の恩師であり、現在は教師をやめて郷土史家となっている「氷山一角」という人物が登場するが、表題となっている「そして」という方言は、その「氷山先生」の著書から引用するというかたちで、書き言葉として次のように表現されている。

《「英語の and がきわめて多様な訳語をあてるべき接続詞であることは周知の通りである。二十面相と申してよいほどの訳語がありうる。そして、そうして、かくして、と、すると（……）云々。当地方においてもAとBをふつうに結ぶ使い方があるのはいうまでもないが、特殊用語としての『そして』は接続詞ではなくむしろ感嘆詞に属し、表記は従って『そして！』とするのがよい。勿論若い世代にとっては死語に近い。詠嘆・慨嘆・悲憤・痛憤の『そして！』と筆者は名づけている」》

書き言葉の「読むこと」と「書くこと」の往還では「なかったこと」にされてきた、口語的な感嘆語としての「そして」について、これだけでも充分に手の込んだ表現と言えそうだが、語り手の「私」はさらにこの方言についての書き言葉をはみ出すものとして、実際に「私」の母親が口にするのを耳にした「そして！」の用例をつけ加える。それによれば「そして！」は気軽に口にできるような感嘆語ではなく、厳粛な場面でしか使われることのないものである。だからそれは、口にした母親がその場を凍りつかせるほどの力をもつ「生涯の数少ない内面の一挨に参加したときのアイコトバ」だったのである。

もっとも重要な「読むこと」からはじまり、それをウラ打ちする「書くこと」がそれに「心」をあたえ、さらにその書き言葉の往還に個人的な「私」の物語に起源をもつ言語の記憶が綯い合わせられる。さしあたりわたしたちが、序説として室井光広の文学から取り出せそうなのは、その三つの大きな言葉の連なりである。しかしその先で重要なのは、そうして取り出した言葉の連なりがどのようにして綯い合わせられているかという問題である。なぜなら比喩的に言葉の連なりがあざなわれていると言うことは簡単だが、実際にはそれらはそれぞれ別の論理にしたがって紡がれているものであり、そのまま藁を束ねるようには行かないはずだからである。

そのような意味でわたしたちが注視しなくてはならないの

は、室井光広的な〆縄で言葉の連なりが綯い合わせられている、その結節点である。あるいはそれこそが室井光広的な修辞と言うべきものだが、たとえばその結節点の役割を果たしているのは、ちょうど先に「ウラ(裏＝心)」という言葉で「読むこと」と「書くこと」を貼り合わせたような同音異義語の重ね合わせであり、また音の近い言葉同士の自由な連想であり、あるいは「氷山先生」の著書がそうしていたようにおなじ意味をもつ異言語の単語の対比である。

これはかつて文字をもたず、かぎられた数の大和言葉しかもっていなかった日本語に中国から膨大な数の漢字が入ってくることによってはじまった、意味がよくわからなくても文字として言葉を受け入れてしまう受容性や、またそのせいで異なる意味をもつ言葉がおなじ音で重なってしまうという現象をもつ、古代的な意味における日本語の性質を生かした言葉の使い方である。漢字を借りて文字を手に入れた日本語は、異言語の単語が紛れ込んでも平然と日本文を成立させてしまうし、その受容性を生かしておなじ意味や近い音をもつ言葉同士を自在に連結してしまう。その意味でこの室井光広的な修辞は、小説や文芸評論といった近代以降の文学作品のあり方を前提として書かれている、ほかの日本の現代文学における作品と室井光広の作品をまるで異質なものにすると同時に、それを結節点とする室井光広的な〆縄を日本語でしか書くことのできない世界文学の作品にしている。

こうした結節点は作品のあちこちに埋め込まれているので、わかりやすく引用することが難しいが、作品自体のあり方でそれが見えやすいのは一九九四年に発表された「ヴゼット石」だろう。これもまた作者自身を思わせる「私」が語り手で、私家版詩歌句集『漆の歴史』を連想させる原稿を持ち込んだときに知り合った、小さな出版社の女性社長との交流を中心に描いている。それが縁となり、実際には刊行されることがなかった受験生用の『英語の単語』と占星術愛好者向けの『星々の産婆』という二冊の実用書を書いたという「私」は、その内容を重ねながら個人的な「私」の物語を紡いでいく。そうした書き方によって「私」についての記述に『英語の単語』から引いた英語が重なり、また『星々の産婆』から引いた内容は「私」と女性社長「奈良ハナ子」との関係を有機的なものにするが、そのせいでさらにそこには朝鮮人の母親をもつ「奈良ハナ子」がどうにか身近にしようとしつづけている韓国語、またパリ留学時代以来身近なものになっているフランス語の文脈も入り込んでくることになる。表題の「ヴゼット石」とは、フランス語の地図で現在地を示す記号に付された「Vous êtes ici.(あなたはここ)」という言葉のことであり、そのような異言語の言い回しが石に変わる日本語の結節点を蝶番にして、その作品は成立している。

こうして一九八〇年代後半から文芸評論と中短篇小説を書き

継いで鍛え上げられてきた、室井光広の文学作品において異質な言葉の連なりを束ねてあざなうことを可能にする日本語の結節点は、おそらく一九九七年に刊行された長篇『あとは野となれ』で一つの完成形に辿りついている。

　たとえばそこで、同音異義語や音の近い言葉同士の連想や異言語の単語の対比を駆使し、作品のあちこちで言葉の連なりを綯い合わせる日本語の結節点を生み出しているのは、作者自身を思わせる語り手の「私」だけではない。それなりに勢力のあるらしい「アジア共生会」という組織の理事長「猫又大三郎」の伝記『ねこまた、よや』を執筆した「私」は、その英語版を担当した共同執筆者として「ジュウさん」という人物の名前を出す。もともとは「私」の妹の夫であり、ユダヤ系アメリカ人の父親と台湾の大陸系中国人の母親をもつその漢字表記名「助」さんは、英語と中国語を自在にあやつりながら日本語の世界へも越境しようとしていた存在である。妹とは離婚してしまったが、かつては手紙で、現在では電子メールで「私」との言葉のやりとりはつづいている。

　ちょうどこの「ジュウさん」は、書き言葉による「読むこと」と「書くこと」の往還に個人的な「私」の物語に起源をもつ言語の記憶を綯い合わせ、日本語でしか表現することのできない普遍的な言葉の連なりを現出しようとしている語り手の「私」の、鏡像となるような存在である。その「ジュウさん」の存在自体が日本語の結節点なしには表現できないが、こうした「私」の試みを「助」ける対話者が設定されることによって、「私」の独白だけで展開されればどうしても難解になってしまう言葉の連なりの綯い合わせは、そこで独特のユーモアと不思議な風通しのよさを獲得している。

《祖父の代にはペンシルヴァニア州の農民だったという父方の姓Leaを最初に耳できいたときにはそれも中国人の名前みたいにひびいたが、Leaは現代語のFieldの意味をもつ一種の古語らしい。今の私は彼に対して、この父方の姓の漢訳（?）をもダブルバインドさせあらためて「野（ヤー）さん」という表記を用いてみたい心持ちである。そういうヨミの混乱を〝多ジュウ人格者〟は歓迎してくれるにちがいない。異なる土地に融け込もうと涙ぐましい努力を「重ねる」外国人のすべてがそうであるとも思えぬが、幼稚なダジャレや語呂合わせの類を含め、「重ね」現象に寄せるジュウさんの執着は並のものでなかった。》

　この「ジュウさん」と「私」のあいだで交わされる、日本語の結節点を無数に生んでいくダジャレと語呂合わせに満ちたやりとりが浮かび上がらせる架空の書物『ねこまた、よや』が、作中でリチャード・エルマン『ジェイムズ・ジョイス伝』（一九五九年）の隣に置かれてなんの違和感もないように、たしかにそこには日本語でしか存在しない世界文学の感触がある。

〆

そろそろこの文章も締めなければならないが、長篇『あとは野となれ』で一つの完成形に辿りついた日本語の結節点が、どれだけ自在に世界文学の作家や作品を解きほぐし、鮮やかなものとして編み直すことができるのかということは、『キルケゴールとアンデルセン』以降の世界文学について語った作品群の批評的散文が証明している。そしてその文学作品が、小説であっても文芸評論であっても「読むこと」と「書くこと」の往還に個人的な言語の記憶が綯い合わせられることで成立している、言葉の連なりによる〆縄のようなものであることも、おおむね示すことができたように思う。

もちろん「読むこと」と「書くこと」の往還とまとめてしまった書き言葉の問題は、本来は詩と物語と批評という異なる言葉の連なりの問題として考えなくてはならないし、そうしなければ室井光広的な文学作品の起源に位置する詩歌句集『漆の歴史』について語ることはできないだろう。また詩と物語と批評のすべてが流れ込んでいる終着点『エセ物語』にも批評的に接近することはできないに違いない。

この文章で、わたしはほぼ『キルケゴールとアンデルセン』より前の作品で室井光広の文学について論じようとしてきた。それはわたしがその文学の全体像を論じることができない、起源と終着点が見えないという以外のもう一つの理由によるものである。というのもわたしは、二〇〇〇年に文芸誌「三田文学」で募集していた三田文学新人賞を受けて文芸評論を書きはじめるようになったが、そのときの選考委員のひとりが室井光広だった。つまり文芸評論の書き手としてのわたしは、室井光広なしではおそらく存在していない。

ちょうど刊行されたばかりの『キルケゴールとアンデルセン』も、手ずからわたされたことをよく覚えている。だからそれ以降の室井光広の文学作品を、わたしは室井光広という人間と切り離して読むことができない。少なくとも亡くなってまだ一年も経たない現在、直接交わした会話の内容なのか文学作品で読んだ内容なのか区別できない記憶も、いまだ鮮明である。そうしてわたしは、書きつけられた言葉以上のものを室井光広という「師」との交流から学ぶ幸運に恵まれたが、そのような状態で「師」が書きつけた言葉の批評をするべきではないだろう。

最後に「〆」という文字について触れて、この文章の〆としたい。「〆」は不思議な文字で、漢字としてあつかわれているが、もともと中国語にはない。つまりそれは日本語にしか存在せず、なぜ「シメ」と読むようになったのかも、正確なところは不明である。縄でつけられた文様の痕跡にも見えるその文字は、あるいは漢字が流入する以前の縄文時代の遺物のようなものかもしれない。

それは近代以降の文学作品という形式のなかで、近代以前からつづく言語の記憶をどこまでも掘り起こし、手許には漢字という文字体系と出会って表記できるようになった日本文しかないのに、それ以前の文字をもたない縄文の記憶をたぐり寄せようとするかのような修辞を生みつづけた室井光広の、日本語でしか書くことのできない世界文学の作品を象徴できる文字である。そうした意味でも、室井光広は日本語で〆縄のように世界文学をあざなったのである。しかし注意しなくてはならないのは、日本語が読み書きされる環境では〆縄はただ飾られるためのものではないということである。それは折に触れて新しく綯い合わせられ、読み直すことによってまたあざなわれなくてはならない。

つまり室井光広が書いたのは、つねに読者が新しく「読むこと」の意味を埋めることで生きつづける〆縄である。

星と

平田　詩織

光る四つ足の群れが
車窓を過ぎる
あなたはもう乗った頃だろうか
あのまぼろしの駅から。

ざわめく草木の抱擁に
すこし怯えた顔をして
あなたを呼ぶ
幼い額に星の影が滲んだ

さみしい季節の足音ばかりが訪れては去る
見慣れたくらい屋根の連なりの隙間に
とおく、白い雷が落ちてゆくのを見ていた

ほら、また

少ないものから席を立てば
残されるのは
燃える指の記憶
たいせつにかかえて
連れ帰る背中のどこまでもまるい
なだらかなほしのきおく

約束の雨が
白い丘に降る朝
ほとほとあるいて
ちいさな歌にこたえるように
ゆっくりと時計を下ろす
ほら、ここに

（ただ憶えていたい）

夢の骨
海の庭
星と
竜胆
遠い旅の明るさ

またたく

平田　詩織

　先生のことを思うと眼前に広がるのはいつも、はじめて言葉を交わした日に教室の窓から見た景色だ。快晴の高い空と低い山並み。のどかな、子どもの頃から慣れ親しんできた里山の風景。毎年、其処ら一帯の田園が水を湛えて鏡のように空をうつすのを見ると、焦がれるような懐かしさが目の奥にせり上がってきてたまらない気持ちになる。先生も窓の外を眺めて故郷を思うことがあったかもしれない。

　先生の語りを最初に聴いたのは詩の授業だった。ろくに調べもせずに入学したため、詩を勉強します、という授業が複数あると知ったときには喜びというよりもショックを受けた。先生の授業は講義が主体だったが、詩を書き提出する機会もあり、生まれてはじめて書いたものを添削してもらった。詩は十代で書きはじめて、自作のウェブサイトに細々と発表して過ごしていた。

　回を重ねてしばらく、講義が終わったあと何となく窓の外を眺めていたら、先生に話しかけられた。たしか「あなたはふだんから詩を書いているの」というようなひと言だったと思う。その後数分言葉を交わした。目はほとんど合わせてくれなかったと思う。いくつかの質問をされて、それに答えるたび、先生は何か考えるような沈黙とともにあさっての方向を見つめていた。その時は別に作品に言及されることはなく、淡々とした質疑応答ののち、唐突に話が終わったような記憶がある。わたしはとにかくびっくりして今のは何だったのだろう、と思いながら帰宅したことを覚えている。

　先生は何というか、とても動物的なナイーブさがあって、第一印象は「賢治の童話に出てくる猫みたい」だった。はじめの頃は会話のたびに、コイツは信用していいニンゲンかしら、とでも言いたげににおいを嗅がれているような気持ちになった。あとになって、あのときはまるで縄文土器を見つけたような感じだったのだと教えてくださった。わたしは猫みたいだと思ったが、先生のほうは土器だったのだ。光栄である。

　履修が終わったあとも特別講義を結局卒業するまで受講させていただいた。だいたいお昼休みに研究室におじゃまして先生が猛烈に文学について語りつづけるのを、お弁当を食べながら聴いていた。わたしは在学途中で転学科したのだがそのこととは無関係に、どうしても学生の群れに馴染むことができず、友人らしい友人もできずにいたので、今でも大学時代に一番仲が良かった人はと問われれば、お世話になった先生ですと答えるほかない。本当に、先生と過ごした時間がもっとも長かった。

星と星の軌道がたまたま接近したような四年間だった。卒業後はお会いして話をする機会も減り、手紙やメールをのんびりやりとりする日々だった。先生の存在はわたしが創作へむかうための命綱みたいなもので、書きあがったら読んでもらおう、という気持ちが常にあった。だから細々と書きつづけることができた。そののち雑誌を創刊することを決めたと報せがあって、てんでんこの執筆メンバーとして呼んでくださった。震生湖のような雑誌だ。あのとき先生の心もおおいに揺れたのだろう。創刊号が送られてきた日は、嬉しさのあまり仕事から帰ってきて包みを開いてすぐに先生に電話をかけて、中学生以来の長電話をした。巻頭の願文とそれに続く「おらおらでてんでんこにいぐも」は詩を書くわたしの懐刀とスローガンになった。

先生は旅立たれて、もうお会いできない場所へ行ってしまったが、実を言うとあの教室で、はじめて言葉を交わしたときからずっと、先生は人ではなかったのだと、いまでは少し思う。あの日抱いた率直な印象は間違いではなかった。わたしはいつも、書いているときだけ僅かにそちら側へ振れるような気がするのだが、人間としてのお勤め時間と比べるとほとんど幻のように僅かな時でしかない。先生は、教員としてわたしの前に立たれたときにはもう半身は人ではなかった。教室でもお昼休みでも、過ぎるほど言葉を降ろしていた。ときに先生の口から我先に出てこようとする言葉の横溢に痩躯が壊されてしまうのではないかと不安になるほどだった。職を辞されたときには禊の時期なのだろうか、という気持ちになった。山を下る。納得もした。人間としての生活は先生には向かないのだろうと思うよりほかなかった。先生は様々なことを楽しそうに語ったが、いつも顔の一部を苦痛で歪めている、わたしにとってはそういうひとだった。

先生が書きつづけた「エセ物語」は人としての生きにくさ、生きされなさそのもののようにも読めた。枠にはめることができない。分類することができない。驚くような「誤読」を展開する。そもそも日本語で読んでいない。いったい言葉のどこを読んでいるのだろう、何が視えているのだろう、何度そんなことを思ったか分からない。他者との途方もない距離。先生の名前も消えた。

大学から海は見えなかった。わたしは海よりも山に親しんで育ち、いまでも海はすこし怖い。先生は海まで五分(ともうすこし)の土地に住んだ。海になにを視ていたのだろう。浜を歩きながら、向こうからやってくるなにか大きなものと対峙する先生の姿を思う。それを降ろすのですか。

先生の原稿は手書きだった。授業で使うプリントの多くも手書きされていた。狂おしい海鳴りも山鳴りも内に抱えて、どこまでも走っていこうとする言葉に見合う疾さを持った、荒っぽく生き生きとした筆致だった。いただいた手紙を読み返せば、変わらない声であの語りが立ちのぼってくる。人間の記憶のうち、最初に忘れていくのは声だという。けれど先生の手紙は、マドレーヌと同じくらい鮮烈だ。何度でも蘇ると思う。

先生のことを思うとはじめに山と空が、それから海が見える。そして山と空と海を眺めるときには、麦わら帽子を被って手拭いを首に結んで自転車に乗る、少年のような先生の姿をいつもどこかに見つけてしまうのだった。

縄文の狼煙

綱島　啓介

書くという行為を知ってしまった者の常として書くことを遠ざけることはできない、と氏は言った。その言葉は今も僕の心を叩く。僕はその音を実体として受け取りなおし続けるだろう。実体とは一体なんなのだろう。読み書くとはいったいなんなのだろう。それらに肉薄した者にしかわからない暗号があるのなら、その暗号を僕は理解できるだろうか。それを語るには資格が必要なのか。僕は誰かを求めているのか。それを語ったり、書いたりする営みに他者がどう関係するのか。僕は知らない。そこで僕は僕一人のため、ここに断定する。それを決めるのは僕以外に誰にも求めないということを。しかしその上でなお書くという行為には、なんらかの許可が必要なのではないか、と自問する。それは書くということを始めた瞬間から生じていた。氏について考えるとき、まずはそこから問わねばならないのではないかと思うのである。誰の許可か？　他ならぬ自分か、あるいは他者の読みに許されえるかどうかとか、そういうことなのか。何冊以上本を読み、これこれの作家の本を必ず読まねば何も語ってはならない。そんな決まりでもあれば、これをクリアし、自信を持って書くということや読むということができるようになるのか。読んで書く者はしかし、いっそのことそんなボーダーラインがあればいいな、と夢想したりするのではないか。それが不確かだからこそむしろその不安定な土台に怯える自我にこそ書くという行為は住わっているのではないか。書くという行為は常にそういった問いに晒されながら行われているのではないか。僕にはわからないが、氏のいう「門前の小僧」になってみたい自分はそれをしようとするだけでこの門をくぐってしまうのであった。いつ通り過ぎたのか、わからなかった。もう門前へ戻ることはできないらしいのである。だがせめてそれに気がついたのだからそこから奥へは進むまいと僕は決めた。目前が土足禁止に感じられる。四方八方が土足禁止らしいのだ。これまで勝手気ままに闊歩してきた無意識の足跡が一挙に不動の僕を責め立てている気がした。もはや門前の者たる資格がないと意気消沈するしかないのだが、その心持ちで目を閉じれば僕の個人的な希望のように氏の姿が浮かび上がってくるのである。門の向こうへ行くことを自分に許可しない氏が見える。くたびれて、途方にくれているのかと思えば氏はニッコリしてさえいる。

「この門の上空にはね綱島くん、黒旗がはためいているんだよ」

見上げると確かにはためいているのだ。虚空を旗ははためいているのだった。こっちへおいでよ、と手招きしている。なぜそんなに優しいのだろう。すぐにでも駆け出したいのだが、綺麗に整地されて僕の足跡しか残されていないのに改めて気がつく。僕の右往左往がそのまま広範囲を侵食しているように感じられた。たとえ最短距離で氏の方へ行くのにも気が引けて遠慮していると、氏は笑った。距離はかなりあったが、本当に静かなところでは遠くても通信はできるのだよ、という意味のことを氏はいい、そして続けるのだった。

「もともと整理整頓が行き届いているところはね綱島くん、自分がここに来た時よりも綺麗にしてしまうようなことがあっては駄目なんだよ。良かれと思ってより使いやすそうなところに物を移動したりしてはいけないんだよ。いや、もちろん汚くしろってことじゃないよ。来た時と全く同じようにしなくてはいけないんだ。整理整頓された場所はね。隅々まで理由が散らばっているからね。だからね、元に戻す修練を積まなきゃいけないんだよ。なぜそこにそれが収まっているのかを見るとね。理由がはっきりわかるようになってるんだ。まあ下積みみたいなもんなんだけど、そうすればね。そこにいる人間の切り抜きのような姿が現れて、見事にそこにハマるようになってくるんだ自分が。それがね人間が人間をするってことなんだよ。そこにね実存が綺麗におさまるわけないんだ。例え本人がきちんと配置した空間であってもそれは同じなんだよ。同じ人間なんだからね。そういうところにね実存の無意識ってものがあると思うんだよ俺は」

僕はわけもわからず氏の言葉を聞く。誰も彼もが去ってしまった後のようだが、踏み固められた地面には雑草も生えていないのだった。黒旗を目印に門の位置を察すると僕はそれが門だとも知らずにくぐり、確かに踏みにじってしまったらしかった。この先には何があるのだろう。ここは峠のような場所でもある。確かに氏はそこにいたのだった。なぜ僕が門の閾をしっかり踏みつけたことを叱ったりはしなかったのか。むしろ親しく話しかけ、様々なことを話してくれた。青春時代に唯一諳んじれるまで親しんだ中原中也（『中原中也詩集』（岩波文庫）大岡昇平編）に空想を重ねる。実際に「骨の先」を見上げる空想をして、まだはためいている門の上の旗を見上げた。「無限の前に腕を振る」「アンダースローされた灰が蒼ざめ」る。その延長線上の虚空に手繰り寄せることのできない中原の「黒い旗」がはためいているのだ。

「ここは登山なら零合目なんですかね」すると氏の笑い声が聞こえてくるのだ。

「綱島くん、初めの一歩を辞退して、そのまま一歩も進まなければダルマさんのゴハサンゲームは終わらないんだよ」

「え、それは楽しいんですかね」

「まあそれは、君に任せるんだけどさ。反復っていうのはね、振り返るたびに期待を持てるかどうかなんだよ。まあ、月並みだけど、祈るようにね、振り返ればとね、俺は思うわけです。そうは言いつつもモノを書いたりする人間は我先に一歩を踏み出すんだけどさ。まあ俺にも覚えがないわけじゃないんだけど。永遠にこのゲームをするためにはね、綱島くん。遅く遅く。あるいは一歩も進まないってのもアリなんじゃないか？ なかにはさ、ちょっとも動かないっていうね。あれ、あの人動かないな。どうしたのかな。っていう、そういう人もいるんじゃないかってね、思うんだよ。いてもいいだろ、そういう人が。でもね、そんな人がさあ、実はちょっとだけ動いているのを発見した時はね、俺はもう、本当に感動したよ。泣いたね。そのゲームに参加せざるを得なかった人がいるっていうね。そういう人の微動がね。文学では長編になるんだよ。どんな思いでさ、どんな期待や恐れがあって、ちょっとだけ動いたのか。そう思うとね。ゲームなのにさ、真面目な顔をせざるを得ないんだよな。その顔のまま、仕方なく遊んでみるっていうね。その感触がさ、胸を締め付けるものがあるよね。文学っていうイメージにこんなことを持ちこむと怒られちゃうんだけどさ、まああくまで余談として懐に入れておく価値はあると思うんだよな俺は。まあゲームっていうのはさ、手を挙げても挙げなくてもそこに居合わせてしまえば、参加できるんだよ。せざるを得なくてもさ。いやあくまでイメージとしてね。で、なんの話だったっけ」

「零合目の」

「ハハハ、そうか」

と僕も氏の笑う声と共に笑う。かなり離れた距離があるが、だからこそ氏とのゴハサン・ゲームをすることだってできる。ここから動かなければ、僕は鬼にもダルマにもなれる。氏に触れてしまえばもう、氏から離れていくことしかできないのだから。

氏の文章を読むと言葉に所有権はあるのだろうか。そんなことを思ったりする。言葉が借り物のように大事に扱われている。人間は人間の言語生活をし続けて死に終える。僕だって人間の生活をしてみようとしたけれど、そこから私や俺が「憧憬した」に過ぎなかった。と中原中也の言葉を借りる。氏の言葉で言えばそれは「着服」だが、「着服した」私や俺がその門を通り過ぎていくのを僕は見送った。昔見た夢の中でジェットコースターの順番待ちでことごとく横入りをされて後退を余儀なくされ、みんながそうしているのだから自分もそれを試みてみようとしたその時、坂道の途中で「小説概論」という分厚い本を拾ったことがあった。あれに興味を示したのは私や俺だったのかもしれない。けれど僕はきちんと僕のモノではないと直感していた。文学という器は言葉を使うすべての人に与えられている。その広さにつけ込んで、これも文学だ、あれも文学だ、と私や俺は、恥の上に恥の上塗りを重ねてきた。だが、未熟な僕は私や俺のように上手くはできないだろう。言葉を生み出すときの脱皮のときに似た状態を誤れば回復できないような深傷を負うように思えてならない。僕は二度と僕に戻れないだろう。みんながみんな、それを自覚しているのか、いないのか、それは知らないけれどもそれぞれの答えを出して、書いているのだ。ただ、その時に僕は読むという行為を破壊であると自覚していたい。書く、読む、書く、の連続は、作る、壊す、作る、と言っていい。モノを作るより、モノを壊すより、モノを直す人こそが、モノを一番よく知っているのだ。と僕は持論している。一見すると話は飛ぶようだが気にするつもりはない。ベンヤミンのいう「複製技術時代の芸術作品」(『ベンヤミン・コレクション1』ちくま学芸文庫)の二十世紀を振り返った時、完全な工業生産機器は全く同じモノを量産しうるという点において神秘的なほど完全性をおびていたのは確かだ。だが全く同じものを量産するということは、作るという価値を希薄にした。絶えず使用に破壊を囁く。すると作るという価値が薄まり「モノ」が物体に依存しなくなる。実物の価値はほとんど無いに等しいほど希薄になるのだが、しかし「モノ」は不可視の不死身へ形態をかえる。「もはや全てのものが書かれた」と作家がいうとき、本や言葉や人間に「モノ」が依存していないということにつながりはしないか。そこに不死が垣間見える。そして《零》の力を信じるに至る。使用は故障をもたらす。二十世紀ではあらゆる分野で修理という技術が専門職になる程卓越したものへ変貌していった。僕は文学においてもそれは同じだと考えている。僕は氏が語るボルヘス像やベンヤミン像、氏の筆耕人生に、二十世紀のこうした事情を重ね合わせてみる価値があると思っている。例えばデカルトが『省察』で冷たさについて考察したのを真似て、ベンヤミンの「アウラの凋落」を思うとき、冷たさの正体を考えたデカルトが、冷たいと確かに感じるけれどもそれは冷たさなるものが在るのではなく、むしろ熱が無いことを感じているにすぎないのではないかと、思考していることに共鳴せずにはいられないのだ。冷たさという実体はある時を境に熱という実体に転じるのではない。熱の限りない欠損がその冷たさの正体だという考察に一歩も離れずに全身を浸す。どこまでも冷たくその熱が無限に奪われていくということは、かえってその熱の無限性を示唆せずにはいない。アウラの限りない減少はアウラの無限を示唆せずにはいない。作るという限りない価値の希薄はしかし、作るという価値の無限を語っているのではないか。そのうえで、作り壊すこと、この二つを踏襲する、直すということを氏は続けていた。氏の引用と修理者の技術を重ね見ようとするドン・キホーテぶりはもはや氏のミナシゴたろうとする者の性という他ないが全く同じモノを量産するということは、文学においてあらゆる書物はすでに書かれているということに通じていると、僕はここに一人で信じよう。書くということが無限に意味を失っていく。しかし書くという行為の価値が書くということによって無限に減退するときにこそ、書くということの全貌が開かれる。氏は、生涯にわったって読み、書き続けた。氏の前には直されたがっているあらゆる言葉たちが押し寄せていたに違いない。リビルト或いはリペア文学と密かに僕が呼ぶこの書き方は、書かれたものだけで書くという「見果てぬ夢」は読み壊されたものを書き直すこと。不死身の「モノ」を共鳴させること。言葉に依存しなくなった「モノ」をひたすら探し当て、書くことによって読み壊された言葉たちをきちんと元の場所にもどすことだったのだと僕は思う。僕は何の話をしていたのだったか。まあそれもこの一言でかたずけてしまおう、それがどうした、と。

「麦田には風が低く打ち、おぼろで、灰色だった」と、また中原中也の目を借りてその野原を見る。そして「この陰闇の地域を過ぎる！」という中也の詩的跳躍を羨望しつつも、中也はしかし飛び去ったりはしていないのだとも独りごち、依然立ち続ける人として中也を受け取り直し、カフカへ手を合わせる。氏を真似て。二人とも初めの一歩を辞退した人に違いないがその微動の質は違う。「掟の門」に僕はその姿を見る。ここに居座らざるを得ないと肝に命じた以上ここは独房でもある。彼らは壁をノックする。誰がそこにいるのかはわからないが、四方八方へノックする。独房の読書は体一つだ。はっきりと白状するが僕はとにかく読むということが苦手だ。徹底的に苦手なのだ。読むということに耐えられない。独房にいるような気持ちになる。しかし僕はそれでもここが独房であることを自覚しながら、さあ、読むぞ、という気持ちで読む。独房で壁は唯一の対外である。私や俺に吸い取られた残りカスのような僕は、死んだようにはらかに壁に耳をすませる。祈るつもりで耳を澄ませる。聞こうとすると聞こえてくる幻想がある。扉ではない壁にノックを続ける。それがけして開かないことに安心しきって。読者＝独者の実存を勇気付ける鼓動が聞こえてきたりはしまいかと。誰彼が眠り静まりかえったとき、その音は聞こえてくる。「空にキラキラお月さま、みんなスヤスヤ眠るころ、おもちゃは箱を飛びだして、踊るおもちゃの——」そんなふうに氏の『おどるでく』を感じてみたりする。私や俺が手にするとたちまち壊れてしまうだろうから僕はそれを眺めるだけにする。

「ああ、上から読んでも下から読んでもカフカはカフカなんだよな。これは真実だよな」そう箱部屋で呟くとこの箱部屋が何階にあって右や左から何番目にあるのかということが崩壊していく。野原にいたことなどとうに頭から離れて。

「綱島くん、そのイメージが大事」とそこを通ろうとすると張り巡らされた糸によって鈴が鳴らされる。これ以上先に行ってはいけないのだった。ここに《零》の磁場が働いている。僕はそう感じた。フランツ・カフカの「オドラデク」という言葉を聖火とみなし、生涯にわたりその火が消えぬように言葉を投じ続けた門前の野宿の焚き火が遠くからでも確認できる。「カフカ」の中心に「オドラデク」を据えると、たちまち氏著の『そして考』の「そして」や『あとは野となれ』の「野」が脈々と連なり、この座敷童は映画のスクリーンのように、その《零》の力で虚像と実体すらも同化させ自身は隠れてしまうのだった。この《零》の磁場を見出した途端「みんなスヤスヤ眠る」ときに目を覚ましたような気持ちになるのである。「月は太陽の暗喩である」と氏は言った。その暗喩に満ちた時間帯のしかも箱の中にいる独房の者にとってこの孤独はかえって好都合なときもあるのではないか。土足厳禁の直立不動から独房を夢想する。二重に閉ざされた場所のここなら誰からも見られてはいないだろう。だからこそ躍動する舞がそこにはある。氏の読みは独房の者たちと共振する。人間が人間に生きる時に鬱積せざるを得ない実存の無意識はこの独房の詩人にとっての霞である。霞を食べて生きていきたい、氏は僕にそう言ったことがあった。人間が人間の暗喩になることもありえる。人間が人間をしようとすると、不気味な暗闇に、その暗喩は現れる。いや、人間であるにもかかわらず人間をしなくてはならなくなってしまった、と言いなおそう。日本語という部屋に閉じこもった時に鬱積する無意識がロシア語ではなくロシア字によって浮かびあがって「おどる」のはそういった性質の無意識だ。箱のおもちゃでしかない実存は月光のもとでやっと「おどる」ことが許される「実体的虚体」（氏著『零の力』より）なのである。「オドラデク」が「実体的虚体」なら「父の気がかり」という実存を苦しめる心の揺れも負けず劣らず僕にとっては「実体的虚体」なのだが、「実体的虚体」を表にも裏にもいや四方八方へ配したのがカフカが整理整頓した世界なのだろう。それを感じるには自ら四方八方に結界を張ったものにしかわからないだろう。この「門前の小僧」たらんとする者の、つまりこれこそが人間が人間をしなくてはいけなくなった時の、人間の立ち姿なのだ。カフカ著「変身」は、人間であるにもかかわらず人間をしなくてはならなかった者の物語にして、かつ、虫であるにもかかわらず虫をしなくてはならなかった者の物語である。四重苦の中心に実存の無意識がある。上から読んでも下から読んでもカフカがカフカだというイメージを大切にしよう。ここにまつわる《零》の磁場は、「おどるでく」がロシア語ではなくロシア字なのだという何重にもロックされた実存のイメージを確かにする。そしてまた「実体的虚体」に手を合わせる。

「気になったんですけど、実体的虚体は虚像的実体ではないんですか」

「いや、逆ではないね。グレゴール・ザムザっていう実存はさ、二重に人間をしなくてはいけない苦しみと、二重に虫をしなくてはいけない苦しみの実存なんだよ。まあ君がいうように、虚像的実体とそう言ってしまっても意味は通じるだろうけどさ。でもザムザっていう登場人物の実存はさ、まあなんて言ったらいいのかな。まあザムザはカフカの「隠れ蓑」なんだって。ザムザという隠れ蓑を纏うと途端に二人とも消えてしまうような隠れ蓑だったんだよ。「〜ざるを得ない」っていう言い方があるだろ？　綱島くん。「ざる」という拒否権をさ、「得ない」んじゃない「得れない」んだよ。逆を返せばさ、イエスしか用意されていない世界だろそれは。そのイメージが大事なんだよ。でもね、「ざる」を「得ない」と言い表すことによってさ、何とかしてその「ざる」を現前させてね、血肉化してさ、その《零》、「ざる」を「得る」んだよ。それは言い表した時に初めて生じるんだよ。霞を食べていると思わないか、綱島くん。実体という言葉がマッチしない人物が世界文学にはいるんだよ。カフカっていう人のここに気がついた時にはね、俺は泣いたよ。実体的虚体っていうね。何もないっていうことを現前させなくては実存を保てなかった。それによって虚な自分をエーテルで満たすんだよ。それはさ、実体的虚体だろ？　虚体、というところに力瘤があるんだよ。実体に勝る虚体、というね、そうとしか言い当てる方法が無いんだよ。この事実もまたね、我々を、ハッとさせるものがあるよね。読み過ごしてしまった日々に責任を感じざるを得ないね、そういうことをね。読まなくちゃなりません」

　氏の著『猫又拾遺』に「河流れ」と括られた文章がある。それを紐解くと文章の畝の間に身を隠す「K」が見える。五ページほどに納められた小さな畑のような文章だが、「カッパ」という隠れ蓑を纏い「K」も「カッパ」も姿を隠している。「K」はやはり、カフカにまつわる「K」である。「要次」という主人公らしき人物に実存を読みを重ねると、氏の晩年に見られる「世界文学」も「世界劇場」もこの畑から芽吹いていると思われる。今読んでもそこに息づいている実存は脈動している。「K」はギリシャ語で「カッパァー」と読むのだのよ。と氏は言った。そして、と『そして考』を真似て、また畑に戻ると、「カッパ」に身を隠さざるを得なかった「要次」が、毒虫に「変身」せざるを得なかった人物に重なる。そして、氏著『詩記列伝序説』に導かれるまま『カフカ』（多和田葉子編　集英社文庫ヘリテージシリーズ）から多和田葉子訳のカフカ著「変身」（ヘンシンではなくカワリミと読ませる）を開くとここでは「毒虫」が「ウンゲツィーファー（生け贄にできないほど汚れた動物あるいは虫）」となっていることにでくわす。そして、ついには「肉牛」とともに厩に寝た「要次」は自分も売られていくと空想する。しかし「肉牛」が「生贄」のように馬喰に売られていく一方で、「要次」は厩に残される。さらに『詩記列伝序説』の「〈帽子病〉の四十年」から粕谷栄市の文章を抜粋し失礼ながら孫引きさせてもらい「ただ、おそろしく、汚ない服の男が、ひとり、そこに寝ている。そう呼ぶならば、おそらく、彼は、豚の番人であろう。しかし、彼は眠っている、帽子を顔に乗せて」いることに救いを見出した氏の読みを真似れば、「彼」と「要次」の痛切な隠れ蓑関係に気がつくはずだ。ここにも《零》の磁場がある。粕谷栄一のこの文章に「当方自身の詩的「啓示」が封印されている」と氏は言う。そして、次の文章をここにさらに記してみよう。冬季の「肉牛」の食料のため刈り取った「干草」を運ぶシーンだ。「干草」を背負った家族六人が「一本丸木橋」を「てんでに」行き来をしていた時「祖父が足をふみ外して急流へ落ちた。」

――おおい、大丈夫かあ。

要次が大声で叫ぶと、急流から中央の深みにさしかかった祖父は、

――おお、とだけ、いかにも鷹揚な口調で返事する。おおい、とまた孫が呼ぶ、おお、という同じ返答が、透き通った秋空へ吸い寄せられた。

祖父は百メートルも下ったところでようよう荷を解き放ち、浅瀬へはい上がった。

それからまもなく、牛が売られていった。

何故ここを引用したのかまだわからないが直感に従ってみよう。この「大声」を十年以上前に初読した僕は、耳元で大声をかけられたような気持ちになったのだった。そして氏の文章の中で特別の輝きを放っているものとして僕には受け止められているのだ。「要次」が「孫」になるとき、「要次」という蛹から「孫」という羽化がさりげなくはたされてはいないか、と僕は読む。何もかもを忘れて、祖父の身を案じて追いかけた「要次」の大声は、「カッパの河流れ」という言葉によってその人間性を整理されてしまう「要次」という人間の無意識が「孫」というはけ口を得て、叫び、駆け出すほどその実存の中心を捉えていたのだと思う。だからこそ僕にとってこの言葉は特別な水分を含んで湿っているように感じられる。「死んだように眠る」「要次」は最後、一転して「不眠症」になるが、彼は眠ろうとすれば眠ろうとするほど眠れなくなる、眠りの「門前の小僧」となる。「みんなスヤスヤ眠るころ」、独房の「不眠症」患者は「夢遊病」患者になる。「オドラデク」という一種の聖火に言葉を投じ続ける氏の薪には時折この湿った言葉が混じり実存の位置を示す。

「綱島くん、焚き火をしたことある？　火種ってあるでしょ。あれね、薪が濡れてると絶対火はつかないんだよ。でね狼煙ってあるだろ？　あれは逆に薪が乾いてると煙は立たないんだ」

見上げれば、山の峰を狼煙が上がっている。読みの森からそれを目指して登るうち峠のような場所に出る。出ると今度はどんなルートで隣の山へ移動したのかはわからないが別の山体と

しか思えない場所で狼煙が上がるのだ。世界の最高峰が連なる連山を文学のイメージと重ねてもいた氏は世界文学版植村直己でもある。この登山家は恐ろしく獣道に精通している。目的地さえちゃんとしていれば山に逆らわずに歩くことによって、必ず目前に獣道が開かれる。高山病にかかって僕がカフカ登山に踏み迷い、自分の来た道を説明すると「その道がダメなら、この道を行くといい」と教えてもらった道を行けば別の連山にさしかかっているという具合である。方法的遭難というより他ないが、迷っているにもかかわらず遭難ではない何事かが繰り広げられる。先生の言葉で言えばそれは迷っているのではなく「遅れている」だけの話なのだが、霞の向こうに氏の姿が見える。「ここはどこですか」と聞けば、柳田国男の連山にさしかかっているらしい。「初めて来るところだなと思ったら、柳田連山だったよ。もう何度も登ってきたと思っていたんだがね。逆にね、綱島くん。柳田からカフカへいくこともできるみたいなんだよ。いやいや獣道おそるべし」と、嬉しそうに話しかけてくれる。そして改めて「よお、元気だったかあ」とくると、認めてもらえたような心地がするのだ。もはや帰り道など、氏にもわからないだろう。しかしここは氏にとって、故郷にして目的地なのだ。「もうここで休もうか」と、氏とともに野営する夜は遭難といえる。しかしそうなり得ないのは言葉を投じて火を絶やさぬ技術があるからだ。

「面白いって言葉があるだろう？　あれはね、火に顔を照らされて話し、それを聞く、そういうところからきているんだ。まあ柳田国男の受け売りだがね」

霞を食べて生きたいと、氏は言ったが。僕は氏がそれを本当にやっていたと思っている。そう感じなら空を見上げると、なんとここにも「黒旗」がはためいている。辺りが明るくなってくるとあの門が行く先を導くように口を開けているのだった。全く同じ門である。まだ火は残されていた。狼煙を上げてみようと僕はしたが、なかなか煙の立つ薪がわからない。何度か挑戦したのち、まだ生きているヒノキの葉を切り落として投じると、ヒノキの油と生気そのものといっていい湿気が煙と化して瞬く間に激しく燃え上がる。パチパチパチ、と硬い葉皮が破裂する。氏にこれが届いただろうか。僕も氏に導かれ僕なりにたどり着いた峠に立つことができた。どこからどう見てもあの門である。今度こそ、この門という「無限の前で腕を振」ろう。峰を仰ぐとまだ読んだことのない連山が見渡せる。

見渡していると氏から頂いた数多くの本の中の一つを開き、ここに記したい文章を探さずにはいられなくなった。考古学者藤森栄一著『縄文の世界　古代の人と山河』（講談社）によれば長野県の諏訪地方には「入笠・蓼科・白樺湖・霧ヶ峰」標高で言うと「千二百から千五百、六百メートル」の高さに「旧石器時代から縄文早期」の遺跡があるそうである。氏著「縄文の記憶」の中に「縄文までさかのぼってモノを書く営みを毎日欠かさず行っている」とあるが、この峠でその箇所を読むと「霞をたべて生きる」ということの意味が今にして身に染みるしだいだ。この本には縄文人がいかに果敢に日本列島といういわば連山を踏破していたかが窺い知られるが「こうした例は諏訪湖盆地だけではない。菅平高原・聖高原・菅野高原・木曽高原にもあり、さらに開発が進めば、きっとすべての高原から出てくる」「そういってくれば、聖山も、菅平も、諏訪の樋沢も、勝鉉もすべて峠路である」「みんな峠のための遺跡である。」とある。つまり当時の人々は新天地を求めてか故郷を追いやられてかはわからないが、着の身着のまま石一つの体でその連山を踏破し峠に憩うていたのだ。僕は峠に憩う縄文人の姿に一回一回がご破産になって次は無いという「自転車操業」で始まった氏主宰「てんでんこ」の船出を重ねずにはおれない。再び藤森氏の言葉を借りれば

> 交通路といえば、もう峠は、このヴァガボンドたちの放浪には、大きな意味をもっていた。
>
> 峠の向こうには、未知の、しあわせか災害が、もっと生か死かを秘めた世界がまっていたのである。そして、そのどっちであっても、漂泊者たちは、さけることのできない本能の呼び声をもっていたのである。

峠という「交通路」でよく知った道にぶつかり、そうと気がつかないまま歩き、ハッとする。よく知っている道が初めて通った時の新鮮さを取り戻す。テクストを編むという言い方があるけれどすでによく知っている「モノ」から新しい「モノ」を生み出そうとする氏の引用は、向こうがこっちになり、こっちが向こうになる。よく知った「引用」同士が交錯するこの峠はおそらく氏がそこにいなくてもひたすら新しくなり続けるのだろう。

「おーい」

「おーい」

話しかけようと僕はしたが、霧の向こうに霞む影が晴れるとそれは、「へのへのもへじ」のカカシである。幸いなことにそのカカシは麦わら帽子をかぶっているのだった。ボロボロにつぎはぎされてはいたけれど、その服は誇らしげで、今にも汗を吹き出しそうなほど野良仕事に精を出しているように見えた。冷たい水をまた、氏と一緒に飲みたい、と思うのだ。横に座って同じ景色が移りゆくのをながめながら。初めて出会った時のように冷たい、新鮮な水をまた一緒に飲みたいと僕は思うのだ。

室井光広さんに初めて会ったとき、わたしたちは二〇代だった。同じ社内の辞典編纂部門にいた陽子さんから、学生アルバイト室井さんを紹介された。郷里は会津の、雪深い葉タバコ栽培の山村で、雨戸を閉めて寝ても朝「寒いなあ」と起きると枕元にうっすらと雪がつもっていたという。キリスト教など宗教の話もした。室井さんの話に出てくるイエスは挑発的な物言いで、街なかにいる人のように思えた。そんな話をしたのは室井さんと陽子さんが江戸川橋で暮し始めた部屋かもしれない。私は直ぐに近くの美味しいケーキ屋さんを探してきたそうだ。その後も船堀、四街道と移り住んだ二人の家に遊びにいった。船堀の高層公団住宅は上空に伸びる直線、四街道は空が広がる山城の裾を道が曲線にうねり縄文土器を見つけることもできたという。

同じ慶應卒であることを意識したのは室井さんが『零の力――J・L・ボルヘスをめぐる断章』で群像新人文学賞評論部門当選して間もないとき。「三田評論」で「『群像』新人文学賞を受賞した室井光広君」という紹介文をwho's who欄に掲載したいと言ってきたが塾員（慶応卒業生）しか書けない、頼めるのは私だけという。私は文学部でもなくボルヘスなんて知らない、ゼミの誰かは？　と尋ねると、ゼミの先生にも嫌われていて誰もいないという。驚きながら俄かにボルヘス評論を眺めたが知らないことは書けない。

てんでん 20代だったとき こらむ

「選評のなかには『ボルヘスを読んだことのない人にも面白く読めるだろう』とあったが……受賞作並びに近々発表される受賞第一作をお読みいただきたい」と一九八八年八・九月合併号に載せた。そして学生だった頃の室井さんが語っていたキルケゴールとアンデルセン、デンマーク語とスウェーデン語など、まだ十年前のことで頭に残っていた熱弁を思い出し紙面を埋めた。その後、十年を経た二〇〇〇年に大著『キルケゴールとアンデルセン』をいただいた。当時は文学を読み進められないときで二十六頁まで読み表紙写真の縄文土器について葉書にしたため投函した。今また初めから読み始め、二〇〇〇年に読み通せていたらどうであったろうかと想っている。

室井さんが「三田文学」理事になった頃は私にとって文学はさらに遠く感じられたが「てんでんこ」で戻ってきた。「てんでんこ」の表紙が詩うように「美術品としての雑誌」「美術品でもある雑誌」であるからかもしれない。室井光広「世界文学」ゼミナールは私が文学に近づく一つの道になった。ヨミカキ塾もあったことを知っていたら一番に生徒になりたかった。しかし「てんでんこ」第九号で室井さんにもタイトルを考えてもらって始めた、てんでんこらむ〈沖縄ことはじめ〉もヨミカキはじめ。多くを読み書き続けたい。

（いまきりゑこ）

人間の反応というのはこういうものなのだと思い返す。山仕事を終えて二年が経つ。職場に屋根が無い日中を十年以上過ごしたものにとって、風雨から守られていることや、水が手に入ること、通信の電波がどこでも届くという人間の生活をこっそりと追体験した二年だった。

梅雨明けの初日の酷暑。下刈り作業のため六人で山に入った。作業現場へたどり着くまでに一時間を要して登っていくと、全員が熱中症になっていた。近年怪我防止のための特殊な中綿がぎっしり詰め込まれた耐切創ズボンの着用が義務づけられたのだが、これを一年中着ろというのかと、全員が絶句したものである。

言われるがまま冬服としか思えないようなズボン姿で僕たちは作業を始めた。誰もがギブアップした表情だったが、作業中止など誰も望んではいなかった。下山すれば登った労力を失ってしまい、また明日熱中症にかかるだけの話だ。あれは本当に辛かった。二、三メートルごとに立ち止まって呼吸を押さえながら草を刈った。一度息が上がれば倒れるまで呼吸が加速してしまうだろう。そして僕は突然腹痛に襲われたのだった。

連日の暑さで水ばかりを飲み、毎日五リットルは飲んでいるのだ。そのうえ酒だけが楽しみの生活でこの時期は下痢との戦いでもあった。しかしティッシュがないのである。

先輩のところへ向かい、持っていないかと訊く。例のズボンの右ポケットからタバコと一緒にビニル袋に包まれたポケットティッシュが出てきたときのことを今でも忘れない。服をずり下ろすと、アブとブユに陰部を刺される。たった一時間で刈り終わり、すぐ下の沢で体を冷やした。ヘルメットで水を汲んで頭からかぶる。「すごい顔でこっちに来るから怪我でもしたのかと思った」と先輩に言われた。六人が二時間ほど黙ったまま半裸になって岩にくっついて休んだ。あのときの音が懐かしい。防護用の鉄板が入った足袋を脱ぎ、靴下まで脱いでそこら辺の枝に服をひっかけて乾かしている静かな光景。足首まで水につける。水も岩も熱を奪っていく。水の流れが僕の足にぶつかってトグロをまく、それがとけると、流れがまたくるぶしの曲線をなぞってトグロを巻きなおした。ゆっくり両足を動かすとトグロは遊ぶように僕の足を追いかける。僕たちは疲れ切ってみんな一緒に黙っている。誰ともなく弁当を食べて昼寝をする。

今、あの経験がどんなに美しかったか、と思うのだ。本当に僕もみんなも美しかった。六人の男がいて、六人とも美しかった。タオルで顔を覆ってリュックを枕にして人間六人があの沢の岩の上で今も寝ている。

（綱島啓介）

従姉の居どころ

村松　真理

　仕事を終えて駅ビルを改札への連絡口から出ると湿気が濃くなっている。朝から降り続いている雨が本降りになったのか、改札の外に立っているいろいろな色のレインコートたち、ホームから上がってきて改札を抜けるひとびとの手にした傘から、雨水がぼつぼつ滴っている。いま私の鼻や頬を覆ったむっとする水気と、それらはつながっている。レインコートの、傘の、長靴のビニールが光り、駅ビルの自動ドアから吐きだされ続けている、無数のひし形に砕けるぎっしりした明かりが、濡れてかすんだ輪をひろげあう。眼球といっしょに水と光を一度ぐしゃっとつかんでから、また皺を伸ばしたみたいな視界。にじんで汚れて疲れているのに汚く見えない。

　同じ関東のベッドタウンでも、私が生まれ育った、東京をはさんで反対側とは違うと感じる。店舗訪問で来るのはおよそ月に一度というところだけれど、自分の担当地域のなかでも海辺のこのへんが好きだった。

　そしてこの駅だけは、縁もないわけではない。という飴玉一個分くらいの嬉しさを口に含んで、出口の階段を降りる。混雑するバスターミナルと細かい段差の間を釣り堀の魚のように泳ぎ、時刻表を確認する。目的地の終点までいくのは本数が少なくて、まだ二十分ちょっと待たねばならなかった。

　考えるとも決めるともなく、私は戻っている。足がいま降りてきた階段をまた上がり、溶けだしたドロップスのような光と騒音をふたたびざっとくぐって、駅の反対側に抜ける。こちら側の出口はぐっと照明が少なくてつくりも簡素だ。薄い壁にはさまれた階段を、降りきると夕闇の空が一気に開けた。

　雨まじりのぬるい風が体じゅうに押し当たり、まともに吸い込んだ瞬間、ぶわっと膨らむ空気のなかに潮っぽい生ぐささをかすかに嗅いだ気がした。

　まっすぐ三十分も歩けば波打ち際に着くはずだ。

　ここから二十五分くらい歩いたところに、今から二十三年ほど前の夏、親戚の家があって、一週間滞在していたことがある。記憶はない。一歳だったから。それは私の母親の年の離れた姉の家で、その一家が一週間ちょっとの北海道旅行に行っている間、私の両親はその家を借りて湘南暮らしをしてみたというわけだ。

　子どもの頃親から聞いたその話を久しぶりに思い出したのは

大学に入ったばかりの頃で、その家の娘である従姉と、別の従姉の結婚披露宴で隣どうしの席に座ったときだった。

会うのは何年ぶりか両方とも思い出せなかったが、この人は従姉なんだという、漠然とした近しさはあった。それから、光る生地のフォーマルドレスを着て髪をセットしているのに化粧気が薄いところ、ヒールのストラップシューズを履いた脚をむぞうさに開いて座っているところに、なんとなく親しみを感じた。

「そういえば香菜子ちゃんて今いくつ」

「十九歳です」

「若っ」

と抑揚のない低い声でつぶやいた後、従姉の那美は言った。

「ひとまわりも違うのか。そうだよな。うちに来た時赤ちゃんだったんだもんね」

「ああ。覚えてないけど」

「覚えてないだろ、それは。私もよく覚えてないんだ、その時まだあんまり赤ちゃんに興味なかったから」

今はあるのかな？　と思ったけれど、聞かなかった。その後今に至るまで那美は独身で、時々うちにくる伯母はあまり深刻そうにでもなくよく話題にしている。

那美の高校受験を機に、一家はこの街を出て都心へ引っ越した。その後すぐ伯母は離婚した。そのへんの前後関係は逆だったかもしれない、聞いただけの話だから記憶があいまいだ。那美は優秀で、優秀な世界のことはあまり詳しく知らないけれど、とにかくうちの両方の親戚じゅう探しても東大に入った人なんて那美だけなのだ。そんな人ばかりが集まった世界はきっといろいろ大変なのだろう。大学院を卒業して大企業に何年か勤めたあと、那美は一人でこの街に戻ってきた。海とは反対側にある大学で情報関係の仕事をしているけれど、教授とかそういうのではないらしい。

雨は想像していた本降りではなくて、生ぬるい分厚い風に穴を開けるように、大粒がぽつぽつとまばらに降り、頬や胸元を打った。頭上いっぱいの空の翳りは均等ではなく、渦巻いてぶるぶる震えていて、硯の水に溶けだしはじめた墨を想像する。

駅のこちら側には駅ビルも繁華街も高い建物もなくて、階段を降りた正面にはロータリーをはさんで公園と言ったら言えるくらいの広さの、植え込みに縁どられた芝生があり、中央の小さな噴水の上に青緑色の金属の人魚が立っている。というのも変だが、水の中で垂直に泳いでいる状態を表しているのかもしれない。両腕を長い髪のうしろにやって、魚の部分の尾びれの先だけが、地上の重力に抵抗するようにちょっと曲がっている。はじめて見たときから、私はなんだかこの人魚が好きだった。一見公園などによくある感じの銅像なのだけれど、すっきりと痩せていて、銅像にありがちな説教くささや鬱陶しいセクシーさがない。こうしてこの駅で空き時間ができ、なんとなくもう親戚の家もないこちら側に降りてきてしまうとき、この人魚に会いに来たのだ、と思って納得する。

するど正面にいる人魚がぶれて、一歩二歩とこちらに向かって歩き出す。思わず瞬きして、その瞬間に目にぶち当たった雨粒をスプリングコートの袖でこすると、もちろんそれは似たシルエットの人間だった。噴水の植え込みからこちらへ、横断歩道の白い梯子の上をまっすぐゆっくり歩いてくる。トレンチコートの下に何も着ていないように見え、そんなはずはないのでつまりそれくらい痩せていて、白い脚に履きこみの浅いローヒールのパンプスをつっかけている。傘はささず、ウェーブのある長い髪が風と雨に打たれてゆらゆらと揺れている。なんとなく見続けてしまったのは、まずは一瞬人魚が歩き出したかと思ったからで、次の瞬間にはトレンチコートが見たこともない微妙な色、ひとことでいえば道路の水たまり、もっと言えばどぶから引き上げたみたいに見える色だったからで、でもそれはすごく汚れているのではなくてわざわざそういう色の服なのだと思い直すほど、その人が確信に満ちた顔と足取りでこちらに向かってきたからだった。ゆっくり見えたのに、横を通り過ぎるのはすごい速さで、駅の階段下の人ごみに消えた。

はっとして振り返るともう見えない。時計を見て、私もまた同じ方向に向かう。

終点までは三十分あまり。滲んで窓ガラスを滑っていった繁華街の色とりどりの明かりの粒はすぐ消えて、バスは夕闇のおりた住宅街を走り、やがては片側が川岸になる。まだまだ先は長いけれど、こうなると終点まで一本道だと、三回目の乗車である今日はもう思っている。音のないメトロノームのように青い影になった土手の並木と白い街灯たちが窓を打って去っていき、均等なその隙間に黒く光る水が見える。気づくと大きな樹幹を広げる木々は消えている。河原の背の高い雑草の間で、暗さを増す水の幅はだんだん狭まっていき、鏡になりはじめた窓に映る頬の中に流れ続ける。時々瞬きする自分のまぶたの中の丸い瞳が向こう側に住む生きもののようだ。あの人魚がいる先では海に流れ込むのであろう川は、そこから流れと反対方向に遠ざかって細くなり、駅前を出たとき満員だった乗客は、いつしか三分の一ほどになっている。

「香菜子は仕事でH市行くんだよね？　そのついででいいから、食料とか持って行ってやってよね。日持ちするもの今日いろいろ持って来たからさ」

と伯母に言われた時、なんで送らないんですか？　と聞きそうになってやめた。この人たちのことをよく知っているわけじゃないし、忙しすぎて宅配便は受けとれないとか、受け取ったかどうかの確認が難しいとか、そういう可能性を考えたのだ。少し現実を知ってみるとその両方の可能性があるかもしれない。しかし本当に行ってみてから、今日は三回目、伯母の言ったことの真意はもうなかばどうでもよくて、私は楽しみという気持ちを覆いようもなく、覆う必要もなくてこのバスに乗っている。気を緩めると鼻歌すら漏らしてしまう。えへ、と緩んだ口元が暗い窓に映ってぎょっとする。伯母が置いていくものは重くてかさばって仕事の邪魔なので忘れてしまったことにしたけれど、かわりのものはいくつか駅ビルで仕入れた。

　まだ私が子どものころ田舎の祖父母が亡くなってからは正月にも集まることはなく、そもそも私たちの母親たちがそれほど密に交流していなかった。それが、子どもが大人になって出て行ってしまってしばらくすると、自分たちはあるとき姉妹に戻りたくなるらしい。那美の母である一番上の伯母が、結構遠くに住む真ん中の伯母と連れだって時々うちに来るようになったのはほんの一、二年前のことだ。蓋をされていた噴水のように昔話が脈絡なく飛び出す。そしてそれが土日なら、私は年甲斐もなくお菓子につられてよくその場所にいる。だって伯母のお土産はたいていキルフェボンのタルトなのだ。

「だって地元のトップ校だってそんなとこじゃ那美さんはもったいないです、なんて塾の先生が言ったんだよ」

「すごいよね」と私の母が言う。

「自分の子なんだけど、そんなのもう私には想像つかないじゃない、そんなこと言われたら」

「父親からいい頭もらったのだけはよかったのかもね」

「よかったのかね。今あんなふうだけどねえ。あの頃も成績はいいんだけどときどき家出するしで、悩んでたし」

「家出」

　思わずフルーツタルトを頬張っているだけの末席から声を上げてしまった。

「そうか香菜子も知ってるよね、昔あんたたちが一週間うちに住んだことあったじゃない。その時私その話したもんね」

「いや、記憶ないです。一歳だから」

「そうだ。赤ちゃんだった、赤ちゃんだった。那美が中一だったんだから」

「そうかあんた赤ちゃんだったわねえまだ」と母までが適当そうに言う。

「家出って、そんな歳で」と赤ちゃんだった私は話を元に戻す。

「家出っていっても、近くの海岸にいるんだけどね。でも黙っていなくなるし、暗くなるまで見つからないこともあったのよ。最初の時はほんと、警察行ったわよ。怒って聞くと、海を見るのが好きだから、なんて言うじゃない。その頃私はまた仕事始めたし、あの男は毎日午前様だったし、いろいろ不安だったんだよね。それもあって都心のがいいかなって思ってね」

「それで子ども東大入れちゃうんだからさ、すごいよ、紀子姉ちゃんは」

「いや実際私はなんもしてないのよ」

耳と目のすぐそばにふっと暗幕が降り、音がなくなる。気づくとバスの両側の窓には並んでいた家々の明かりもなく、規則正しく並ぶ背の高い木々と、その端々にこぼれる白い電灯の明かりだけになっている。終点の停留所は大学構内にあり、バスは大学の敷地に入ったのだ。

暗いせいもあるかもしれないけれど、三度目でも信州の別荘地にでも来たのかと錯覚する。私が卒業した都内の小さな女子大の何倍の敷地があるのだろう。木々のてっぺんは首が痛くなるまで見上げても見切れず、そんな高い高い梢が重なって夕空を閉じている。緑の匂いが濃いしっとりした空気があたりに満ちている。こんなところで勉強していたら、都心に就職活動に行く気持ちなんて起こらないのではないか。那美が働いているのはこの大学である。

終点に着く頃には乗客は三人になっていた。バスはどこかの門から大学に入ったはずだが、きょうもその瞬間を見つけるのを忘れてしまった。といつも思うのは、暗がりに明かりの尻尾を溶かして消えたバスのあと、道なりに少し歩くと別の小さな門が見えてくるからだ。降るものは顔を包むような霧雨になっている。あるいはこの背の高い並木、幹がおそろしくまっすぐで、空の見えないところまで突き立っている木の上の方の葉が、水をあらかた吸収してしまっているのかもしれない。首を痛くして見上げると鼻先が少しだけ冷え、はるか上にある枝と葉のかたまりは紺色に煙って見える。メタセコイア、という木だと、那美に教えてもらった。なんだかとても遠くに来た気分になる名前だ。

もう春なのに、小さな門衛所の中にはストーブの熱いオレンジが見え、一気に眠くなる匂いがした。入った大学をまた出て、横断歩道を渡って街灯が頼りなく光る住宅地へ。すると、つきあたりに雑草で覆われた土手があらわれる。隙間に鏡のように光る黒は水だ。

この水はあの川だろうか。河口の方はもっと川幅が太くて、私がＪＲ線に乗ってきた時窓から見えたあの灰緑色の水をだだっ広くたたえた川なんだろうか。不思議な気がした。

土手に向かい合って立つ家と家の間に自転車をやっと停められる幅の路地というか通路が奥にのびている。そのやっと停まっている黄色い自転車は那美のもので、横をすりぬけていくと、台風がきたら吹き飛びそうな、白いケーキの箱のような立方体のアパートが建っている。二つ並んだ扉の右側のインターフォンを押す。お隣はまだ空き家だろうか。

「はい」

と低い短い声が言った。

「香菜子です」

　少しして扉が開いて、隙間の細長い黄色い明かりとともに那美があらわれた。霜降りのダークグレーのスウェットを着ていて、痩せている熊みたいだった。

「暗くなってから来ちゃって大丈夫だった?」と、一度目は本気で心配したことを、心配せずに私は聞いてみる。「返信なかったから」

「仕事してたんでしょ。いいよ、家にいるときならいつでも」

　那美は靴箱の裏からボーダー柄のスリッパを出して玄関にほうった。

「だけどメール見たのついさっきだったから、あんまり片付いてないし、なんにもなくて悪い」

「那美ちゃんまだラインやってないの」

「やってないよ」

「やればいいのに。便利だよ。電話だってタダになるし」

「電話あんまりしないし、めんどくさい。そんな一日に何箇所も見てられないよ」

　前髪やら横の髪やらを幅の広いヘアバンドでまとめて上げ、つるんとした狭いおでこが出ている。披露宴で会って以来、那美の髪は見るたびに短くなるし、少しずつ痩せていっているような気もする。そういうところを伯母は心配しているのかもしれない。けれど、私には彼女が何かを失っていっているような感じはしなかった。

　狭い玄関でかがんでパンプスを揃えていると、背中に視線を感じた。スリッパをつっかけて部屋の中に進むと、キッチンカウンターにもたれて腕組みをした那美は私をしげしげと見て言った。

「就活生みたい」

「私もそう思う。この季節は特に。どうしたらいいか悩む」

「いいんじゃないの。実際たいして年変わらないんだし。しかし大変だねそういう仕事は。でもまあ私みたいにならないほうがいい」

「那美ちゃんは熊みたい」

「いいね。熊で以降お願いします」

　と変な敬礼のような仕草をした熊は、キッチンに入って引き出しや陶器やガラスの音を立てはじめる。

「紀子おばちゃんからいろいろ那美ちゃんにっていう食べ物とかをあずかってたんだけどさ、また忘れちゃった。ごめん」

「ああいいよいいよ。むしろいつも面倒でごめんね。次回以降忘れてなくても忘れたことにしていいから」

　じかいいこう、と、声に出して復唱しそうになってしまう。かかとが急に軽くなり、むずむずと肋骨をつたって温かさが広がる。私は床に置いたビニール袋を音をたててつかみ、肘をいっぱいに伸ばして掲げた。

「でも食べるものはうちの店の新商品とかいっぱい持ってきたから」

「いいね」

「手洗ってきます」

「はいよ」


袋いっぱいの総菜パンと菓子パンのほかに、このあたりの駅ビルにはたいてい入っている輸入食料品店でワインも一本買った。ワインは最高に節操のない酒で中華料理から和菓子までどんな食べ物でもいける、と、前回那美が言ったのを覚えていたからだ。

「本日のセレクトの決め手はなんですか」

グラスをマイクのように差し出して那美が聞く。

「この」と私はもったいぶってラベルを人差し指の先で撫でた。

「犬の胴体が長すぎてかわいいところです」

「これはだじゃれなんだよね」

「えマジで」

「マジで。ぶどうの産地がラングドックというの」

「へー」

もちろんはじめて聞いた。一口飲みこみ、酸っぱい凝縮されたぶどうの匂いが体を垂直に通過していったあと、ベーカリーカフェの大きなロゴマークの入った袋からパンを出してローテーブルに並べた。

「ジャーマンポテトロール、クロックムッシュ、バジルチキンサラダサンド、シナモンシュガートースト、夕張メロンパン、あと今月の新商品のイタリアンレモンデニッシュと大人の焼きそばパン」

「どのへんが大人」

「ネギと紅ショウガ多めなところかな」

「なるほど」

と言いながら那美は几帳面に一個ずつパン切りナイフを入れていく。半分に切ると二倍おいしそうに見えることを、この場所で知った。だから今日はわざと同じパンを二個入れていない。小さいが関節のはっきりした指がこぼれた焼きそばのかけらを拾って口に運び、それから色も厚みも薄い唇が本体の切り口にかじりついて、豪快に咀嚼した。私もそれにならうと、唇の端からぼろぼろと麺がこぼれ、ぶどうの透明な匂いに紅ショウガと青のりとソースが混沌と混じりあう。

那美のヘアバンドからはみ出した髪にさわりそうに、肉厚の丸い葉が連なる蔓がゆらゆらしている。カーテンを閉めた窓枠から丸い鉢が吊るされて、そこから落ちてきているのだった。

「それ、前来た時なかったね」

「ああ、この人」細い弓型の目の中の黒目だけがその方へすべり、那美は口のなかのものを完全に飲みこんでから続けた。

「グリーンネックレスという名前らしい。そのまんまだね。二週間前くらいに連れてきたかな」

その背後には無機質なスチール製のグレーのデスクを中心にした、壁一面を占めるワークスペースがあり、ものすごく大きいモニターのパソコンと、その前にノートパソコンも一台、あとプリンタとスピーカーの他、私にはなんなのかわからない黒い機器がデスクの下やら横やらに接続されていて、それらの間から太い細いコードたちがわさわさとわき出している。そしてその狭間を縫うように、観葉植物の鉢たちが置かれたり吊るされたりしている。星型の葉を重ねた蔓、細い蔓にハート型の小さな葉を音符のような等間隔でつけているもの、海藻のような厚く幅広の葉、薄緑の髪の毛みたいなもしゃもしゃ、どれも名前を一度は教えてもらったはずだがもう全部忘れてしまった。

那美が「あの人」「この人」と呼ぶそれらは一様に、植物という言葉からまず想像するように上方に向かっては伸びず、下方やら横やらにそれぞれの形の葉を重ねながら垂れ下がり、もたれ、波打ち、時々コードにからんでいた。片付いていないと言いながらこのゾーン以外は最低限の物しかなくすっきりしている家の中を見ると、こうなってしまったのではなくこういう状態にしているのかもしれない。すると大量のコード類がぜんぜん埃をかぶっていないことに気づく。

黒々としたコードたちが巨大な海中生物の脚なら、緑の蔓たちはその手や毛みたいだ。アルコールのせいかふと怖くなって、私は床の上に折りたたんでいた脚を伸ばし、ストッキングを脱ぎたいなと思いながら足の指を前後に動かした。

「香菜子ちゃんのその髪って天パ？」

と那美が突然聞いた。

「ちがうよ」

「そう。いい感じだよね」

「よくないよ。今日は雨だもん、バクハツして最悪だよ」

「そう？　それがいいと思うよ」

不意打ちで褒められ、しかもあまり納得がいかなくて私はどきどきした。

すると窓の外でひゅうと口笛のような風が鳴り、小さな水の粒が落ちつづける音がした。

学生時代飲み会には参加してもあまり酒のおいしさはわからず、社会人になってから目覚めたばかりの私にとって、那美と飲む時間の特別さは比べるものがなかった。油とにんにくと何か甘じょっぱい匂いと、蜂のうなりのような無数の声と音楽に漬かってではなく、場所が静かでも無駄に不穏さと期待感をしょってきて窒息させられそうになる異性がついてくるわけでもない。雨や風や互いの声や、足の指が床をこする音以外、ほとんどなにも聞こえない。前の時は那美は音量を下げて音楽をかけていたけれど、今日はそれもなかった。舌の上から落ちる温かい酔いが、静かに重みを増して二の腕をつかみ、さすり、にぶい響きで波うちながら、体の中心に向かって降りていく。

「今日ね、H店の店長がさ、新人のバイトに「将来のだんなさんに作る気持ちでサンドイッチを作るように」って指導してたの。まだ三十くらいでそんなおっさんじゃないんだよ」

「そいつ死んだほうがいいな。そう言いなよ」

那美が淡々と言う。正直なところおかしいだけでそこまでの嫌悪感は持たなかったのだが、店でその場面に遭遇したとき自分が何か感じるより先に、今のこの流れが目の裏に浮かんでいた。那美がなにが好きでなにが嫌いか、二回の訪問でなんとなくつかみはじめていて、那美が嫌悪を表明するところが私はなぜか好きだった。

「言えるわけないじゃん」

「香菜子ちゃんの方が立場が上じゃないの」

「一応本社の社員だけど、まだほとんど新人だもん。伝達して、報告きいて、点検して、っていうお使いみたいなもんだよ」

「お店は駅ビルの中なんだっけ。私が昔あっち側に住んでた頃はなかったたな」

那美は新たにつかんだデニッシュの切り口にはみ出たレモンクリームで指をべたべたにし、ちょっと舐めたあとティッシュで丹念に拭きながら言った。

「駅ビルに、今も本屋あるかな。大手のチェーン店じゃなくて、さつき書店っていうローカルな店なんだけど」

「あるよ。このワイン買った店と同じフロアだよ」

「そうか。どんな感じ？」

「どんなって、ふつうにきれいだけど」

「ふつうにきれいってどんな？」

私はとっさに返事ができず、ぽかんとして一拍も二拍もあけてしまう。那美は焦った顔をした。

「ごめん。変なこと言った。昔を知らないんだから困るよね。私は昔の記憶しかないから」

「今は行かないの？」

「遠いし、職場もすぐそこだからね。本はネットか大学生協で買えるし。昔は駅前含めてもっと田舎で、あそこしか本屋なかったんだよね。いつも立ち読みしてた」

「何を？」

「少女マンガ」

「うそ」

私は思わず大げさにのけぞり、腿からつま先を浮かせてバタンと床に落とした。

「想像つかない。今の那美ちゃんとどうつながってんの」

「つながってないな。あそこに置いてきちゃったんじゃないかな」

私はさつき書店のコミック売り場で、真剣な顔で立ち読みしている小六くらいの那美を想像する。声をかけたらびっくりした顔をするだろう。お姉さんがおごるから、と誘って同じフロアにあるハワイアンカフェでお茶したい。

「置いてきちゃったんなら、今もいたりして。本棚の隅とかに」

「怖っ」と言って那美は肩をすぼめた。「何それ。自分の幽霊」

「生霊じゃないかな、それを言うなら。それともドッペルゲンガー？　私ね、わりとそういうの信じちゃう方」

「やめてくれよ」

「信じている者の目には見えるというじゃないですか」

「余計にもう行きたくなくなった」

「那美ちゃんのことだから子供の頃からまじめな本ばっか読んでたのかと思ったよ」

「本は主に図書館で借りてた。お小遣い少なかったし」

「あっ、来る途中に図書館前ってバス停があったね」

「あそこじゃないんだ。もうだいぶこっち側でしょ。海側に住んでると隣町の図書館のほうが近いの。H市の図書館みたいに大きくないんだけど、新しくてきれいなんだよね。新しいって当時だけど。自転車で川越えていくんだ」

「川ってバスでずっと横を通ってきたあの川？」

「そうだよ」

　那美は崩れやすいレモンデニッシュをようやく全て口に入れ、唇についた薄い生地のかけらをぺろりと舐めた。熊みたいだった。

「あの川なんていうか知ってる？」

　と熊が聞く。

「知らない」

「途中の土手にでっかく看板立ってる。バスからも見えると思うけど」

「暗かったから見えないよ」

「はなみず川」那美はかなりはっきりそう発音した。

「え？」

　でも聞き間違えたと思い、曖昧に笑った私の顔を見て、那美は首を傾げる。

　ぽきっと軽い音が鳴った。

「こればっかりは聞かされた側の感覚がわからない」

「何それ？」

「何って、はなみず川。そういう名前。漢字で書くと、植物の花に飲み水の水」

　私は頭の中で二つの漢字を並べてみて、数秒してから、「あ、ああ」とやっとうなずいた。「理解した」

「別名を金目川ともいう。地図や標識なんかではそっちをカッコの前にして併記してあるけど、地元の人間は花水川の方で呼ぶことが多い。川岸に沿って桜の木が、水に向かって枝を投げかけるように植えてあって、むかし花の季節には花びらが水を埋めつくして流れたのだという、それが由来らしい」

酔った頭の中で、粘って濁った人間の分泌物である液体が、さらさらと澄んで流れるピンクの花びらを浮かせた水に変わっていく。

「きれい。最初聞いた時とのギャップがすごい」

「でもその話は先に説明するには長すぎるから、最初は誰もが今の香菜子ちゃんの顔をする。それで周辺にも花水何々って地名が多いんだが、私の卒業した小学校は、花水小学校」

その組み合わせはより強力で、私は思わず吹きだした。

「それ川よりええと……被害の範囲が多そう」

「そう。川の話の何十倍も小学校の話はする。漢字で書いてあるだけでは何も起きないけど、読むだんになったら最後、知らない人には絶対「かすいしょうがっこう」って読まれるし。だからそのたんびに訂正すんの、はなみずです、って。え、はなみずですか？ って念押されるから、そうですよはなみずです。って言って。

違う小学校の生徒に海岸なんかで会うと、はなみず、ずるずる、小学校！ ってよく言われたんだけどさ。こっちにしたらあまりにも日常語で、正直変だっていう感覚がもうわかんないの」

校歌のサビだってヤケみたいに繰り返すし、と言って、那美はあぐらをかいたスウェットの膝をたたきながら歌った。

はーなーみず、はなみーずー、わーれらーのほーこーりー
私はその反対側の膝をたたいて笑いころげた。ターッタタタ、と後奏まで歌い終わった那美は膝をたたいた手を指揮者のように跳ね上げて、言った。

「あのさ、よくコウホウやらショウヒョウやらで地名の漢字をひらがなにするじゃない。それかアルファベット表記に。多分わかりやすくとかカッコいい感じにするために」

広報と商標、の漢字四文字を霞がかかった頭の中から拾い出すのにしばらくかかった。でもはなみずと花水ほどには難しくない。

「花水に関してはそれ全く見たことないよね。そりゃそうだよな。少年野球のユニフォームだって漢字二文字だったよ」

なるほど、はなみず・ハナミズ・HANAMIZUから花と水を復元できるのはその土地を知っている人だけだろう。私はいま那美によってそっち側に入れてもらったわけだ。この従姉のことなんて、子どもの頃この街で育ったこと、中学で東京に引っ越したこと、東大に入ったことと就職先の名前くらいしか知らなかった。そして伯母から聞く、優秀なので人に褒められたとかの話がいくつか、でもその詳細は私以前に伯母がよくわかっていなかった。それからあともう一つの話だけ。

妙にうれしくなって、私はだいぶ酔っぱらっているのにワイ

ンボトルに手を伸ばした。でも長い胴の犬の中の水位はもう下から三センチほどしかなかった。

「もう一本買ってくればよかったな」

「持てないでしょ」と言ってから、那美はスウェットの片膝を立ててにやにやした。

「就活生女子がビジネスバッグにワイン二本と大量の菓子パンの袋を抱えて田舎のバスに乗ってるの、シュールだな」

「シュールでいいよ。次はそうする」

「うちに何かないわけじゃないんだけど」

那美はのそのそとキッチンに立っていき、カウンターの内側でかがんで見えなくなった。

「焼酎ってのもなあ。いくらなんでもちゃんぽんになるしな」

「それでもいいよ」

「酔っぱらうよ」

「酔っぱらってみるよ」と私は手を挙げた。

「私が嫌だ。香菜子ちゃんみたいに若くないんだから。二日酔いなんか不快なだけ」

那美は酒を飲むのは好きだけれど、たぶんそんなに強くはない。過去二回とも先に寝てしまっている。眠気に襲われつくす直前まで理性が働いているらしく、はっきり遺言のように的確な指示を出してからばたっと、倒れる。――終バスは三十四分後。泊まるならお風呂はトイレの向かい。タオルとかはあるの勝手に使って。寝室は二階、ベッドを譲る。なぜなら私はここで寝たいから。おやすみ。

最初の時はおろおろしてバスルームの引き出しを開けたり蛇口をひねったり、家主を二階に運ぼうとして諦め、ベッドから布団を抱えて降りてきてかけたりした。

「とはいえ」と言いながらキッチンから戻ってきた那美の顔はだいぶ赤い。「このままじゃ口のなかが甘すぎるからな」

薄茶色の中身が半分ほど入っている、ワインに似た透明の瓶を片手に、もう片手にとても小さなグラスを二つ危うくつかんでいる。

「ウィスキー?」

「そう。強いからちょっとだけだよ。こういうの飲む?」

「飲んだことない」

「じゃやめときな」

「やだ飲む」

と勢いで押し切り、小さなグラスにほんの少しだけ注いでもらった飴色の液体に鼻を近づけ、目の裏まで突き抜けそうな匂いを嗅ぎながら舌をつけた。

「うっ」

それは苦く、舌と口の中が一瞬で痺れ、使用期限の切れた古い薬で消毒されているようで、いくら憧れを上乗せしてみたところで、うめき声を上げて降参するしかなかった。

「悔しいけど、これは、無理」

「なにが悔しいの」那美は笑ってすいっと一口飲んだ。「やめときなって言ったじゃん」

「すごい匂い。こういうのをかいで、ウィスキーに詳しい人は雨の後の革靴の匂い、とか表現したりするんでしょ」

「何それ」

「違ったかもしれないけど、酒好きな人に前に聞いたんだよ」

「雨の後の革靴なんか最悪じゃない。でもこれは」と言って那美は二口めを飲んだ。「しおっぽいのが好きかな」

「しょっぱいの?」

「ああ、違う。またその話か」と言って笑う。「字が違う。ソルトじゃなくてさんずいの潮。海の匂い」

　私は水のコップを引き寄せて飲むと膝をかかえた。スカートの裾なんかもはやどうでもいい。那美の手にしているグラスが、中の熱い液体そのものかが、一瞬電灯を反射して火がつくように光り、瞬きすると、静けさのなかで潮の匂いが鼻先をよぎった。駅前の人魚のそばでかいだ匂いだった。

「那美ちゃん。子供のころよく家出してたって本当」

　と私は聞いた。

「家出。なにそれ、初耳だけど」

「海に。紀子おばちゃんが言ってた」

「ああ、その話か。家出って言わないでしょ、近所の海なのに」

「でもなんで」

「友達に会いに行ってた」

　那美は立てていたスウェットの片膝を抱え、目を伏せると、薄い唇の両端がかすかに歪んだ。まぶたがまた上がると、その中の黒目が自分の頭に触りそうな、垂れ下がったグリーンネックレスを見ていた。風もなく触ってもいないのに、つぶつぶした緑の螺旋が揺れた気がした。

「なんだ。紀子おばちゃんは、海が好きだから、なんて言うから心配したって言ってたよ」

「それが最も穏健な説明だと思ったんだけどな」

　それはひとりごとのようで、聞き返したりつっこんで尋ねたりするとっかかりがどこにもついていない響きだった。

　鼻水は花水でなく、塩は潮でなかったように、私はうみという音の意味をわかっていないのかもしれないという考えが突然浮かんだ。

　海のない県で生まれて育って家族全員特にアウトドア好きでもなく、私の海は遠出の遊びか旅行で訪れる特別な場所だ。体育のプールにやっとついていっていたくらいだから揺れてしょっぱくて急に深くなる水は怖くてほとんど泳がない。でも波打ち際に立っているのが好きだった。あの感じ。びたびた濡れた分厚い一枚の布か、あざらしの皮みたいに光る砂の上に立ちつづけて、塩辛い波が何回かくるぶしを洗っていくと、土ふまずの周りがだんだん彫られていって、ずずっとかかとが下がっていって体が傾く気がする、あの現象をなんていうのだろう。知らないからあれも海というしかないし、波打ち際から離れると砂の中からのたうつように絡んで生えている背の低い草たちを覚えている。洗わないまま伸びた髪の毛のようで、色の薄いラッパの形の小さな花が咲いている、それも海だし、と思うと、たった二文字、二つの音が、いくつもの手触りと感想に分かれ、層をつくってべろべろ剥がれてふやけて拡がっていってしまう。うっ、気持ち悪い。

やばい、酔っぱらっている、と次に思った。

部屋の中が少し寒くなった。夜が深くなって冷えてきたのかもしれない。やはり酔いが回り出したのか背中を丸め俯きがちになった那美の、背後にあふれるワークスペースのコード類と鉢からこぼれた蔓草たちが無音のなかで妙に存在感を増し、人口の黒と自然の緑が両方艶をおび、じわじわと輝き出すように見える。

「私も一人暮らししたいな」

明らかに話しかけている声を投げると、那美はふたたび顔を上げて私を見た。

「今も実家に住んでるんだっけ」

「そうだよ。こっから東京都をまたいでえんえん帰るんだよ。早く出たい。お金たまったら。給料安いんだもん」

「うん。一人はいいよ」

「那美ちゃんは」私は思い切って口に出した。「寂しくないの?」

那美は声を出さずにちょっと笑って腕を組み、上目遣いに私を見た。

「発言が若干矛盾してない?」

「都会だったら、楽しいと思うけど。こういうとこにずっと一人で住んでるのってどんな感じかなと思ったの。あ、子どものころ住んでた所だから、いいのか」

「あの辺とはかなり離れてるけどね。距離を考えると同じ場所とはいえない」

「そうだよね」と私は最初に聞いたものの何を言えばわからないまま言った。

「返事するの忘れてた」と言って那美は小さなグラスを手に取る。「寂しくないよ」

下唇にのせたそれを大きく傾け、それから飴色が消えたガラスの丸い底に向かって目を細め、首を傾げる。

指をグラスからゆっくりはずし、両腕を首の後ろに組んでうーんと伸ばすと、横にある大きなクッションを頭の位置に押しやり、その上にのっそり倒れた。

「今はちょうどいい距離感かな」

そして目を閉じる。

私はそのまま座っていた。数十秒か数分かわからなかった。

短めで柔らかそうな黒い睫毛が合わさったまま開かない。膝をついて座り直し、ローテーブル越しに身を乗り出して、小声をかける。

「那美ちゃん」

痩せた灰色熊は動かない。

「ねむいの?」と私が聞くのと同時に、熊の口だけが開いて言った。

「終バスは四十二分後だよ」

「うーん」

私はのどの奥でうなった。また少し待ち、次の言葉が発されないので言った。

「泊まろうかな」

「いや、今日はちょっと」

今日はちょっと?

予想外の響きを、一瞬遅れて、おうむ返しに口に出してみる。聞こえなかったようだ。皮膚の下に細かい網の目になって入りこんだアルコールが瞬時に熱を失う。喉と背筋がひやりとした。

「雨が降ってるから」

と突然熊は言った。

「うん雨降ってるよ」と私はとっさに繰り返した。念押しでもう一回そっと言ってみた。「外ね、結構雨降ってるからさ、」

「朝からね」

と那美は言った。それきりまた沈黙が訪れた。

鼻腔をこする息の音が規則的になった。本当に眠ってしまったのだろう。私はこのまま二階から掛け布団を運んできてかけ、バスルームに行ってシャワーを借りればよかった。どこになにがあるかもうわかっている。下着も歯ブラシも、この家にあまりない化粧品一式も持参している。

でもなぜか体が動かなかった。目覚めている世界に一人取り残されて、体に網目状に入りこんでいたアルコールは抜けていく気がするのに、肩や腕や、床にべったりつけた腿も膝もかかとも重い。立ち上がりたいのに立ち上がれない。前はこんなことはなかった。乾いた布や紙が水を吸い上げるように、空気が急速に何かを吸って膨らみ、じっとりと重くなって垂れ下がってくるみたいだ。むしろ酔いがどんどん回っていっているんだろうか。あの苦くて熱い舐めただけの一口が思った以上に効いているのか。

すがるように那美の寝息に意識を集中していると、集中しすぎて規則的な呼吸音が次第につながって聴こえだし、またずれ、落ち続ける雨粒のように、砂を洗う波のように、砕けてまた重なっていく。その音はもう那美の口元を離れて、眠る体が横たわるこの部屋のこの地点を中心に膨らみ、すぼまり、寄せてはまた返す。ひたひたと繰り返しながら、だんだん狭まり、集まり、近づいてくる。足音のように。

（雨が降ってるから）

と頭の中で那美の声が言い、そうか、と思ったとたん、分厚い湿気が顔を覆う。息苦しい。ずっと空調もつけていないし換気もしていない。いやな匂いではないけれど、閉じ込められた二人の人間の数時間分の呼吸と肌呼吸と、かすかな砂糖とバターとクリームとマヨネーズ、アルコール。それらを沁みこませた湿気が、大きな長い魚のように部屋の中に渦まいている。潮の匂いがざらりと鼻先をすべり、また引いていった。両腕の毛穴が粟立った。

私はこわばっていた首を思い切って大きく横に振った。

外の空気が吸いたい。換気が必要だ。そう思いつくとほっとした。でもここの窓は寝ている人の真上にあって開けたら起こしてしまうだろう。

立ちあがる股関節と膝がしびれていて痛い。壁に手をついて支えると、しかしすぐに膝はすっと立ち、喉にあった見えない結び目がほどけてもう息がしやすくなった気がした。

音を立てないように部屋を出ると玄関は薄暗い。パンプスをつっかけ、水中で息継ぎをする人のような気持ちでドアを開けた。

とたんに闇が流れこんできた。

外は暗い。とても暗い。湿気がすごい。部屋の中の比ではなく、ドアを開けたとたん海の中に潜ったみたいだ。雨はごく細かい粒で、濡れた一枚の布のように切れ目なく降り続き、表の道路にある小さな街灯はこの私道の奥までは届ききらない。けれどすぐに慣れてきた目に物の輪郭を伝えているのはその光の切れ端だろう。

目を凝らす。細い道幅に切られた視界の先、かすかな明るさの中に道路の対岸の雑草で覆われた土手が見える。その向こうには上流にきてだいぶ幅が狭くなったあの川が流れているのだと思う。花水川だ。もう知っている。目を閉じて耳を澄ましても、雨の音なのか水音なのかわからない。

目を開けると数歩前に女の人が立っている。

声も出ない。が不思議と怖くはない。口が開き大きく息を吸いかけ、吸いきれず、中途半端な音とともに吐き、瞬きしてみてもそれは消えない。表情のない目は私を見るともなく見ているが、そこに敵意は感じられない。親しみもない。ただ、はじめて見るものではないというまなざしだった。そうだ。

弱い街灯の光を引きつけて光る雨粒が細い輪郭線にまつわり、闇の中でぼうっと浮き上がっている。かすかな乳白色に発光している肌と、色のうすい目や唇。痩せた体の線を浮き上がらせている濡れそぼってどす黒いトレンチコートに、落ちかかっている長い髪は湿気でふわふわと毛羽立って、火花を発するように大きく波打つ。波の中の海藻のように、砂の上を這う蔓のように。

低く響いてくる海鳴りのような音がする。ここは海からは遠い。

だから雨か川の水の音かもしれない。だけどそれらは同じものかもしれない。はなみずは花水で、どちらにせよみずだ。海も。だいたい海と川は繋がっていて、どこから川でどこから海かは人間が決めるのだろう。海は川になり川は海になる。私が海の近くからここまでバスに乗ってきたとき、川もまた私と平行にさかのぼってきたのだ。川ではなく海が。そして雨が降れば、それもまたみずだ。はなみずとあまみず。

あのパンプスはどうしたのだろう、と思った。履きこみが浅くていかにも歩きにくそうだった。泥汚れの間から見える裸足のかかとや足の甲の皮膚が貝殻の内側の色をしている。私の視線を辿ったのか、全く関係ないのか、彼女は二、三度足踏みし、湿った地面とまばらに生えた雑草がびたびたと鳴る。

にじみ出した草いきれに混ざって、潮っぽい匂いがした。那美のウィスキーより、ずっとはっきりと、私でもわかる、深く濃い海の匂い。

彼女は途方に暮れたようにそこに立っており、私は途方に暮れて玄関扉を押さえたまま立っている。闇の中でガラス玉のような目が私を見、ちょっと疲れた、というように首を傾げた。

帰ろう。

何かが頭の中に直接そう命令してきたみたいだった。慌てて身をひるがえし、背中でドアが派手な音を響かせて閉まる。部屋の中で眠っている人をもうよく見ずに、バッグをつかみ、スプリングコートをがさがさと羽織る。

大きく息を吸って吐いて玄関ドアを開けると、暗闇には誰もいない。行く手には道路から届くぼんやりとした明かりと、顔を覆う一面の細かい雨だけがある。

傘をつかんで、開かないまま道路に向かって駆け出したとき、潮の匂いが体を包んだ。鼻先を、濡れた鱗か何かが連なって動くような感触がざっと撫でて、それきり消えた。

メタセコイアの黒い林を抜ける。最終バスの始発停留所の乗客は私一人だった。

一番後ろの座席の隅っこに座り、雨と墨絵のように揺れる木々からガラス窓で隔てられて、ドアがぷしゅう、と音を立てて閉まり録音のアナウンスが流れだすと自分の心臓がどきどきしているのがわかってきた。傘もささず走ったからだ。荒い息をして肩を上下させながら、ついでのように目や喉が泣きそうになっているその理由が自分でわからず、エンジン音と振動に揺すられ、頭や肩をハンドタオルで拭きながら反芻すると、はじめは怖さだったその食感の下から何かものすごくうらやましいような味がにじみ出してきて全身を浸した。思わず震えあがり濡れたコートの腕をつかむ。

てっぺんの見えない木々に閉じられた大学構内を抜けると夜が一段階明るくなった。片側の空がひらけ、河原があらわれる。暗い水を区切って黒々とリズムを刻む並木が桜であることを私はもう知っている。そのリズムに沿って、音のささくれたアナウンスの声が次々に停留所名とそこが最寄りの医院や学校の名前を告げていく。定規の目盛りみたいに。バスは川の中を流れて行く定規だ。だけど聞きながら流れてすぐ忘れてしまう、その小さな目盛りの溝の一つを知ったなら、それはもうプラスチックに刻まれた溝ではないのだろう。たとえ定規全体が人間の勝手な都合でも。

冷たい窓に額をくっつけて見ていると次第にその部分の温度差がなくなってくる。この丸い一点でガラスは溶け、皮膚も肉も頭蓋骨も融けて向こう側と繋がっている。頭の中に直接、川辺の湿った風と水の匂いが伝わってくる。

橋が見える。だんだん近づき、通過する。もう二つばかり見た。来る時はたいして気にもとめなかったけれど。バスが走るH市側の行く手にごちゃごちゃした人工的な明かりがにじんで見えているのに比べて、川向うは濃い色の闇がこんもり低い山の形に盛り上がっているだけだ。

一回目か二回目の訪問のときに那美に聞いたことを思い出す。

「隣町はハイソなんだよね。ハイソって死語か。風光明媚で、昔から別荘地で、豪邸が建ってて、高いビルとかなんにもないの。スーパーもないんじゃないかな。リゾートホテルとレストランはあるけど。だからそういうのと逆のものが全てH市に集まってんの。電車で五分、川一本渡ると別世界になる」

だから橋は架かる。海近くにも橋がある。私はもうそれを知っている。そのあたりでは川幅が広いから距離も長く、大きな橋だろう。その場所までバスは行かないし、ある所で大きく左折して水から離れ、住宅地をしばらく走ったあと繁華街に入って駅に着くだろう。

だから記憶のなかではなみず川を渡ろう。私の記憶じゃないから、想像か。夕方で、ぎりぎりの時間までハイソな隣町の図書館にいて急いで帰るところだ。いつも五時の鐘が鳴る前に家に帰れといわれているから。平屋と二階建てとその塀と庭が続く住宅街が突然ぷっつり切れたかと思うと橋になる。昼と夜の境目で透きとおった空が頭上に落ちてくる。それくらい近い。一面の曇り空にガラス板のように薄い青が重なっている。橋はゆるく盛り上がって、川面の不思議なほど上に架かっているので、空に浮いたような感覚になる。スピードを緩めずに車が通る横で、緊張して一生懸命ペダルを漕ぐ、スカートの下で激しく上下している脚が魚の腹のように白く光っている。その上で力をこめてハンドルを握る二本の腕が珊瑚の骨みたいだ。車道の轟音と潮がまじるかすかに生ぐさい水の匂いで頭がいっぱいになり、何も考えず、スピードを上げるほど固まってまといついてくるぶわっとした湿気の風に、波に洗われる貝殻みたいに自分が薄く薄く少しずつ削られていく感じがする。Ｈ市が近づいてくる。橋の着地点の先に商店やビルが見え始め、車線が増え道路は広くなって続いてゆく。

橋を渡り切った瞬間右折する。布バッグの中の借りた本がごとごと角を立てて籠の端に寄る。空と風とに頭の中身を吸い込まれてしまっているから、手と足が勝手にそうした。急斜面の細い道を下り、橋の下の川沿いの道に出る。もう五時の鐘には間に合わない。

橋から遠ざかると車の音は聞こえなくなる。土手の上に見えるあたりの街並みは低く、河原は人間よりも背が高い雑草に覆われ、ところどころかたまって倒れたりなかば水の中から生えたりしている。黄土色に濁って水音をなくし、広い河原の間を充たすのっぺりと平らな水だ。海の匂いがする。曇り空もますます、睫毛に触りそうなほど低く落ちてきて、白く濁り、寒天のように震えながらぶるぶると固まっている。海へ向かって雲の形を崩しながら溶かしていく。ふと針が刺さるように、喉がきゅっと締まるように、何か波のようなものに襲われる予感があって、でも次の瞬間それは襲ってこなくて、悔しいようなうらやましいような気持ちでハンドルを握りなおした、ところでガタンと振動があり、勢いよく額を窓にぶつけてうめき、Ｈ駅北口、終点です。ご乗車ありがとうございましたと機械の声が言った。

バスターミナルと駅ビルの明かりがたくさんの粒に溶けて崩れて暗い窓を斜めに滑り落ちていた。

上り線の終電なんかガラガラだからずっと座って寝て行けるだろう。人魚に追い出された私が眠れるものならば。改札口を素通りして南口側にもう一度降りてみる時間の余裕はなさそうだった。エスカレーターを上りながらスマートフォンの画面を点けて時刻を確認し、指が勝手にカレンダーを出して次回のＨ店訪問の予定がいつか確認しようとした。それから止めた。

次回から忘れてなくても忘れたことにしていいから。

と痩せた灰色熊は言った。

もう理由は要らなかった。さしあたって私があの家の二番目の常客なのだし、ここはもう知らない場所ではないのだから。

横から風が吹きつけて大きな雨粒を幾つか画面上に落としていった。拭かないでいるとそれらはつながって手のひらサイズの時間の上を流れ、並んだ四角い枠と数字と文字を溶かして、吸い込まれずに鱗のように光った。

てんでん　半年間の講義　こらむ

先生とのご縁は、母校で受講した半年間の講義でした。数語聞いただけで先生の東北訛りに気づき、はじめから勝手な親しみを感じていたことを思い出します。震災の直後に同じ東北から上京してきた私にとって、先生の東北訛りを通じて文学に「入門」することができたことは、今に至ってもなお、特別な経験であり続けています。

当時受けた講義を思い出す時に真っ先に浮かんでくるのは、先生の声であり、そして手書きの文字です。毎回配布されるプリントには先生が自らの手で書き写したテクスト（ベンヤミンの断片や、カフカの超短篇（先生はそう呼んでいました））が印刷されていました。「手仕事」の感覚を忘れてはいけないということをしきりに仰り、「汚い字で悪いね」と言いながら配ってくれるその実践の一部を見させていただくことが、本当に毎週の楽しみでした。先生の声や、手書きの文字を上からなぞるようにして読んだテクストが自分にのこしてくれたものの正体の全容はわからないまま数年が過ぎた今も、ふと先生が語ってくれた言葉が先生自身の声と身振りで突然再生されることがあり、はっとさせられる瞬間を何度か経験しています。

たとえばそれは、ローマの詩人・オウィディウスが流謫の地で歌った「悲しみの歌」に出てくる「よく隠れるものはよく生きる」（木村健治訳）ということば。先生の脱線とユーモアに導かれるお話の中でも、特別に重きが置かれて語られたことばだったように思います（この時のことはかなり鮮明に覚えており、たしかに先生は「隠れて生きたものだけが、ほんとうに生きたものである」と、暗誦されていたはずで、いまはその「だけ」と「ほんとう」に込められた意味の変奏のことを思わずにはいられません）。大学を卒業して働きに出るようになり、道具的な言語の誤作動に頭を支配されてしまいそうになるたびに、「隠れて生きたものだけが…」とある種の念仏のように唱えたりもしました。「隠れる」は決して慰めとしてではなく、「てんでんこ」精神の奥底から聞こえてくる汲み尽くせぬスローガンとして、この先、何度も「受け取り直し」を繰り返すことになる気がしています。

期間で言えばたった半年の講義という、ほんの一瞬だけ先生とすれ違う機会をもらったに過ぎないですが、その幸運は私のこれまでの人生の中で最も大きいものの一つでありました。共有できた過去は少なくとも、「過去のことしか思い出せないなんて、なさけない記憶力ですよ」（『鏡の国のアリス』、矢川澄子訳）などと呟きつつ、「てんでんこ」式の交信を続けることも、おそらく不可能ではないと信じます。たとえどこで何をしていようとも。室井先生、ほんとうにありがとうございました。

（阿部晃士）

F

田中　さとみ

リリーロー　　ローズルー
昆虫に吸われる星座の形と　なって世界　を　威嚇してい　た
二匹の明滅猫
なだめながら
ルルーラフ　リーフラフ
あからさ　まに
水葉が耳を撫でる
　　　　　　　　　人魚で染められたcode
コロガルル　　　　　　　　　　　　基底となる
イデタマフ　　　　白兎の丘陵の紙の上
　　　　　　　　　　蓬を摘んだ小川のせせらぎの
トンコ
リンゴ　　　　　　スマッコ　ワラシ

ある一行が階段から転がり落ちる

屋根裏から　腐葉土が静か　に流れ　込む　　西の空に夕づつ　がみ　える

表層を踊る字体が

リリー　ルーズ　　流星御岳

リーフリリース　　猫柳に流れ

できるだけ絞りをひらき　シャッタースピードを遅ら　せ　た

ほどけていく　も　の　は

向島だより

山岸　聡美

私の住む向島は「むかいしま」と読み、尾道から渡船で五分の文字通り対岸にある。数年前愛媛の刑務所からの逃亡犯が潜伏したことで、一時にわかに有名になった。

最初に借りた家は築九十年ほど。大家さんの先祖は都落ちした木曽義仲の次男（三男とも）だという。この島周辺に住むたくさんの木曽さんの総本家だそうだ。縁側の古い木枠のガラス戸と屋根裏部屋が気に入った。娘が見よう見まねで割れたガラスを入れ替え、壁に漆喰を塗った。屋根裏部屋ではかつて蚕を飼っていたそうで、その道具類をはじめ、大きな長持ち四竿、たんすや火鉢、戦前の教科書やセーラー服、手紙類などたくさんの古物で埋まっていた。貰い手のない長持ち以外を全部降ろして分別処分し、破れた土壁に土とわらを練って詰め、すっきりとなったところに畳屋さんから要らなくなった畳表をもらってきて敷いた。ここで娘は三年の間生やしていた脇の下の毛をそるパフォーマンスをやり、移住者仲間の度肝を抜いた。しかしこの家は、二年足らずで大家さんが壊すというので立ち退くことになった。最初はここで店やB&Bをやってもいいという話だったが、敷地内に住む大家さんは怪しい風体の人々や外国人などの出入りがおもしろくないふうだったので、すでに別の場所で店の営業を始めていた。

当初、島の南側の海に面したいくつかの集落はのんびりと静かなので、ここで畑をしながら店をやりたいと家探しをしたが、空き家はあってもなかなか貸してもらえない。結局借りることになったのは、三・一一後尾道駅裏のCDショップ「れいこう堂」店主が、東日本から子連れで避難、移住、保養に来てもらおうと十年以上空き家だった家を仲間と整備した、通称「向島シェアハウス」。私たちが初めて知人のつてで広島に物件探しに来た時にも泊めてもらったところで、その後もたびたびお世話になっていた家だった。震災から五年たち、保養の人たちももうあまり来ない、維持管理も大変なのでここで店やったらと声をかけてもらったのである。やはりいちばん古いところは九十年くらいというが、窓はアルミサッシになっているし、増築に増築を重ねて階段二カ所、トイレは四つもあるなんだか入り組んだ作りの大きな家だ。島のほぼ真ん中にあり、海は見えない。しかし畑はすぐ近くにあり、柑橘、いちじく、びわ、栗、柿などの果樹もある。今はこの家に住んで、月十二日（一日四時間）、ランチ・喫茶の営業をし、コース料理の予約が入るとそれ以外の日にも店を開けたり、大磯時代のお客さんからの注文でパンやお菓子、食材などを送ったりしている。広島県が少し前営業時間を短縮すると手当を支給するといっていたが、普段から自粛営業のようなものでほとんど誰も知らない店なのだ。「そんなに休んで何してるの？」とたまにきかれるが、友人知人やその子どもたちと遊んだり、畑仕事をしたり、保存食を作ったりするほかは、だらだらとベッドに寝転んで本を読んで過ごす。ずっと夢見ていた至福の時間だ。最近沖縄から向島に合流した息子が、読んだ本を片っ端から回してくるので、今まで知らなかった中国や韓国の作家にもお近づきになった。

娘が年末に出産の予定で、今この家の離れを産屋にすべく改装中だ。引っ越してきたばかりのころ、この島に現存する日本最古の農家「吉原家住宅」を見学に行った。ボランティアの年配男性のすばらしい案内付きだ。納戸に入ったところ、「この部屋にはかつて真ん中にひもがぶら下がっていた。何に使ったものかわかりませんと言ったところ、ある見学者がそれは立ち産のときに掴まるためのひもですよと教えてくれました。」と説明された。産婦は放っておくと四つん這いになって生むことが多いと聞く。分娩室での重力に逆らう仰臥姿勢は取り上げる方の都合らしい。あるとき、どういうわけか室井先生とお産の話になり、祈るように手を前で合わせている土偶はひもをつかんで立ち産をしている姿をかたどったものだとうかがった。先生はいつも惜しげもなく、私ひとりが聞くにはもったいないような興味深いお話をしてくださった。奥様との掛け合いも最高だった。それなのにお代をいただくのは私の方なのだ。娘の産屋にひもをぶらさげるべきか、大好きだった先生の語りぶりを想いながら思案している。

室井先生のこと

山岸　加豆美

室井先生には、大磯に住んでいた時に大変お世話になりました。

十年ほど前のことになりますが、当時十五歳の僕は小説家志望で、先生と奥様のお宅にお邪魔しては、一緒にカフカの話をしたり、白黒の日本映画を見たりと楽しい時間を過ごさせていただきました。この十年の間、フランス――沖縄――広島と移動を重ね、職業的には違う方向に進みましたが、今でも読書と執筆は毎日欠かさず続けています。

昨年、久しぶりに大磯に帰ったときに、たまたま先生のお宅の前を通りがかり、どうしていらっしゃるかとふと思ったのですが、その数日後の新聞でお亡くなりになったことを知りました。お元気なうちにお伝えできなかったことが心残りですが、室井先生、十五歳の僕に刺激的なお話をたくさん聞かせてくださり本当にありがとうございました。「書くことよりも読むことのほうが大事」という先生のお言葉を忘れずに僕は生きていきます。

またいつかお会いしてお話できるのを楽しみにしながら。

驚愕の数珠

長内　芳子

1　世界文学百篇

私の人生行路のある一時期に鮮烈な印象を私の胸に刻し、珠玉の一刻を手渡し眼前を横切っていったこの特異な個性のことを、今日このような追悼文の形で物語ることになろうとは、これも何ものかの計らいによる他生の縁と言わざるをえない。

室井氏のお声をその著作の中でしか聴かれなくなった今となっては、せめてその息づかいだけでも身に感じるにはその作品と向きあうほかに手だてはなく、この追悼文を書くかたわら同時並行的に氏の主なる著作の読み直しを行った。この再読によって新たな発見は多々あったけれど、そのなかでとりわけ私が清新な感動を覚えたのは、青春さなかの室井氏の若き姿が浮び上ってきたことだった。私にとって未知の氏の一面に今初めて出会った思いがして改めて氏を見直すことに繋ったように思う。

一九八八年三十三歳の室井氏はボルヘス論「零の力」で「群像」新人賞を受賞し、作家デビューを果たす。作品のできばえに新人らしからぬ力量が評価され文芸評論界はこの斬新な才能の出現を歓迎したのだ。将来性が期待される所謂伸しろのある新進作家の書きぶりとは初手から異なり、作家として相当の修練を積んだ手だれの風があり、室井氏はプロ作家の出発点から既に練達の筆を我が物としている作家として認められたのだ。この新人賞受賞の六年後、次いで室井氏は「おどるでく」で小説家としても評価をうけ芥川賞の栄に浴する。その時の銓衡委員のひとりであった小説家大庭みな子氏による室井氏の才能を称揚する講評を新聞紙上で私は読み、室井氏の作品の魅力が感性のきらめく小説を書く大庭氏の胸にひびいたことを知り、作家が作家を知るとはこのことだと当時の私は大いに悦んだ。

室井光広が文壇に初登場し作家として公に認められるまで、若き日の氏がどのように自分の天分を育て作家の能力を磨いていたのか、その内情について氏による青春の記といった類のエッセーでもあれば読み知ることもできようが、そういうまとまった書き物は私の知るかぎりでは無い。それ故今までは氏の無名時代における氏の作家修業について私は殆んど無知といってよく、この度の氏の著作を再読するまでこの辺の消息を私は特に意識して考えてみることもなかった。尤も幾つかの著作の中で適切な場所にそれも書かざるをえない時にだけ氏がそれとなく自らの若年期のことに触れている文章に目を留めてはいたけれど、自己告白にありがちな自己陶酔のかけらもなく自分を突き放したところから、昔こんな男がいましてねといった物語調の書きぶりであったため特にその告白に注目し立ちどまることもなく読み流していたのが本当のところだ。要するに自己顕示の意図のない抑制された語り方であったので、従って私は氏の告白を作中に必然的に織り込まれた挿話のひとつとして読んでいたのだ。

がしかし、この度一九九七年岩波文庫七十周年を記念して出版された「世界文学のすすめ」の掉尾を飾る室井氏のボルヘス論「創作者としての読者――ボルヘス『伝奇集』の世界」の冒頭において、心身共に鬱屈の極みにあった若き日の自分のことを氏が告白しているくだり、並びに二〇〇一年奥会津作家協会発行の「河岸段丘」第六号に特別寄稿として掲載された「オッキリのように　あるいは縁側での対話」のやはり冒頭に書かれた氏が独り同人誌を作家デビュー前の「短からぬ歳月にわたり」やっていたという話、この二つの氏の告白を読み知るに及んで、これをただ単に作中に挿入されたある男の「お話」として読み流すのではなく、作家室井光広の来歴に刻まれている紛れもない「事実」として今いちど受け取り直し直視しなければいけないと私は遅まきながら気付いた。そうしなければこの作家の実像の肝心なところを見落すことになると思われたのだ。

前者のボルヘス論の冒頭で室井氏は先ずこう語る。

「昔々、特異な判断中止の病にかかり、大学を休学したあげく、一年近く三畳の部屋で閉じ籠り生活をしていたことがあった」

最初に入学した大学の学部選択を誤ったと思った氏が、この学部にこのまま留まっていては自分の将来は描けないと思い悩んだ末に休学という断を下したものの、中ぶらりんのこの青年の実際の暮しは、囲りの親族がかりの「あさましい徒食を絵にかいたような」生活であったという。二十歳を過ぎたばかりの青年にありがちな将来の確たる見通しもたたず、先のことは言うに及ばず足下のことも思うにまかせず煩悶の深みにはまった青春期の大きな躓きを氏は経験していたわけだ。この青春の蹉跌を乗り越えるべく室井青年がどういうふるまいに及んだかというと、まさにこの人の非凡と独創を証す驚くべき大胆な行動だった。

「なけなしの蔵書をすべて本屋で処分し、代わりにおよそ百冊をこえる岩波文庫を購入して帰り、以後誰とも会わず来る日も来る日も読みふけった。そのほとんどが赤帯、つまり世界文学のジャンルだった」

世に多い自堕落な引き籠り青年とはまるでちがい、「特異な判断中止の病」をふっ切るように氏は手持ちの蔵書を手放し、代りに新たに入手した十冊、二十冊どころか百冊あまりのほとんどが世界文学の文庫本をむさぼるように耽読したのである。これまでの自分を払底し何か大きく飛躍をとげようとするこの青年の読書風景に、創造力の充溢したハングリー精神の熱い塊を見る思いがするが、この知的で意識の高い青年の行動にはっきりと読み取れるのは、転機が向うから来るのを安閑として待つ姿勢ではなく、逆に自分の方から転機を引き寄せ退路を断ちめざす目標に向って一路バク進する心的態度である。

外界との接触を遮断した一年近くにわたる読書三昧の暮しの断行は、無為な時間を読書で紛らわすといった氏の空虚な行為であるはずがない以上、何らかの明確な意図があっての室井青年の意識的な断乎たる行動と見るべきだろう。休学前後から氏の胸裡に作家を志向する鬱勃たる念はあるものの、具体的に作家の能力が自分に有るのか無いのかこの見究めが完全についていない不確かさに漠たる不安が氏にあったと思う。その能力の有無を確かめる方途としては唯一あるだけで、それは実際に自ら筆を執り書く作業を持続してみるほかに手はない。恐らく室井青年は閉じ籠って読書だけの日々を送っていたのではなく、毎日自らにノルマを課して物書きを実行したのだろう。こうして日がな一日読書に没入し同時に物を書く修練を積むなかで、絶望からかすかな希望への反転劇を氏は演じ、精神の危機の橋をひとまずわが身から切り落したのだ。読書に伴う本気の物書き作業は功を奏し、やがて作家に向く自らの才能の手ごたえを確かめた氏は、文筆の道に我が身を投じる自信を深めたのだと思う。先に引用した氏の告白に物書き作業のことは一言も氏は口にしていないけれども、執筆のない読書は氏の場合考えられない。室井氏の一年近くの読書＝執筆に没頭した閉じ籠り生活の意味あいを総括するなら、今後自分が作家として立てるか否かの乾坤一擲の勝負に打って出た室井青年の一日一生の思いで行った自らの運命を決する極めて個人的、具体的な戦いだったということになる。

自らの将来のかかったこの戦いに決着をつけ、自身の才能に確かな見究めもついたところで、作家の道が具体的に室井氏の自覚の領海に入ったことは疑いえないが、しかしこの人の青春期をよく見ればそれ以前に氏には作家を志向する「モノ心」を醸成する下地はあったのだ。つまり氏の志の芽ぶきは既に始まっていた。高校生の頃である、氏は早くもカフカの「城」に出会い、勿論はじめははね返されるばかりであったけれど、それでもこの作品のとりことなった氏は執拗に作品の読みを繰り返す。何故そこまでカフカに執心したかというと、氏は直覚的にカフカの人間に「詩人」を視、その作品に文学の精髄「詩」を感受したからだ。この出会いが氏の積年にわたるカフカ〝帰依〟の始まりだった。次いで二十代の初めにキルケゴールにも運命的な出会いを果たし、この哲学者の精神に「詩性」を見抜き、その著作に「詩のひびき」を聴き取っていた。著作物が文学作品であろうと哲学作品であろうとその行間に隠れ潜む「詩」

を誤たず見抜き、鋭く反応する感度のよさは非凡なのだ。この文人並びにこの哲学者に己が魂をどよめかせ親炙する室井氏の詩精神は、明らかに哲学的精神と表裏一体の厚みのある重層的な性質のもので、まさしく生得の詩心だ。容易に人の目に見えぬ人の耳に聴えぬ「詩」のありかを、この人の魔性の感知力は瞬時にして探りあて感得してしまう。氏はそういう天与の詩精神の持主だった。

「創造されたすぐれた一つの力としての文学の役割は、まさに、人間の生きつづけようという気持を奮いたたせることにあり、精神の緊張をやわらげ、かつ明確に刺戟のかてとなって精神の緊張を高めることにある」(「いかに読むか」エズラ・パウンド沢崎順之助訳)

これはすぐれた文学の果たす役割、文学に内在する力を喝破したエズラ・パウンドの名言である。人間の魂を打発し目覚ませ、文学ならではの底力を深く理解しているこの文人の説得力のある発言であるが、この言葉を裏うちしているのはパウンドが古典を含む哲学的にも文学的にも深い味わいを湛える最高の文学作品の数々に自ら深く親しみ影響を蒙った自身の読書経験であることは明らかだ。

人が人にある時何の前触もなしに偶然出会い互いに肝胆相照らすが如き事態が出来する場合、この二者を結びつける異なる縁の働きを我々は思わずにはいられないが、こういう摩訶不思議な出遭いは当事者にとってその人の一生を左右しかねない一つの事件となりうる。室井氏は年若くしてカフカとキルケゴールという詩精神も哲学的精神も具有する実に手強いとても一筋縄ではいかぬ文人たちに邂逅し、その著作の洗礼を受けた。この二者の著作物が室井氏の心の深層に到達し深部を烈しくゆり動かしたとなれば、この出遭いは氏の精神に起きた一つの重大な事件と見ないわけにはいかない。この二大文人を氏が識ったことで、パウンドの名言にあるように、文学が人を癒し、人間に悦びを与え、人間の精神を刺激し高める文学の持つ底力、文学の役割に、氏は全的に目覚めたのだと思う。あるいはこう言い換えてもいいだろう、パウンドの念頭にある哲学的にも文学的にも深い味わいを湛える文学、その中でも特に世界文学の最高峰をなす文学に、氏は開眼したのだと。奇しくも出会ったカフカとキルケゴールによる深い影響を原点とした世界文学に対する氏の覚醒というこの若年時における一事件の意味するところは深い。これを機縁に文筆の道を志行する氏の「モノ心」が一気に勢いよく芽ぶいたとしても何ら不思議ではないのだ。また氏の休学中の閉じ籠り生活にあって、何故室井青年が日本文学百冊ではなく世界文学百冊を唯一の友としたのかその理由も、この二大文人による若き室井氏の詩精神の根底に及ぼした決定的感化を考慮に入れずしてとても説明はつかないだろう。

春夏秋冬めぐるひと年近く樹々のざわめき、葉ずれの音、木の葉のふりしきる音の満ちみちた世界文学の森蔭深くひとり身を沈め、最高の文学作品百篇の頁に視線を落し続け、猛烈に筆を動かし続けた若き単独者の日々が、室井氏の作家人生の起点に人知れず耿々と輝いていたことを、私はしかと目に留めておこう。

休学して一年後氏は前の大学を中退し他大学の哲学科再入学となる。最初の大学に入学そして休学、さらに退学に続いて別の大学に再入学とこの出入りの多い紆余曲折の氏の大学生活は、結局のところ作家の道一本に収斂されるまでの氏には必要なモラトリアムという意味はあったわけで、その間室井氏は確保した自分の時間を全面的に、山なす書物を読破し思索を重ねものを書くことに充てたのだろう。室井氏の志が読める人なら、氏の哲学科再入学の意図について氏が哲学者あるいは哲学研究者を目ざしたなどとよもや思うまい。我々の眼にはもう迷いなく作家の道をひた走っているその頃の氏の姿しか映らないはずだ。そして確かに作家の道は氏の意思による選択にはちがいないが、他面霊妙にも天命によりこの人はそれを選ばされているようにも思える。

哲学科再入学後の氏の動静を伝えてくれるのが、私が先にあげた「オッキリのように　あるいは縁側での対話」の冒頭にある文章である。この氏の告白話は室井氏の野太い作家魂を如実に映し出す実にふるった物深い内容となっているばかりでなく、氏の物する散文の様式・かたちを氏自ら解説する興味深い話ともなっているので、そのほぼ全文を抜き書く。

作家として頭角を現わす十年余前――ということは氏が二十歳をいくつも超えていない頃ということになるが――氏はひとり同人誌を主宰しその雑誌をどのように切盛していたかを次のように語る。

「要するに、発表を意図せぬ多ジャンルの文を非在の同人誌にせっせと書きつづけていただけのことである。モノカキを志向するモノ心がついた時、私の中には幾人かの同人がいた。創作する男すなわち〝作男〟が文芸ジャンルを代表する数ほどに増え、互いに対話してやまなかったのだ。／創作畑は大きく韻文（詩・短歌・俳句）と散文（批評・小説）に分かれた。棟割長屋状の作男部屋を詩人・歌人・俳人・批評家・小説家が棲み分け、作業を競い合う年月が少なくとも十年はつづいただろう。独奏者が集まって即興的にジャズを演奏するジャム・セッションのような競演を愉しんだのだけれど、一方でジャンル間の安易な越境を批判的に視る作男も私の中にはいた」

自身の多面的な才能を独奏者に見立て、それぞれが自らの限界ぎりぎりまで自由に表現しあい、互いに相手の能力＝筆力を測りつつ競演するジャム・セッションを非在の同人誌に氏はイメージし、自らの修業時代を回想しどこか愉しげに物語る。

プロデビュー前の氏の作家修業はこのようにノリのいい喜々

としたムードの漂う五つの才の競演風景として描かれてはいるが、しかし実際の氏の修業現場を想像すれば、氏ひとりで韻文・散文を書き分ける多角的作業に十年余りの歳月にわたって「徹した」のだから、これが作家の卵の修練の常道とはとても言い切れぬ何かしら過度で過激な気配は否めないのだ。本当のところは、五つの才が競い合う修羅場におけるすさまじい言葉いじりの戦争に明け暮れたというのが氏の修業の実態であって、氏の言葉通りに五つの才の愉楽の競演とそのまま受け取り難い面があるのではないだろうか。このどこかしら物狂おしい多角的創作に「徹する」氏の修業ぶりを想う時、自然な流れで時代を超越して江戸期のあの「風狂の人」のイメージが連想され、「風雅に徹し」「風雅に狂った」俳人芭蕉の精進にどこか一脈通じるところがあると思われてくる。思えば風狂の旅にあり旅に病んだこの俳人は常軌を脱し、凡俗の矩を超えた境に風雅の誠を訪ない物狂いし、そのただならぬ精進のなかから芭蕉ならではの美学に裏打ちされた芭蕉の俳諧を創始した。それまでの俳人の及ばぬ一味も二味もちがう仕事をやってのけた頗るクリエイティブな文人なのだ。風雅の誠にいのちを削りその誠に殉じたこの正真正銘の「風狂の人」の心内を貫ぬく詩精神に過剰と過激の魔性のモノが潜んでいて、執拗に風狂の旅への誘い招くこの身内の物狂おしいエキセントリックなモノを、芭蕉は名づけて「風羅坊」と言い止めた。幾時代を経てこの「風羅坊」の転生したモノ、その縁つづきのモノが、室井氏のひとり同人誌の中に舞踏する情景を私は幻視する。そしてその風立ち騒ぐ場にひとり無名の若き修羅が、ひたすら作品創作に歯噛みしながらもうち興ずるさまが目に映じ、その姿の物凄さもさることながら、その凄絶な美しさも胸を打つ。

やがてこの盛りだくさんの競演に批判の眼を向け発表を意図しない創作活動の行き着く先はアナーキーでしかないと見切った同人こそ、この同人誌の同人会議を主導していた室井氏の中の批評家である。同人全員が世に打って出て才能を世に問いこの混沌に梟をつけようではないか。そして今こそその時宜に適うと判断したのもその批評家だった。

ところでこのひとり同人誌には五名の正員がいたと室井氏は語るが、本当にそうであったのかと少し疑う気持が私にはある。これはあくまでも私見に過ぎないと断っておくけれど、実は七名の同人がいたのではないかと私は見ている。ふたりは実作者ではないので正式な同人の数には入らないとしても、この同人誌の縁の下で秘かにこの二名は驚くべき実力を発揮しずっとこの同人誌を支え続けていたのだから、実質的な隠れ同人と認めてよいのではと私は思う。即ちそのふたりとは哲学的思考にひいでた思索者と、広範囲にわたる読書から得た一さいを自身の滋養としてしまう天才的学徒である。この二者からの材料提供はひと通りではなく、同人五名はこれによって書く材料に事欠くことはなかったのだ。この二名の隠れ同人が室井氏の中の批評家にとりわけ貢献し、その功績の中の最たるものが「私にものを書く機縁を与えてくれた」そして「私にとって一種の守護神的な存在となり現在に至っている」と後に氏が語るホルヘ・ルイス・ボルヘスを氏の中の批評家に引き合わせる仲立ち役をふたりが果したことだった。

「膨大な詩歌句の五分の一、いや十分の一ほどを幾年もかけて精選し、私家版の韻文集『漆の歴史――The history of japan』をまとめた時点で、作男は〈うたのわかれ〉を宣言した。しかしもちろん「原詩＝ウルシ」掻き仕事でしぼり集めたモノをひっさげて散文の畑へ身を投じた後も、散文VS韻文の間の溝を凝視する対話的思考はつづいた。／散文畑での耕作においてはフィクションVSノンフィクションというもう一つの縁（エン・ヘリ・エニシ・ユカリ・ヨスガ・フチ）をめぐる対話がよりいっそう複雑多様なものとなって、現在に至っている」

〈うたのわかれ〉を氏の中の明晰な批評家が宣言した時点で、氏のひとり同人誌は解体し、氏のシュトゥルム・ウント・ドラングの青春期も終りをつげた。かくて氏の才能の全てが新たな秩序の下一つに結晶し、眼差しを世に向けて生きる詩精神ゆたかなひとりの散文作家の誕生に至る。プロ作家室井光広が世に生れ出るまさしく出世である。

「群像」新人賞さらに芥川賞を受賞し世に認められた室井氏の手中にあったのが、ボルヘス直伝の「詩・物語・批評」を包括する文体、即ち十年余にわたる独創的、創造的作家修業の日々のなかで、氏が彫琢に彫琢を重ね字義通り骨身を削ってわが意にかなうまでに仕立てた氏の独特な書き方であった。この文体の確立によって、室井氏は熟練の文筆家として評価され批評家、小説家の二つの登竜門を押し開けたのである。

2　出会い

室井光広氏は生前自身の文筆が商業的文筆業に傾くことを潔しとせず、現今の文芸ジャーナリズムとあたうる限り距離を置いたある意味孤立した場所で自身の文筆活動に専念した作家である。氏は作家の能力にありあまるほど恵まれ実力のある作家であったにもかかわらず、時流に乗って物を書く作家の行方を厳に慎み、自身が本当に書きたい物を自身のために納得のゆくまで丹念に書く姿勢を崩さなかった。つまり品格ある作家を貫き通したのだ。こうしたスタンスを持した氏が何よりも重視したのは、自身の「文筆を極める」というこの一事だった。それが達成されれば誰のためでもなく自らのために新しい文学の地平を切り拓くことになると信じていたのだ。

室井氏には文筆家としての理想であり、又同時に自身が日々実践するところの文学の型が一つ明確にあって、それは「詩・物語・批評」の三位一体という韻文・散文この二つが互いに緊張関係を保ちつつも渾然一体となって成立する、いわば様々な意味の充電する文学だった。このような文学の型を理想として意識的に文筆を揮う室井氏のような哲学的思索を能くする作家は、当代非常に稀れといっていいのじゃないか。何しろ氏はめざす文学の理想が並外れて高かったので、その理想を具現する作品創作にあたって自分が心から満足するまで妥協することは絶対にしなかった。従って例えば「キルケゴールとアンデルセン」、「カフカ入門」あるいは「プルースト逍遥」を見てもわかる通り、手間ひま惜まぬ丹念な仕事に氏は注力し、独自な作品創作に全身全霊をあげて果敢に挑戦しつづけた。氏は手がけた一作を仕上げるための長期戦も少しも厭わずやり抜いたのだけれど、考えてみればその戦いはありとあらゆる雑念をふり払った本心からの文学に寄せる揺ぎのない信なくば到底やり通せるものではなかった。言うなればこの難業は天命により文の道に生きる人だけが引き受けられる試練であり同時にその人だけが味わう幸福でもあったと思う。天性の文人室井光広氏はあくまでも個人的に、自身の文筆活動に自らの文学の存立を賭けた緊迫した戦いを課すという何とも峻烈なわが道を意識的に選択し実践した。この作家にマンネリズムという言葉は無縁だった。

私の知るこのような室井光広氏と直に接し言葉を交すことも、その著作物を通して、全く弛緩を知らぬ探究心と情熱に溢れた文学を真摯に追求する学徒の姿勢に触れることも、私にとっては何と刺激的で衝撃的であったことか。壮齢の氏との個人的な交りを主に語るこの小文が、この真正の作家の肖像にひと筋の光をあてることになるなら私は何よりも幸いと思う。

これは人の生涯に一度あるかなきかの奇縁と言えるだろう。室井氏と私は某予備校で出会い教壇を共にしたことがあるのだ。尤も芥川賞を受賞された一九九四年には氏は既にこの学校を去っていたから、ほんの二年あるかなきかの短い間での話である。従って氏と初対面を果したのは今から遡ること二十八年前の一九九二年新学期を迎えて間もない頃であったと思う。

四月のある日講義を終えて講師室に戻ったばかりの私は、講師たちがざわざわと集まるなかそこだけ森閑とした空気を感知し見ると、そこにポツンと所在なげに室井氏が私を待っていた。こちらの正視を逸さないがどこか含羞を含んだ奥光りするこの人の目の表情が先ず私には非常に印象的であった。

氏をこの学校にアルバイトのつもりで世話した氏をよく知る教授は私の師であり又予備校講師としても私の大先輩にあたる人なのだが、この師から此度室井氏が講師になる、ついては氏が講義に慣れるまで少しの間様子を見てやってくれないかという依頼を受けていたと記憶する。「面と向った時の彼は口数の少ない男だが、書けば言葉が湯水のように沸き出し溢れるとんでもない作家なのだ」というこの教授の室井評のなかのひと際突出した「とんでもない」の一言を私は聴き収めていた。

この日室井氏の面差を一瞥しただけで、決して単色ではない氏の彫りの深い内面を読み取り、私が覚えた戸惑いは名状し難く咄嗟に「作家受難」の図柄が脳裡をかすめた。ここに場ちがいの人が紛れ込んでいるというどう説明されようとも承服し難い違和感に、直覚的に私の胸裡は翳ったのである。

当時の室井氏について単なる印象批評に終ることを戒め、氏が如何に場ちがいの人であったかを明らかにするためにこの場について少し言葉を費す。

予備校とは人も知る一大教育産業であるが、二十八年前のこの職場を顧みると、当時の世紀末的世相の反映によるところもあったのか、年ごとに経営側も教師の側も共に刹那的場あたり的な風潮が強まり、教育の理念などは二の次三の次に押しやられ、この巨大産業がうまく回り効率的に営利を産むことが両者にとって一番の優先事となり、即物的なものの考え方が露骨に表に現れていたのである。当然教育現場は荒みが目立ち始め内部から凋落へ向かう傾きは強まるばかりで、その頃の私が承知していた予備校の実態たるや、世のはぐれ者の寄場の態をなし、異様な昂揚と沈滞のムードの混じり合う幾つかの病理までも場に潜んでいたのである。こう言う当の本人はその寄場に五十路半ばまで身を寄せた人間であることは断っておこう。

衰退は近くまで来ていたとはいえ、その頃の予備校風景はそれでも今日とは隔世の観のある一教室二百名余の学生が依然として詰った教場であり、教壇に教員ひとりがマイク二本で一方的に講義を行うのが常態であった。この特殊な空間での一日四コマ六コマの連続講義は日々八百名から千名余の学生相手の仕事に他ならず、その内実は「知的」という形容辞は折れふっ飛び字義通りの「労働」そのものなのだ。いつの間にか質を保つ授業は崩れてゆき、アウトプットばかりの特売場における売り捌き仕事に似て、ともすると教師の声高な誇張、膨張、擬態までもがはびこる粗笨な授業がまかり通るほど教師の質も低下していたのである。学校と呼べるのか甚だ疑わしいどこか浮足だった蕪雑な場所に、文字を書く人が時間を割き身を晒すとなれば、ただでも集中も根も要する孤独な物書き作業は大仕事であるのに、かてて加えて心身の消耗を伴う肉体労働が重なるわけでそれは酷という他なく、当時の私の実感として作家と予備校講師の両立は所詮ありえぬ話だったのである。

その日人と場所のミスマッチの典型を目のあたりにし、この職場の労働がたとえアルバイトであるにせよ続くならやがて作家の本業の障りになるやもしれぬ事態を、二十年近くこの職場にいる私は極度に懼れたのだと思う。勿論現下を生きる作家の多くが、二足目の突っかけ草履を履かざるをえない諸々の事情を重々弁えた上での話であるが、にもかかわらずこの仕事場にあまりにも似つかわしくない室井氏の身に、私は一抹の気がかりを拭いされなかった。

尤もほどなくして文筆が天職の氏は難を逃れ、本来の作家の道に邁進することになるのだから、私の気がかりなど全く余計な杞憂に過ぎなかったのだ。自らに定められた一筋の本道に戻るべくして戻ったこの文人の後姿を、安堵と祈りの眼差しで見送ったことは言うまでもない。

3 言の葉ひとひらの縁

室井氏の短い講師時代に起きた私が終生忘れ難い出来事について語ろうと思う。それはたった一片の英語表現に端を発した偶発事ではあったけれど、これがきっかけとなってその後室井氏との交流の道がひらけ、発表される作品を読み知るに及んでいよいよ作家の本然の姿が鮮明になり、この人物は作家になるべくして生れた人、それ以外の道はなかった真正の文学者なのだという感を深めることに繋がった因縁の事件なのだ。

先に触れた話だが、わが師から室井氏の講義のお手伝いを命ぜられた私はおこがましくも氏が担当する英文解釈教材の中でその日教えるべき要点の幾つかを参考にしていただくためにピックアップし、質問に答える形で電話による氏との接触が始まった。断っておくが室井氏の英語読解力は凡才の水準にとどまるものではなく、実際は人の助けなど少しも必要としない実力の持主であった。

電話を介した我々の遣り取りが始まって間もなく、単なる驚きを通り越してまさしく驚愕の日が訪れた。テキストの文脈は今は遠い昔のことで分明ではないが、この成句を教えれば一度ならず二度三度受験で躓きを経験した学生の胸に必ずひびくはずだという思いもあって室井氏の講義用にその成句を私は用意した。後に作家の文学畑に移植され数度氏の著作の中に処を得、氏一流の解釈の下その都度蘇りを果たす生物と化したフレーズ fail to V がそれだ。

「しない」「できない」「怠る」「仕損なう」、この四通りの訳語のどの道筋を通ってもどん詰りに failure 挫折・失敗が立ちはだかるこの遣瀬なさのたち登る一連の訳語を私が平板な口調で並べたてたその時、筆記していた氏の手は停り電話口で「ムムッ」「ウゥッ」であったか作家は一瞬喉を詰らせた呻き声を発し、突如それまでの穏やかな声調は変調を来たし、「長内さん、会ってください」と身をぐっと前に迫り出したのだ。

英文テキストから私がつまみあげた fail to V という言の葉一つが、氏の鋭い聴力にいかなる魔の誘いをかけたのか、又その誘いを氏がどう受け取めたのか、その間の呼吸は知る由もないが、電話の向うに光る眼をした室井氏の真剣な面持を私はありありと視た。

その時の我々は英語教材のことで打ち合わせをしていたのだから、当然乍ら「電話じゃ駄目だ、直接会ってご教示を」と氏の言葉を解釈するのが普通のまともな人の受け取り方というものであろう。がしかし私は普段から不可解で怪訝に思われる物事を見聞きするたびに、自己流の英文解釈を施す癖のある人間なので、氏の暗号打電文を「少々話したき儀あり」その裏に「汝ただちに出頭せよ」の含みあるツベコベ言わさぬ凄味ある意であると即座に英文解釈した。

氏の召喚にただちに応じて私が氏と対面した光景は、氏を知る人なら皆想像がつくであろうし、身に覚えのある人はさもありなんと微笑・苦笑を浮べて頷くことであろうけれど、氏の頭から明日のテキストをどう教えたらよいかなどという瑣末なことは——尤も並の新任講師であれば学生二百名を前にした明日の講義は疎かにはできず、その段取りに必死になるところだが——とうに雲散霧消していて、おまけに私が身にまとう英語講師の衣などもまるで氏の眼中になく、あたかもこの席が前もって設定されていたかのように、では早速本題に入りましょうという構えであった。

本題に入るとは言うまでもなく文学を語ることを指す。その本題に私をさし招く氏のふるまいは謙虚にしていささかも人を威圧するそぶりもなく、そこに私が視たのは仕事の手を休めて下の文学畑からたった今上ったばかりでそのまま来ましたといった何の衒いもない常と変らぬ風のひたすら作物のために働いている作家の質朴な貌であった。

「縄文人ならぬ縄の文人を志向する私は他の何はさておき、魂をどよめかす縁を重視する気質の人間だ」（『縄文巡礼』）と記した室井氏と先のフレーズひとひらが縁となり、一介の英語教師である私との間で文学話に熱がこもる仕儀となったのである。顧みればこのような意想外の出来事は相手が言葉のかけら一つにも心淫（みだ）すほどの言葉それ自体に対する尋常ならざる感受性の持主である室井氏であればこそ起き得たにちがいなく、わが生涯でこれほど緊迫感のあるおそれとおののきに満ちた、けれども重い実りのある氏との対座を成立させた不可思議なめぐり合わせに、今は手を合せたい心持である。

4　室井氏の文学話

その席で毎年年末の休みになると私は恒例としてプルーストのあの大部の小説を読むこと、そして読むたびに作中人物シャルリュス男爵にT・S・エリオットを連想することがしばしばで、この作中人物に興味が尽きないこと、また詩人エミリ・ブロンテを再発見し、「嵐ケ丘」を改めて読み直していることなど、氏が静かに耳傾けてくれることをよいことにして私は散漫な話に終始した。が一方室井氏の話は文学をめぐる雑談あるいは単なる感想の吐露と言った冗漫な話とは別次元の奥深い文学の話に他ならず、さすが作家と唸らせる味のある話に私はたちどころに聴き入った。ロレンスを語ろうとジョイスを語ろうと、室井氏の言葉で語るその話は深い読みと理解から生れるこの文人ならではの感動を主としていて、胸にひびく氏の一語一語に私が感じ入ったのは、若き日より詩に宿る霊力に目覚め、自ら詩・短歌・俳句の実作に入れあげて詩語の含蓄を身をもって知ったこの作家の言葉には、世の所謂文学研究者の用いる言葉とは質的に異なる、人の心の機微に奥深く浸透する異なる力が確かにあることだった。

感嘆したのはこれだけにとどまらない。私が聴きほれた氏の文学話にはいまひとつ際立った特徴があり、これが氏の話に無類の滋味を添えていた。話の起点はひとりの文人の一作品であったものがいつの間にか話はその域を超えて、世界文学の庭を逍遥し、さらに哲学や神話の世界にまで広がってゆく。そしてこの寄り道のあちらこちらにとりどりの光源があって、その光を総身に浴びた出発点の話は終着点にくると、重層的なふくらみのある話に変容しているのだ。氏に導かれ案内されているうちにいつの間にか室井氏の文学の館をひとめぐりして来たような気分を味わう話の展開だった。

大学の庭ではまず聴いたためしのないロレンス・ジョイスをめぐる聴かす文学話をひさびさに聴いた思いがして、自ずと感動が私の胸にこみあげてきた。その時私はつらつら思ったのだが、たった一篇のロレンスの詩「バヴァリアのりんどう」を語る氏の念頭に余程くっきりとしたロレンス像・ロレンス観が定まっていなければ、こういう人を感動させる味な話はできるものではないと。恐らく氏はロレンスの主だった詩作品又小説をひとわたり読み、その中でこれはという重要な作品に行きあえば、片手にペンを握ってそれこそ百遍も精読を重ねるのだろう。読んでは書く、書いては読みにもどる、この読み書きの往復運動を繰り返し行い、しかもロレンスを氏が心読した世界文学のフィールドの内に置いてこの作家の真価にみあう位置づけを踏まえ、やがて一篇のロレンス論を執筆する。こういう読み書きの合体した作業を経て、明確なロレンス像・ロレンス観を氏は我が物にしているのだ。勿論そこには誰彼の批評家からの借物は一さい無い。

精読と執筆の合体したこの精妙な仕事を成就するには、批評家の冴えた知性の働きを俟たずには成果は望めないのは自明の理というものだ。室井氏にはいかにも批評家らしい円転滑脱な知性がゆたかに且つふんだんに備っていたと思う。氏の初期の作「零の力」に歴然としている一頭地を抜く若き室井氏の知性は誰もが知るところである。そして二〇〇〇年から二〇〇九年にかけて刊行された氏の文筆の集大成である三つの著作、すなわち「キルケゴールとアンデルセン」、「カフカ入門」そして「プルースト逍遥」という詩的ヴィジョン・物語・speculationsが見事に融合した三作にあっては、氏の知性はいよいよ円熟し、底光りを増し渋みさえ加わった観がある。

その日私の眼の前に座りロレンスを語ってくれた三十七歳の

室井氏は、その場に本体のぼやけた中味の不明な一作家として存在していたのではなく、本格的な一批評家として現前していたのである。そして私はそのすぐれた批評家と対座するという又とない僥倖に行きあっていたのだ。

その折私を聴き手としたロレンスの詩をめぐる室井氏の文も曲もある味わい深い話を裏打ちしていた氏ならではのロレンス像・ロレンス観に目を向けよう。一流の批評家の証しである凝縮と充電の見本のような氏の批評である。

D・H・ロレンスの「亀の叫び」という訳詩を引用したあとの氏の一文。

「キリスト教やマルクス主義が十分に勢いを保持していた時代にすでにその救済能力に懐疑し、孤立の性哲学にのめり込んだ悲劇の作家が書いた、傑作という月並みな言葉をかぶせられない詩のひとくさりである。詩の技巧はむしろつたないとさえいえようが詩魂を支える情熱の火柱は太い。既成の主義による共和国に訣別し、「大らかな夢」を素材とするピラミッド建設をロレンスは提唱した。しかし「事業」は成功しなかった。彼の「聖ローマンス教会」は性という荒野に建っていた。プラトンの神話にある通りはじめに「全一」があり、それが切り離されて双子となったのが男女だ。だから「ふたたび全一となるために」人間は「深淵を超えて」呼び合う片ワレ的存在である。「部分でありながら、宇宙のなかからふたたび全一を見出している声」こそは生の唯一のアカシであるというのが、強度の視力と聴力とを天より与えられ、生れてくるのが少なくとも五十年は早すぎたこの作家の手作りの真摯な哲学の全部であった。彼の全ての小説がこの単純な哲学の具現物のヴァリエーションだった」(「声とエコーの果て」)

活字にしてわずか十六行ばかりの小ぶりな批評なのに、ここにロレンスの面目が生きいきと起ち上り、その偉業も限界も、その文業の全貌もあますところなく言い尽されていて、この評言に一言一句加える要もない氏の知性の冴え渡る批評を我々は目のあたりにする。こういう批評が書かれたあとでは、ペンペン草しか生えないであろうとさえ思われるほどで驚嘆の一語である。

5　T・S・エリオットをめぐって

室井氏の三十代後半から五十代始めにかけて何回か氏と交流する機会に恵まれたが、私が氏と差しで本気で文学の話をしたのは、その時が最初で最後であったかもしれないと昔日を想い起し過ぎ去ったその得難い一刻に思いを馳せる。だがその一刻は文学を今まさに生きる作家の生の声を直に聴きその話に心打たれたという単純な話では済まなかったのであり、そうであればこそ尚更にあの一刻は私の記憶に深く刻まれることになったのだ。二重の意味で私がそれまでの自分の生を見直すきっかけともなった一期一会の刻となったと思うのだ。一つには氏によって言語表現のいろはを教わり、物書き作業の出直しを促されたという意味において、又今ひとつ室井氏の深く考え込む時の厳しい尖った貌を一瞬垣間視、作家として立つ人の毅然とした威厳ある態度に、私が深く思うところがあったという意味においてもである。

我々の対座で互いについ真剣になってしまい気色ばんだその場面に話を移す。それまでは静穏なうちに対話は進んでいたのだが、突如座の雰囲気は急転回し、いささか剣呑な空気が流れ始めたのだ。我々の話題がエリオットの詩作品に及んだあたりから雲行きが怪しくなった。若き日に何とか書き上げた私の修士論文の対象がT・S・エリオットということもあったので、その論文の主題として人間救済を掲げるヒューマニズムは限界ある一信条に過ぎないと批判したエリオットの信仰の問題を採りあげ、この詩人をしてアングロキャソリックへの改宗を決意させた大本の引金、即ちこの人の胸底に澱み潜んでいた原罪意識に的を絞って論文作成をしたと私は漏らしたのだ。するとこの私の発言を聞いた氏はすぐ様、そこが問題の核心だとばかり矢庭に勢いづき、では原罪意識とあなたが言う以上、その中身である具体的なモノ、エリオットの原罪の正体を何と捉えているのかと一気に畳み掛けてくるその勢いに、私は応接に戸惑う始末であった。氏はいくつかの疑問を真剣に投げかけてきて、原罪の話が出たからにはエリオット自身が受容したその暗い影の領域にある罪の内実を知らずして自分は到底引き退れないという決意すら滲ませる裂帛の迫り方をみせたのである。

エリオットの原罪意識の内包する罪の実態がどういうモノであったのか、この問題は浅学の私の頭を悩ませたばかりでなく、世のエリオット研究者も含め、恐らく当時の室井氏も同様にその核心が見えない闇を手探りする難題であったと思う。何しろエリオットが信仰に至った経緯を何らかの形で明したかもしれぬ日記や書簡などが公表されておらず、詩人自身私生活を封印したまま終った公には強面の人であったので、又囲りの文壇人もこの高名な詩人に配慮したのかあえて触れず避けていたふしもあり、エリオットが信仰に至った内的動機を探索した文献資料は無に等しいのが当時の実情であった。そこで私は専ら詩人の作品の読みに頼るほかなく、主に「ボードレェル」と「パスカルの『パンセ』」という散文作品二点の熟読を通して、そこに著く暗示されている私人エリオットの秘匿された赤裸々な告白こそ、この詩人の魂の秘所に分け入る極秘資料とみなしたのだ。その資料を迹るうち私が確信を深めたのは、エリオットはパスカルが経験した魂の暗夜に通底する魂の暗闇の極みに間違いなく身を置いた人、それもかなり長いこと原罪と認識するほかない底深いか黒い罪の意識に苦悩した我々とかわらぬ罪人のひとりということだった。苦しみの果てに暗夜に差し入る一条の光に導かれやがて信者の道を決然と選択し、改宗というよりも回心とも言うべき魂の劇的ドラマを生きたエリオットの人間としての誠実に胸うたれないわけにはいかず、若年の私の心は完全に信者エリオットに征服されていたのだ。

いくらエリオットに信を置いていた事情が私にあったにせよ、この詩人の原罪意識の輪郭だけでもくっきりさせる究極の一句に窮し、室井氏の的確な質問を満足させる明確な返答もろくにできなかった知見を欠いた私の無能を私は正直に認める。又信者エリオットの「人間」に重きを置いた偏頗な発言ばかりをくり返した視野の狭い私と、文学者エリオットの全体像を踏まえて発言する作家室井氏との間で、歴然とした力量の差は言うまでもなく、互いの視点の違いも相俟って互いに噛み合わない溝が確かにあったことも認めよう。その上で正直なことを言うと、私にとっては我々の見解が齟齬を来たしたことなどは大した問題ではなかったのだ。それよりも室井氏が私に真剣に接してくださったおかげで、私が痛切に受け取った重い課題の方が、当時の私には大事と思われたのである。

エリオットをめぐる遣り取りの中で、「あなたは信者エリオットの「ひと」に全幅の信頼を置いているようだけれど、私はあなたの見解とは異なる。私にはあなたの言うことがよく判らず納得できない。承服しかねますぞ」と物語るあの腕組み状態で苦りきった真顔の氏の圧倒的な気魄に、私が一瞬気圧されたのは偽らざる事実である。がしかし自分に理解できないことは認容しない毅然とした氏の態度に、事文学に関しては恃むところは己れひとりという作家の軸のぶれない純平たる自恃の精神をその時室井氏はけざやかに覗かせたと私は理解した。そして畏敬の念が自ずとこみあげ、室井光広という作家の気骨を全身で受けとめつつ、改めて文の道に生きる人に宿命的な厳しい孤独な在り様も胸にこたえた。

それと同時にこの対座から私が有難くも教示を受けたのは、微妙な意味深長な事柄を語る場合抽象的な模糊とした物言いは、結局何ひとつ語ったことにはならないということ、そしてその事柄が謎めいていればいるほど、リアリズムの手法に物を言わせてその実態をはっきりと表現する言語表現の心得であった。

私にとっては一考も二考も要する収獲の多い対座であったが、氏にしてみればエリオットに関しこれといった実りのない対座に終り私自身の力不足を恥じ入るばかりであるけれど、それでもその折私は私なりに当時の氏の心境について読むべき物は読んだという思いはあった。氏のエリオットを語る言葉の端々から、とりわけ私が集中砲火を浴びた氏の質問そのものからも、室井氏が詩人エリオットに並々ならぬ関心を抱き本腰を入れた勉強が相当の進捗を見ていて、詩人評価はほぼ定まり、あとは機運さえ熟せばいつでもエリオット論執筆に取りかかれるあと一歩のところにいる様子が充分に窺い知れた。がしかしその裏でエリオットに関して氏の腑にどうしても落ちてこない一点に氏は躓いていて、それが障害となり執筆へ向う情熱に今ひとつ拍車がかからない隔靴掻痒の心的状況に行きあっていると私は見た。作品を精読し読書ノートをとっても尚文人エリオットの「ひと」が、信仰の道を選択したエリオットの「ひと」は尚更のこと、氏の鳩尾にズンと沁みてこないもどかしさに氏は困惑していたのだ。エリオットの「人間」の見えざる素顔を穿つ突破口を模索しているちょうどその途上で、何と偶然にも私相手にエリオットが話題にのぼる事態に出くわし、手懸りの一つでもとつい淡い期待が氏の胸に萌したのかもしれない。私の「原罪意識」発言に氏が敏感に反応し心が激する一幕となったのは、当時氏の心中にある悩ましい懸案を解決したい真剣な思いが氏の側にあったからだとも解せるのだ。勿論私の明晰さを欠いた物言いに氏が苛立ちを覚えたこともその一因と自覚した上での話である。

　歳月は流れこの対座から十年余後の二〇〇四年、「ポッサムへ贈る13のトリビュート」の巻頭に「エリオットの効用――あるいは蝶番をめぐって」を氏は発表する。この十年余の間の氏の創作活動は充実期を迎え、労作「キルケゴールとアンデルセン」（二〇〇〇年刊）は上梓をみ、「原典と照合しつつ全集をくまなく探索し……愛読というより〝帰依〟に近い心持」でカフカに氏はのめり込むかたわら、氏のエリオットの詩作品精読は以前と変らず続けられ、この詩人の「ひと」の問題の克服を期して氏のエリオット関連ノートは嵩を増したことは想像に難くない。

　私がひとかたならぬ関心をもって当時読んだそのエリオット論の中で、「私は世界の名士としてのキリスト教文化人エリオットの『文化の定義のための覚書』で分析されている「選び抜かれた者」が原義の「エリット」としてのパーソナリティーが苦手だった。エリオットが長いことゲーテに対して抱いていた偏見・反感に少し似たものといっていいかもしれない」と氏はこの詩人に対する苦手意識を包み隠さず表明し、共感できないところを乗り越えて新境地が開ければという思いでこの論文を書いているとも語る。では信者となったエリオットを氏がどう視たかというと、「最終的に破滅の身であることに耐えられなかったエリオットは天国に棲む至福の霊に相まみえるための道を選んだ」と氏は書く。信仰に逃げ道を見つけ駆け込んだ罪人エリオットの姿をとらえたこの氏の見解は、慎重に言葉を選んだいささか荘重な語り口ではあるが、裏に皮肉が込められた手厳しい言説である。けれども一面非常に率直なまっとうな見解とは言える。

　作品鑑賞に作者の実人生を知る必要はないと言い切り、作品と私生活をことさらに切り離す冷厳な高圧的ともいえる姿勢を崩さなかった文人エリオットに、自己防衛のいじましさ、醜悪さをあるいは氏は嗅ぎとり、名声に包まれて容易にその素顔を見せぬこの文人の老獪な一面に反感を覚えたのかもしれない。ただしよく考えれば、氏の反感や偏見は単なる激情の発露にすぎない嫌悪や拒絶とは異なり、エリオットの本体があるところまで確と視えていなければ生れない感情の表出にちがいないわけだ。従ってエリオットに対する氏の理解がある時点で一気に深まれば、その障壁も難なく乗り超えることも可能であることを我々は頭に一応置いておこう。

　ともあれ共に同じ文人という土俵に立ち文人室井光広が文人エリオットに真正面から対峙し、その本体を矯めつ眇めつじっくりと見据えたところから、自らの全存在をかけて物申すというこの一本筋の通った直言ができるところに、室井氏の性根の坐った堂々とした作家たる所以があるのだ。既成宗教に改宗したエリオットに逃げの姿勢を見逃さなかった室井氏の見解に私は全面的に同意はしかねるけれども、エリオットを二十世紀最大の詩人のひとりとして、或いは世界的に名高い大知識人として世に賛美する唇は絶えず、それがためにかえってこの詩人の素の貌が見えずらくなっている今日、既成のエリオット観に曇らされることなく、又名声の光輝にも幻惑されることもなく、己が眼でこの詩人の価値、功績を認めつつも醒めた眼でエリオットの実像に肉薄する氏の見解はむしろ新鮮で稀少なのだ。この氏のエリオット観を知るに及んで、あのD・H・ロレンスに注がれたのと同じ氏の眼差しを私は見てとる。つまりすぐれた批評家の非常に冴えた知的眼差しを……。

　エリオット論完成後の二〇〇五年正月私が落手した氏からの書簡に「まぎれもない天才詩人だとは思いましたが、小生にはやはり〝苦手意識〟がぬぐい去れませんでした」と私にも率直に心中を述懐する氏の言葉が綴られていた。真剣に臨んだにもかかわらず最後までエリオット氏に深いシンパシーを感じずに終った氏の無念の思いを滲ませるこの文面に、ひと昔前の氏とのあの対座が俄にありありと蘇り、私としては氏の積年にわたる真摯なエリオット追尋の足跡を見知っているだけにひとしお感慨深いものがあった。

「エリオットの効用」論に「今ひとつ」の思いを残した氏ではあったが、この論究をもってエリオット追尋を諦めるような人ではなく、更なる探究心と情熱を傾け「苦手意識」の克服へと氏は歩を進めた。この壁のつき崩しを計るにはエリオット単独の作品精読に頼るだけでは暗礁に乗りあげるのは目に見えていたわけで、この行き詰りを乗り超えるにはそれまでとは全く別の入口からエリオット像を見定める視点、言うなれば室井氏愛用の言葉「紙神」の啓示による新たな視点の獲得がなくてはならなかった。私の視るところ、二十世紀文学の双壁をなすカフカ・プルーストに氏がつんのめって執筆が勢いづいてきた最中、この何とも霊妙な啓示が卒然として氏の上に降ってきたのではないかと私は想像する。

カフカとプルーストをつき合わせた形での精読に精励し同時に筆も動かす積年にわたる研鑽が氏に手渡した豊穣な収獲は測り知れぬものがあり、氏の作家能力は厚みも深みも加わり雄渾な筆力を我が物としていることは、二〇〇七年刊「カフカ入門」におけるカフカの暗い影の領域の深部までも浮き彫りにする氏の書きぶりに著く明らかだ。この著作はまさしく室井氏の独壇場だ。氏の年来の帰依の対象カフカがこの作品の中で時空を超えて現在ただ今降臨する臨場感は圧巻である。この作品執筆に取り組む氏に、己の筆だけを頼んで執筆三昧境にいるいささか神がかり的一文人の姿が彷彿する。書きたいことが次々に湧き上り書く筆が追いつかないほど筆が勢いに乗る充実期の訪れをどの作家もその生涯に経験するものだが、「カフカ入門」執筆時の氏は作家として最高の上げ潮の盛時にあったのではないだろうか。それまでの室井ワールドの扉という扉が全て開き新しい気が流入し、さまざまな想念を書きたいように書いて構築することに成功した「カフカ入門」は、氏の入魂の自信作であったのではないかと、私は密かに確信している。

氏が最後まで愛したカフカと氏が傾倒したプルースト、この二大文人の文学作品の尽きざる魅力を織りあげる仕事への没入は、室井氏のエリオット考究にも波動が及び、氏のエリオットを視る眼に大きな飛躍が訪れる。積年のエリオット追尋の旅の終りであり同時に始まりともなる真新しいエリオット像の発見、即ち一つの瞠目すべき室井氏のいかにも詩人らしいヴィジョンの発見に氏は漕ぎ着く。その発見にカフカが力を貸したことは言うまでもないが、プルーストが果した役割はとりわけ大きい。

「カフカ入門」の第十章「サトゥルヌス人」に書かれた氏の言葉に先ず注目しよう。

「私がショックを受けたのは、このサトゥルヌスへの巻末訳注――「ローマ神話の農耕の神。転じて天文学で土星のことを言う。しかしプルーストは親しい友人たちのあいだでのみ通じる符牒で、同性愛者を『サトゥルヌス人』と呼んでいた」であった」

氏が胸騒がせて見入ったサトゥルヌスへの巻末注記に記されたプルーストが同性愛者＝サトゥルヌス人と密かに見做していたこの指摘こそ、氏の信ずる「紙神」の啓示が氏に降ってきた瞬間だった。同性愛者＝サトゥルヌス人、この一致を知ったまさにその時、氏の眼前は割然と開け、そこに今まで見たことのないエリオットの素の貌が鮮明に起ち上ってきたのではないだろうか。

続いて同書第十二章「聖セバスチャンの変種」ではカフカの日記にある言葉を氏は引用し、それについてコメントを添え聖セバスチャンなる聖人がどのような存在かを明記する。

「ぼくは画家アッシャーのために聖セバスチャンのモデルとし

て裸でポーズをとることになっている。
これは前後から独立した一行である。画家のモデルとして裸でポーズをとることは、珍しくない。ただ他ならぬカフカがそういう振舞に及んだこと、そしてさらに眼をひくのはモデルの名がセバスチャンであることだ。／……美術についてよく知らずとも、聖セバスチャンがホモエロティックな愛の対象としてサトゥルヌス人の特別の愛惜の対象となっていることは、三島由紀夫の『仮面の告白』からもわかる」

この室井氏の一文から聖セバスチャンという中世では矢を浴びる美青年として描かれる殉教者が、同性愛者の間で暗黙のうちに合意されているホモエロティックな愛の対象であることが確認された。そしてついに我々は室井氏のエリオット像の新しいヴィジョンの発見に導かれる。最終章である第十三章「十三参りの終りに」のそれこそ「片隅」にこの氏の見逃せない指摘を初読した時の私の驚きといったら一瞬息をのんだほどで、二〇〇四年の「エリオットの効用」には書かれていなかったこの詩人の「人間」の肝心要の核心を射抜いた氏の発言を、胴ぶるいする思いで私は知った。このあまりにも有名な一詩作品をめぐって数限りない研究書や評論がうず高く積まれているエリオットの「荒地」に氏は着目し次の様に述べる。

「若年の日に、ただならぬ情熱を込めて「聖セバスチャンの恋唄」という詩篇をものしたT・S・エリオットはやがて代表作「荒地」のⅢ「火の説法」において〈このわたしティレシアスは盲目ながら二つの性のあいだを動悸して〉と書き、さらに注を付し、ティレシアスは単なる傍観者で、はっきりした性格をもっていないが、それにもかかわらずこの作品に出てくる最も重要な人物で、他の人物はすべて彼を中心に成立している、とつけ加える。／ロラン・バルト同様、エリオットはこのささやかな注記の中で、サトゥルヌス祭をひそかに愉しんでいる。読者の眼が注意深く注がれるとはいいがたい片隅・隅っこで、エリオットはサトゥルヌス人の情念をこめていう――／……すべての女は要するに、一人の女であり、女も男もティレシアスなのだ、とエリオットがいうとき、ティレシアスがこの世ならぬ愛の複合体としてわがポエジーの中核に位置し、すべての作品を統括していると宣言したかったに違いない」

もう言葉を費すまでもないだろう。室井氏はエリオットの代表作「荒地」の「隅っこ」で、そこに決して書かれていないことを読んだのだ。エリオットが終生緘黙して封印した自身の「弁慶の泣き所」、この詩人が心底苦悩した暗い影の領域に潜む罪の内実に氏の透視力はついに到達した。批評家の間で口を濁した指摘や曖昧なほのめかしはそれまで無いわけではなかったけれど、エリオットの本体を「種々のものに変幻・変形する神」であるこの陰翳のある複雑な貌を持つサトゥルヌスという括りで「サトゥルヌス人エリオット」と正面から捉えた作家なり文学研究者は、私の知る限り室井氏をおいて他にひとりもいない。「サトゥルヌス人エリオット」というこの詩的ヴィジョンを氏の独自な発見といわずして何と表現したらよいのか私は知らない。この発見ひとつで、エリオットの「ひと」を視る眼が、又「荒地」の読みがガラッと変り、「荒地」を一篇の詩作品として改めて深く読み込むこともできるわけで、否氏の言葉どうりエリオットの「すべての作品」の「実態を見誤ることのない」真の鑑賞に繋がるのである。このヴィジョンの発見は勿論氏が成し得たにちがいないが、しかし氏自らもその発見に驚きを禁じ得なかっただろう。氏の「詩神・紙神」は室井氏を見放さなかったということだ。この発見によって積年の溜飲が下がる思いで、氏はエリオットに対する偏見も反感も乗り超えられたのだと思う。それほど氏にとって意味ある発見だったのではないだろうか。

「我々人間に課せられた不幸な条件の一つは、that we have to find things out for ourselves 何事も独力で真実を発見し知らなければならないことだ」こう「ボードレェル」論においてT・S・エリオットは語る。この言葉に宿る永遠不変の真実を正しく理解し実践できる人は、いつの世も極めて少数の、我々探究心も情熱も持ち合せていない凡々たる人間とは遠く隔った地平に生きる極く例外的な人に限られる。「何事も独力で真実を発見し知らなければならない」この言葉の真を黙々と全生涯をかけた作品創作の形で生きた例外的な作家のひとりであった室井光広氏に、私の驚嘆と敬愛の念は深まるばかりである。

6　二重唱

今日ただ今私の手許には在りし日の室井氏から戴いた三十通余の全て氏の手書きによる葉書・書簡が残っている。これらの私信の多くは氏の日常の一コマをさりげなく伝える通信文ではあるけれども、その日その時の「おかし」「かなし」が点描された氏の心象風景をくっきりと浮び上らせる独特な書きぶりは格別な趣きをたたえているために、そのどれもに何か特別な贈物を戴いた気がして、最初の一通から捨てられず私の筐底に収めて保管しておいたのだ。氏の個性的な運筆を含めて私が愛惜するこれらの私信の中から今私が採り出し目を凝しているこの一通は、室井光広氏の「文学＝人生」と「ひと」の殆んどその全貌を凝縮して伝えてくれる私がとりわけ愛着を覚える書簡である。

一九九三年秋頃予備校の年刊誌上に載せる雑文に私が苦戦していた最中に、書き損じばかりの日々を葉書で書き送ったのだと思う。当時の氏は「そして考」（文學界）と「おどるでく」（群像）の二作の創作に没頭する戦いの日々であったにもかかわらず、新たに年が明けた正月過ぎ氏から懇篤なる励ましと諭しの返書が私の許に届いた。

作文程度の文章もろくに書けない当方にとって神託のように

胸奥に沁みわたるその文面には、何と例のフレーズ fail to V までも作家の自家薬籠中のモノ・言葉となって出現し、氏のグリップの効いた深い意味を帯びて文中に織り込まれていた。

その文面の冒頭の一節に耳を澄ます。

「〈人生、このあやまちの連続……〉とプルーストはかの大著の中にさりげなく刻んでいます。この erreur の意味するところはじつに深いものだと、この年になって実感する毎日です。お葉書の「素人ですから書き損じの連続ですが」の箇所から連想いたしました。仏語の〝erreur〟のニュアンスとは異なるやもしれませんけれど、以前教えをうけた failure の四つの意味やら……but in vain といった小生の好きなフレーズも湧き上ってきます」

と前置きがあり続いて、私が幾度も読み直し耳に収める私にとって限りなく尊い氏の表白。

「貧生の「実感」とは人生とは表現された人生の謂であり、そしてその表現の玄人は「書き損じ」をつづけられる能力以外のものではないという一事にかかっております。怠るか、しないのか、し損なうのか、できないのかの区別を無化し、「結果」としての failure にふうじ込められた表現のプロセス、その悪戦ぶりが、「このわたし」の生にとって、限りなく重要なのです」

この室井氏の一文を読む私にひそかに忍び寄り、氏の文章のすぐ横に寄り添う双子のような文章を引用する。

なぜなら「私とは文学にほかならないのです。それ以外の何ものであることも出来ないし、あろうとも思いません」から。

室井氏の一文そしてそのあとにつづく前文の理由となる一文。文章の前後が琴瑟相和し共鳴するひびきに、まるで同一人物が書いた文章かと見紛うほどだ。私が氏の前文の理由として置いた後文は、室井氏の名作「カフカ入門」第二部にある氏の引用を孫引したカフカの日記にある言葉である。手紙と日記の違いのせいか書きぶりにわずかな差異はあるにしても、言葉の含みを読みとればこのふたりの文人に通底する作家魂に間然するところはない。「文学の詩神・紙神に寄せる連祷」と題する二人の作家による男性二重唱を聴いている心持である。カフカ同様に文学を天職として生き文学こそ自身の raison d'être であったまさに文学の申し子である室井光広氏に改めて思いを致す。

声調やさしく私に語りかけるうちに図らずも、氏の手紙は文学の力を信じ生涯にわたって文学に打ちこむ作家の日々の実践、即ち自ら苦しみ、自ら発見し、自ら書く行為の価値に対する氏のゆるぎのない信を語る運びとなったのだろう。まずめったに聴かれない美しい調べ、作家室井光広氏の絶唱が、思いもかけない形でわが耳元の岸辺にたどり着いたのである。

感謝と敬愛をこめて　合掌

オッキリの人、室井光広

角田　伊一

小生の書棚に、室井光広氏からの書簡がうず高く積まれている。その数およそ五十通。和紙の墨書もある。平成十年元旦の書状は氏からいただいた最初の書簡で、六枚の和紙に端正で流麗な文字が並んでいる。無類の蕎麦好きの氏に、奥会津産のソバ粉を使った小生手打の生ソバを送付したところ、「手打生ソバがあまりにうまかった！　ので、ほとんど握ったことのない和筆をさがし出し、せめてインクだけでも手作りにしたいと、墨をすってお礼をしたためたくなりました」と書き出された礼状で、小生にとっては宝物ともいうべき一品。

「猛暑の中ご多忙をおしての心清水あふれるお手紙、多謝叩頭！おのが原郷圏に棲まう人と、このような通信のやりとりができること夢のようです。かつて宮沢賢治は郷里をイーハトーボとよびました。それは単なる詩人の理想郷願望の表白にとどまることなく、羅須地人協会なる農民芸術運動の拠点作りがなされる過程で、どっどどどどうと風の又三郎の如く西へ東へ大悲へのまなざしを吹き渡らせるに至ったのでした。ルンペン作家にはそのツメのアカを煎じてのむ資格すらなく、長いことただまぶしい存在としてあおぎ見て来たにすぎませんけれど、大兄との縁の風は、ルンペンに、賢治的原郷創りにつながる虹のような可能性を運んでくれるのでは、という気が強くします」

平成十二年八月七日の書簡は二百字詰原稿用紙七枚に及ぶ長文で、「千葉四街道を、奥会津精神の前線基地――といっておこがましければ、出稼ぎ、もしくは出作り小屋として、世界に通用する究極の田舎者文学の樹立を志す」拠点にしようではないか、とある。二十年に及ぶ書簡の束は、氏の魂の拠りどころを満載した文学作品。好物の生ソバの単なる礼状ではないのである。

室井氏との出会いは、福島県文学賞小説部門の審査委員と応募者との関係がはじまりで、同じ奥会津生まれという縁から急速に交友の輪が広がった。氏はこの輪を〝縁辺クラブ〟と呼んだ。平成十二年十月の書簡に「エンペンクラブのスローガンは――奥会津精神「と」世界文学思想の〝縁組み〟を！」と書き、自らを「ルンペンの奥会津縁辺クラブ代表幹事」と名付けている。

平成七年あたりから地方紙に連載されていた「縄文の記憶」によって、同郷出身の芥川賞作家が無類の考古学愛好者であることも知り、ひどく身近な人との思いを深めていた。地方史の研究に没頭していた小生は、自宅の庭続きに広がる縄文晩期遺跡から拾い上げた石棒や土偶、石器の類など多数所有しており、中でも「三角石器」とでも命名すべき貴重な考古学界未知の出土品があり、「縄文の記憶」にも語られていないこの遺物を見せたいとの思いを抱いていた。翌年県文学賞に決まり、胸ポケットに三角石器を入れて臨んだ授賞式に、氏の参列はなく、その夜書簡を長々と綴った覚えがある。

　翌十年一月十日に返信のハガキが届いた。「……奥会津文化の〝奥の深さ〟にうたれました。貴重な石器については近く帰省の折にでもみせていただけたらと願っております。それにしても、ここなる若輩と異なり、風土に根ざした文化・文物に対する〝アタマ〟だけでない全身全霊の行動に裏打ちされた角田さんの熱誠の関わりには愕くばかりです。小生の縄文理解など、詩的なカンだけが頼りの抽象的な産物にすぎません」と小生に花をもたせた後、「小生〝貧乏ヒマ有り〟を誇りにしていたのが、ここへきて唯一の財産ヒマの方も手放すハメに陥り、紙の上で七転八倒を繰り返しております。若年の頃以来の――〈哲学〉と〈童話〉という対極のテーマを同じハタケで耕す二十年来の構想に、いよいよケリをつけるべく、長い連載をはじめました。しかし小説をないがしろにすることもできず、わが村のコトバにいう〝がおって〟おりますが、祖父母らの土を相手にした苦闘にくらべれば何ほどのこともないという声も、どこやらから聞こえてまいります」

　平成十二年の早春、二度目の毛筆の書簡が届いた。身辺に大変事の起こった時以外毛筆は握らないという、その書簡。

「時の精霊在すタカラ箱、本日拝受。深謝叩頭！　お電話にて縄文神の化身をわが仕事部屋にお迎えできると聞いた時、まるで麻薬の一滴を耳から注入されたような陶酔状態となりながらも半信半疑でしたけれど、夢の現実化をこの眼でたしかめた瞬間、決して大げさでなく感動の津波が全身を駆けめぐりました。モノの到来をこんなに待遠しく感じたことは童の頃以来です。昏くも深々とした表情の――そしてまた歌い（？）カナシガル（＝全身全霊で感動する）女神お二方（小生は土偶女神説に組するものです）神々の力に呪縛された縄文土器の大いなる欠片の数々、こだまの幻聴たちのぼる打製&磨製石斧、石皿、石棒、稀なる「三角石器（責任をもって返却いたします）」……しばし茫然とみとれつづけた後、さっそく、小生が勝手に創りあげた縄文経典にのとったノリト（？）をつつしんでささげまつった次第……角田さんのギフチョウ同様、ジョウモンは小生にとってマボロシの聖蝶にもたとえられる「女神」の隠れ棲む世界となって久しいのですが、わが地母存す故地につながる奥会津産の御姿を日々拝むことができようとは！　非商業主義をつらぬくべく、割に合わない仕事をことさらえらんで没頭してきた南会津出土の貧乏文士に女神が霊的スケダチにやってこられたとしかいいようがない心持です」

　それから間もなく原稿用紙の書簡が届いた。

「守護女神〈おどる土偶〉をお迎えできた奇蹟……からまださほどの時もたっておりませんが、何やら日々かもしだされるモノを感じ、少年の頃のような純粋なよろこびにつつまれている状態、われながら不思議……こうして又通信のペンを取らずにおれなくなったのもそのせいです。（中略）独自の祈祷によって土偶神お二方の〝たましい転送〟の儀式を執り行った後、同封のような名刺（など本来小生には無用と思ってきましたが）が出来上がりました。名刺につける肩書などもたぬ男のために、ありがたくも有志の人が無料でこしらえてくれたものです。もともと土偶はいったん殺されて（こわされて）野の土に埋められた〝死と再生〟典礼のヨリシロだったのですから、現代的な魂抜き――のありようも女神は是としてくれるでありましょう。飯が喰えない文士の惨状を見るに見かねた有志の人曰く――「このインパクトある名刺をたずさえて少しは生活につながる営業宣伝活動をしてみてはいかが……」（呵々大笑）

　名刺には氏の守護女神二体の顔部がはす向かいにならび、その下方に肩書の無い氏の名前が申しわけ程度に印字されている。氏がどんな想いでこの名刺をくばったか知る由もないが、女神の加護か託宣か幸いして（と氏が別便に書いている）、その五カ月後に悲願の著作『キルケゴールとアンデルセン』が出版された。毛筆第三便はその喜びに溢れたものだ。

「二十年来の悲願がようやっと作物の形になりました。つつしんで献呈致します。わが志胎内にいた歳月があまりに長かったせいか、なかなか外に出たがらなくなってしまい（笑）難産をきわめましたが、さいごのさいごの重大局面においておこったまずは縄文女神の仮の姿なる土偶と脇侍、そしてさらに男神の化身――縄文のシャーマンが握り、うち振るった儀器の石棒の来臨という信じ難い奇蹟のおかげで（この効験は明らかなり）、たちはだかった種々の困難は、オッキリのように流れていったのでした。角田大人と縁辺ヲムスブ（ああ良き大和言葉かな！）こと無かりせばこの書物の貌はまったく別のものになっていたことを思うとき、出会いの不可思議さにうたれます（われらの邂逅に女神の微笑みあり）。小生の文学テーマは詩と真実の境界に棲み、今度の仕事は後者のライフワークといってもいいものです。あるいは〝境界仕事〟そのもの？　先の翻訳書と同じく一見バタ臭いもののようですが〝実存のしめ縄をなう〟仕事の見本を提出できたという自負を抱いております。が、この仕事もまた縄文深鉢の如く忘却の土に埋もれ、深い眠りにつく運命をたどることでしょう。モッテ瞑スベシ。感謝を込めて。室井光広（奥会津縁辺クラブ会員、こういう〝ペンクラブ〟を創りませう）」

　別便で届いた『キルケゴールとアンデルセン』の扉には「角

田大人へ、縄文的縁辺を結ぶ紙碑として、二〇〇〇年九月吉日、室井光広落款」の几帳面な毛筆のサインがあり、驚いたことに表紙と裏表紙には氏の掌に鎮座した女神二像の写真が載り、カバーには男神の化身石棒、打製石斧、縄文土器片、さらに温和な表情の二女神（氏は泣き笑いの二相と見た）の写真で装丁され、しかも帯には「世界的哲学者と童話作家の邂逅を復元する文学的考古学の試み」と明記し、氏の縄文考古学への並々ならぬ想いが見てとれる。

さてオッキリとは何か？　越後山塊に接する奥会津はわが国有数の豪雪地帯。中でも大沼郡中西部の太郎布高原の積雪は数メートルに達し、只見川沿いの平地が融雪しても、ここだけはなお厚い雪に覆われる。高原の雪は堅く圧縮され、スケートリンク状を呈する。春四月、一気に気温が上昇するとリンクの雪も溶け出す。通常雪解け水は蒸発するか雪中に浸透するものだが、ここの融雪現象は特異で、雪水は地下浸透せず堅い氷雪の野面をさざ波のように漂い、雪の壁を押し切って低地に流れ出す。土地の人はこの現象を「太郎布オッキリ」と呼ぶ。オッキリとは「押し切る」の方言で、障害物をのり越え、凄まじい勢いで流れ出す現象である。

小生は常々作家室井光広をオッキリのような人だと解して来た。「東京文壇」とは無縁の奥会津産が、ある日突如鬱積した情念を抑えきれず、激流のようにあらゆる障害を押し切って流れていった。それはまさにオッキリ現象に等しい。

オッキリの人が、小生の主宰する同人誌「河岸段丘」第六号に、なんと「オッキリのように」と題する原稿を寄せてくださった。雑誌刊行前年の書簡に「かるいヨミモノを装ってその実本格的に重い（れいによって所々〝原詩塗り〟文のまじる）評論的随筆に仕上げる所存です」と予告された一文である。

少数の同人しか目にしていないこの「オッキリのように　あるいは縁側での対話」は〈幻塾庵てんでんこ〉のブログで公開されている。少しでも多くの方に読んでいただきたいと願っている。

北米の野生動物を二十年間追い続けた自然写真家の大竹英洋氏でさえ、オオカミに出遭ったのは十回ほどだという。

猫のご縁に始まり、室井夫人とは、いつの間にか近しくなった。ごくごく近くに住んでいてもめったに顔を合わせないような昨今にもかかわらず、陽子さまとは不思議なほど行き会うことが多く、方向が同じときは、土地にまつわるよもやま話などをかわしているうちに目的地に着いていた。ご夫妻で一緒に歩かれていることもあり、〝仲良きことは、美しきこと〟そのままのように見えて、四つ葉のクローバーを見つけたときのような幸福感を感じたりもした。

とびきり新鮮な野菜が、玄関先に置かれている。どうやら体調不良の私への、室井先生ご夫妻のお心遣いのようだ。陽子さまにお礼を申し上げると、室井先生の日課の一つに午後の散歩があり、山辺の田面や畑、そして点在する神社を巡るいくつかのルートを歩かれているとのことだった。そのルートのあちらこちらに、収穫した旬の野菜を庭先や軒下に並べている農家があって立ち寄るようになり、次第に野菜類を入手するために歩き回るようになったと、楽しげに話された。どこに行けば何が手に入るということにも詳しくなられたそうで、恐れ多くも、そのお福分けだった。

室井先生の独特な眼が、気になっていた。ある時、はっと気が付いた。それは、小学三年生の頃夢中になって読み耽った、シートン動物記第一巻第一話『オオカミ王ロボ』の表紙に描かれていたロボの眼そのものであった。室井先生とは黒揚羽や雀や猫について語りあったことを覚えている。直接お話する機会は多くはなかったが、それでも伺い知った室井先生の生き方は、人間以外の動物の持つ純粋な精神と鋭いビジョン、空気の振動までも感じとられるような聴力などが基になっておられるように思えてならない。

繁り過ぎた庭木には、例年になく多くの雀が集まり、枝から枝へと飛び交う。ようやく咲いた梅の花が、パッと派手に散る。そのたわみの大きさに眼を凝らすと、今季の雀は例年の一・五倍ほどはある。暖冬ですごしやすかったのであろうか。特にムズカシイことでなく、このように自然界を鑑とするような話を、室井先生と語りあいたかった。

思いもかけず「てんでんこ」と繋がりを持たせていただいた。単なる読書好きは、事物や自分自身を見つめ直すこと、自身の中にある本物を探し出すことを教えていただいたように思っているが、それだとてロボの眼底には、想定されていたことであろう。

室井先生の文体の飛躍・跳躍力についていけず、てんてこまいした時は、あのロボの眼の語りに立ちもどればいい。

それは、北米の原生林でオオカミに出遭うほどには難しいことではないはずだ。

（森　禮子）

最初に室井さんにお会いしたのは「三田文学」の誌上で印刷された文字を通じてだった。三田文学新人賞の選考委員をつとめられていたのだが、室井さんの選評は四人の委員の中でいちばん辛口だったと思う。新人賞をもらって大学を出た私はすぐに正社員の勤め人になった。こちらの世界ではむしろアウトローであろう。

二年ほどして室井さんから新刊書を送っていただいた。『カフカ入門　世界文学依存症』（東海大学出版会、二〇〇七）である。室井さんはなぜほとんど話したこともない、二年前に新人賞をあげただけ、それもさほど推したわけでもない私を覚えていて本を送ってやろうという気持ちになられたのだろうか。たぶん室井さんが選考委員をつとめられた最後の年の受賞者だったからかもしれない。

と思いながら読みはじめると、あまりにも面白く、ふだんなら哀れな勤め人の身ですぐ読めそうにないのでまずは一筆お礼状を書くところ、これは絶対に最後まで読んでから書こうと決めた。それでお礼状としては非常識な時間が経ち非常識な長さになってしまった。ほどなくして同じくらいの長さのお返事が届いた。勢いよく踏み越えられた原稿用紙のマス目がかえって嬉しそうに見えてくる、あの字で「あなたの手紙がもっとも遅れてやってきた、そのことにたいへん重要な意味があると思われる」という意のことがはじめに書かれていた。

以来その言葉はアウトロー街道を歩き続ける私のおどるでくとなった。

てんでん　ニモカカワラズの師父　こらむ

奇しくも室井さんに出会う前から、私の一番好きな言葉は「にもかかわらず」であった。ただし私のがティリッヒのそれであったのに、室井さんはカフカの「にもかかわらず」を教えてくれた。（そして奇しくも、この人たちは同じ言語を話す地域に三歳ちがいで生まれている。）どちらの trotzdem も「目を開けてよく見よ」と言う。しかしカフカの trotzdem＝室井さんのニモカカワラズ＝おどるでくは、さらにこちらを見返して、まばたきする。いま私が打ったこの文字と文字の間から顔を出している。

速足で足下の道を歩くそのことが、その実遅れに遅れ、遅れ続けるために歩いているのではないかと思うことが何度もあった。今もある。どうやら実際そのようだ。しかしそのたびにおどるでくは現れる。

目を開けてよく見よ。

室井さんの姿を見ることはもうできないかもしれないが、私はおどるでくを追う。生きてある限り追うであろう。室井さんの文の中に、そして目にするありとあらゆる文字のつらなりの上に。遅れれば遅れるほど、おどるでくは追わせてくれる。ニモカカワラズ追わせてくれる。（村松真理）

ルンペルシュティルツヒェン

金　栄寛

Rはフェリーの上に立っている人々を眺めていた。彼らを乗せたフェリーは川の真ん中に位置した島から離れて船着き場へ近付いて来た。家族のようだ。母と娘は二人で一枚の褐色の毛布に身を包みながら、五十歳前後の父親と何かを真剣に議論している。天気予報によると八度の午後。水面に冷たい風が吹いて波が刻まれた。Rはその家族の後ろに置いてある荷物のことが気になった。最後になるこの引っ越しで、何を持って島から出るのだろう?

例えば、古いたんすは要らない。家に置いておいても、氷河期の寒波に守られてカビが生える心配はない。凍った表面には、止まった時間だけがほこりのように溜まっていく。もし引っ越しするほとんどの人のように彼らもホテルに入るなら、どんなに大切にしている物だとしても、それを置ける場所なんかない。必要なのはゴールドに燃えているマルクだけだ。内懐に持っていれば、温かい水を胃袋に入れることくらいはできる。氷河期が本格的に始まるまでの話だが。

いつの日か、川に落ちた葉は揺れなくなり、ゆっくり底の見えない冬ごもりへそよそよと沈んでいく。果てしなく長い髪の吹雪の女神は氷のフルートで子守唄を吹き、止まった船の窓からツララのハープを弾く細い光の指も弱くなって消えていき、ある朝、人影のない村に捨てられた自転車、空気がなくなっても硬いままのシャリン、そのがらんどうの目は文明と自然が共に氷河期の森の奥深くに入り込むのを見る。

多くの人が市内中心部までの交通のアクセスが良く、できる限り安く泊まれる宿泊施設を探して移動していた。宿泊施設では、技術担当部署に属している党員が優先されていた。なかでも、エネルギー資源部と交通及び流通施設部に関わる党員には日用消費財カードが災害対策本部から配給され、どこでも条件なしに宿泊できた。とはいえ、誰のペットでも受け入れられるほど、宿泊施設にはまだ余裕があった。

仕事！　アルバイト！　人々は都市へ移住し、今よりもっと働いて多忙を極めようとした。不安の中、家族と一緒に見るテレビの討論番組で、結局行き着くのは「近い内に来るが具体的にいつになるのかはまだ分からない、だが、銀河系に近いブラックホールに入った光が戻って来るのは間違いない」という気象庁のアポカリプス。そんな話に耳を傾けるよりは、骨の折れる労働の日課の後、体の感じる疲労に特別な意味を見出すようになっていた。

国はロシアと協力し氷河期の始まりの時期を予測するため、共同プロジェクトを発足させた。緊急に処理すべき莫大な量のデータを計算するために、定期的に停電を行い、気象台に電力を充当しなければならなくなった。辛い現実に直面した誰もがその必要性に疑問の声を上げた。むしろ氷河期の対策に有益なのは、都市のシステムをフル稼働させて温室効果ガスを大幅に増やすことなのだ。その為に種々の提案があったが、仕事柄Rの印象に残ったのは、畜産業をより活性化させ、メタンガスの放出を増加させることであった。都市労働者に安い値段で十分に肉を供給し、仕事にも精進させることができるという付随効果も期待できたため、その提案は脚光を浴びた。党も、それが一番妥当だとみなしていたようだ。

フェリーが、Rの立っているブナの木の前に止まり、別のフェリーが船着場からゆっくりと出航するのを見送っていた。Rの耳にフェリーの上の家族の話が聞こえてきた。

「例えば、働けば氷河期が来ないということなの？　それとも、氷河期が来たとしても働けば死なないということ？」

ニキビが目立つ小さな顔の娘が聞いた。

「学校のＦＤＪ（自由ドイツ青年団）の集まりで氷河期について討論しないか？　氷河期は確実に来るよ。でもね、同志一人一人が死ぬとか死なないとか、そういうことは問題にならない。人の肉体は生物学的に必ず死を迎えることになっているからね。重要なのは、氷河期が来ても、社会主義の夢を永遠に存続させることができるのかどうか、そのための我々の努力の中に、我々の幸福がいつまでも存在することができるかどうかだよ」

「社会主義の夢って、そこに一人一人の幸福はどう存在するの？　肉体に苦痛を強いる厳しい環境の中に、幸福は感情として存在するの？　それとも精神の中にあるということ？　それはマテリアリズムではないでしょう？」

父親は一度、周りを見回した。Rと目があったが、Rはすぐに川を流れている死んだブリームを見ているふりをした。カワウソに腹の部分だけ喰いちぎられたようだ。

「感情の中でも精神の中でもなく、『文書（東ドイツで国民同士の監視と密告のシステムを基に作成されたシュタージ管轄下の個人情報）』の中にちゃんと存在するよ。同志によって書かれた文書はみんなに公開される。どこでもそれに関して討論がおこなわれて個人の意見も自由に言えるから、徹底的に実証的だろう？　その文書は次の世代の生活の指針になり、社会主義の夢に達するための労働の哲学になるはずだ。平等な社会は個人の秘められた情報まで共有することによって完成される。我々は共に『同じ志』を持っているから、お互いに『同志』という関係になる。西ドイツの人々は他人にはわからない自分だけの隠された精神世界を作って、それを文化と呼ぶけれど、それは何はさておき、お金を隠すための金蔵の形而上学、それ以上でもそれ以下でもない。いつも言ってるけど、働くというのは現在の体の痛み、苦しみ、汗、糞尿、ガスから現在の精神を根本から新たに作ること、そしてみんなの手で、肉体の記録を土の上に残していくこと、さらにそれを紙の上に書き留めること。お金があってもなくても、誰でも平等に持っているこの体、体から始まって、体で終わる平等な社会を作ること」

通ったばかりのフェリーの立てる波が、うるさく岸を叩いた。Rは空を覆う巨大なブナ木の枝葉に目を向けた。つい二日前まではあちこちの枝葉の間から綺麗な五月の日差しが差し込んでいた。今は、農夫の言い伝えによれば「氷の聖者」と呼ばれる時期で、気温が急降下する。朝五時頃、家を出ると、ひやっとして、まるで一生に一度も妥協を知ることがなかった、温かみの全くない聖者のマントが街を通り過ぎたかのようである。伝説のドラゴンから落ちた氷の鱗が草の上で閃く。暗く閉じている雲が街を占領する昼間、天上では神を前に氷の聖者たちの報告が長々と続いているのだろう。この報告が終われば、ひょっとしたら神は勇断を下すかもしれない。

さっきまで激しく走っていたせいで、汗でビチョビチョに濡れたRのシャツが冷えてきた。Rの心は、いつの間にかヒアリのように現れる無数の言葉で汚れていく。彼はこれからホテルで書く文書の内容を考えているのだ。このところ彼の書いた文書はシュタージの検閲でいつも落とされるので、Rの焦りは極に達していた。

Rは走り始めた。まるで野生の水牛が蚊から逃れるために水に入ろうとするかのように。純粋な体の動きに入り込み、体についてしまった言葉のヒアリをとろうとするかのように。松の森の中で、肉体の動きとまわりの風景に集中しようとした。ところが、松と松の隙間に紙が現れた。ある出来事を描くテキストのようだ。意味の酸素を吸い込み、吐き出す記号の息の音が激しく聞こえてきた。いや、違う。それはR自身の呼吸だ。言葉の世界から遠く離れようとして走るRの肉体、肺と喉が作り出す音。

森の真ん中には第二次世界大戦の爆撃の際に生残ったコブカエデがある。その木のそばを通ると、コブカエデは胎児の手のような葉をRの無意識の中まで伸ばし、走りながらもずっと文書を書いていたRの手を撫でてくれる。Rは一息つく。けれども、数秒の間にこのコブカエデは手を離してしまう。

数秒にもかかわらず、Rの体から見習いLの体が去っていくような感じがする。この時だけ、厨房のLの咳は聞こえなくなり、文書に引用しているLの言葉は姿を消す。一番嬉しいのは、彼のことを書く時のその恐ろしい寂しさが一瞬なくなることだ。我々労働者である同志のことを書く時は、必ず心の底から迸る熱いアンガジュマンの気持ちがあると言われる。彼のことを書く時に、それが感じられないのはどうしてなのか？ひょっとしたら彼は同志ではないのだろうか？　いずれにしても文書を書く部屋の空気は寥々としている。これまでRはペン先で人類の傷を治療していると常々考えていた。だが実際は、どんな生涯の物語だとしてもドイツ語のアルファベット三十文字の中に収めることができるはずだと、自分を騙していただけなのではないのか。つまり、個人の個別性を排除する一般化の過程で生じる暴力の快楽を、アンガジュマンだとみなしていただけなのだ。人間は誰でも平等な存在であるという思想は、言葉の発明の瞬間にすでに予期されていた人間観であるかもしれない。いかなる個人の人生も同じ言葉の中に溶け込んでしまうのだ。Lのことを書くとき、Lは消えてしまい、Rは完全に一人になる。

『勞働者』の『勞』という漢字を書く時、あるときにはその二つの火が灯のついた二つの部屋を想起させ、灯の下で書く人が見える。RとL。二人はただ書くことに夢中になっている。外は暗いが、その暗さは舞台をいっそう明るくする暗さである。それは灯の下で微かに揺れる頭と肩の繊細な美しさを窓越しに伝えてくれる。片方の部屋の灯が弱まれば、もう片方の部屋の灯は勢いを増す。だが、片方の部屋の灯が消えれば、もう片方の部屋の灯も消える。

以前からホテルのスタッフは、Lが彼らに関する文書を書いているのではないかと疑っていた。Lの属しているハウスキーピング部署のスタッフの話では『Do Not Disturb』の札がいつもかかっている部屋で、シュタージ要員三人がLに文書の書き方を教えていたと言う。彼らに顔を見られた清掃スタッフは、その後、夢の中にもシュタージ要員が現れ、赤ペンで校正されたLの文書をきれいにするようにと言われたが、即座に『Do Not Disturb』の札を彼女の夢のドアにかけたそうだ。シュタージのトラバント(旧東ドイツの車種)が止まっていた駐車場には、まるで忘れ物のように、今でも車の影だけがあらわれることがあった。何人かのスタッフが、その陰気な影に隠れてLが黒い涙を流すのを見て驚いたことがある、と証言している。

Rが森の中のホテルに近づくと、正門の側で何人かの若いキューバ人が集まり、グループ課題に没頭しているのが見えた。その隣にある駐車場でもまだポーランド人一組が真剣な顔で討論を行なっていた。今日のフロント担当のスタッフはSである。Sの車が駐車場に止まっていた。彼女は二十時に前のスタッフと入れ替わるとタバコを吸いに出る。灰色のタバコの煙の中で、彼女の灰色の目は人の目には見えない。むしろ涙のように見える。銀河の流れを追う時間の目からこぼれそうな涙。その感情のない時間の涙！

Rの時計は二十時十七分を指していた。Sはタバコを吸い終わり、厨房に片付けの手伝いに行ったところだろう。Rはスタッフ用の入り口から中に入り、すぐ左側の廊下を歩いていくと、更衣室の前で立ち止まった。更衣室には入らず廊下の窓を半分開けて、新鮮な夜の空気を中に入れようとすると外からポーランド語が飛んで来て、開きかけた窓から中に入り、テニスボールのように廊下で跳ねた。Rは掲示板に貼ってある自分に関しての文書が、ポーランド語とスペイン語に翻訳されていることを知っていたので、この異国の言葉に親しみを感じた。ポーランド人たちはきっと文書の研究課題に取り組んでいるはずだ。

Rが更衣室に入るのを躊躇っているのは、彼のリュックサックの中から生姜の匂いがしていたからである。更衣室のロッカーに置いても匂いは残らないだろうか？　生姜を持っているのを知っている自分だけに匂いがしているだけかもしれない、と不安を打ち消そうとした瞬間、生姜をリュックサックに入れた記憶が全くないことに気づいた。なぜ、いつから、生姜が入っているのか。しかし、文書を作成する時は、規則上、リュックサックを中に持ち込むことはできない。Rは更衣室に入ってリュックサックを置いた。

更衣室から出て、入り口の方へ戻り、反対側の厨房のドアを開けて入った。すぐ冷凍倉庫のドアが見えた。倉庫の片側の壁の一番奥の棚の隅にはRが今朝、作った大量のブーレットが二個ずつ重ねて寝かせてある。昨日のキューバ労組歓迎パーティーで残ったメットハリネズミ(生の豚挽肉の上に、玉ネギをまるでハリネズミの棘のように飾った料理)を再利用して作ったものである。ドア横の上部には冷凍倉庫の温度計の赤い数字が点滅していた。マイナス十八度を指している。温度チェックリストにも同じ温度がサインといっしょに記入されていた。

「インクもまだ乾いてないのにまた温度を見てる。ほら、ルンペルシュティルツヒェン(グリム童話に出てくる悪魔の名前)が、森からお帰りだ！」

厨房の廊下からSの声が聞こえた。Sが遅くまで食事をしていた客の食器を片付けていた。食器がカチャカチャぶつかる音が刺になって四方の壁をうるさく引っ掻いた。Rの心にも刺が浅く入ってくる。勿論、インクは乾いているはずだ。一時間前に掃除を終えた床も乾いているのだから。大きな声でRを迎えたSの意地悪い不注意がRを瞬間、腐らした。Rが帰る時間になっても、今日は珍しくスーシェフとパティシエールが残っていた。少し前までお茶を飲んでいたので、彼は警戒して周りを探っていた。そんなRにSが駆け寄って来た。

「誰もいないから、安心して！　でも、メンザにあのキューバ人がいるけど」

Lの父親だと主張しているキューバ労組の男である。Lは完全に否定していたが、彼は考えを変えなかった。

世界労組の加盟国は東ドイツの『文書運動』に注目し、視察のため代表団を派遣することにした。ここ、国際労働組合ホテルは派遣された代表団の投宿からセミナー等の行事まで一切を任されている。三日前からキューバの代表団が派遣されて来ているが、彼らのほとんどがかつて、有期契約労働者として東ドイツの織物工場で働いていた。当時、彼らに妻や子供ができたとしても、雇用期間が終わればすぐ帰国の途につかなければならなかった。氷河期が来る前に、妻子にもう一度会いたいという彼らの願いを叶えるため、この度キューバ労組は、東ドイツで働いていた労働者を中心に代表団を編成したのである。その代表団の中からLの父親だという男が名乗りでたのだ。彼はLの母親からLがここで働いていることを聞いたという。Lがキューバ人の父とドイツ人の母との間に生まれたのは確かに事実だが、Lは父親のことは少しも覚えていないし、母親とも長い年月連絡していないので、そのキューバ人の話は信憑性が薄いと断言していた。単に同じ黒人だから、そう言っているだけだと憤慨していた。

「メンザに掲示されている文書を読んでいるよ」

Rは S の方を向いた。彼女の胸から腰、内腿まで触りたくなって仕方がなかったが、まっすぐメンザに向かった。後ろから誰にも聞こえないほどの小さな声で、「おまえの名を知ってるよ！　帰れ、おまえが隠れている森の奥へ、帰れ！」と言われても、Rは聞こえなかったふりをした。

「掲示されている文書の量がすごいですね。壁が崩れてしまいそうな程です。食事をしながらでも、誰でも、誰とでも文書のことを議論できるようにというアイディアも斬新です」

キューバ人の男は五十代に見えた。Rは相手を見るや、Lのことが頭に浮かんだ。Lの否定にも関わらず、直感でこの男がLといろいろな点で繋がっているように思われたのだ。長話は避けようとするRの表情を読んで、彼は焦ってRから離れないように一歩前に近寄った。

「これを読んで驚きました。言葉で表せないものなんか全くありませんね。文書を読んでいると、人生と文書のどちらが最初にあったのかわからなくなってきますし、人生は難解なものではなく、ただ文書に書かれている台本を演じている芝居のように思われます。さらに、その芝居は、現在や未来にも同じ舞台さえあれば繰り返し演じられるでしょう。それにしても文書の中には、同じような過ちが何度も出てきますね。人間の弱さを痛感します」

「ご指摘ごもっともです。何ヶ月か前に、日本のプロレタリア演劇界の元老たちも視察しに訪れ、我が国の『文書運動』に非常に感銘を受けて帰りました。彼らも同じことを指摘していました」

「でも、このように何千ページもある台本は芝居場では上演できないでしょうね」

Rは彼の声を聞けば聞くほど、自分自身にも深さが計り得ないような奥の方から戻って来るある感情が湧き上がった。その感情が嘘をつきたいというとんでもない欲望を刺激する。Rが嘘を付く。

「昨年、掲示している文書の重さを支えるため、かなり長い釘を調達して壁の工事を行うことになりました。年を重ねるごとに、分厚くなる文書の重さに釘が耐えきれなくなり、何度も落下したためです。この特殊な釘は、壁を通って反対側の冷凍倉庫まで突き抜けています。そこにあるノロジカのヒレ肉、若駒のサラミソーセージ、ハモン・セラーノ等の貴重な生肉や加工肉をはじめ、自家製のプレッツェルやクネーデル、各種の干した野菜、果物などは、ネットに入れてその釘に掛けておくことになっています。冷凍倉庫の管理責任者は僕です。僕は釘に整列している食品を見ると、直ちに釘の反対側に掛けられている文書の内容を思い出せます。例えば、クラッカウワー（ソーセージ）からは昨年亡くなった厨房のシェフのことを。彼の文書の内容とクラッカウワーの味にはなんらかの繋がりがありますね。クラッカウワーは、九割が豚肉で、残り一割は牛肉なんです。豚の味が舌を圧倒した途端、どこからか牛の味が小さな亀裂を生じさせ、徐々にその亀裂によって豚の味の優位が揺らぎ味を見直させます。それが……」

ここまで言うとRは、外部の人間に話してもいいのかどうか迷い、言い淀んだ。だが海を渡って来た人は外部というよりむしろ外部の外部の人なので話を続けても良いだろうと考え、シェフの知られざる内面について話し出した。

「彼は嘘つきでした。我々のもっぱら事実を描くための道具である言葉を、変に誤用する彼の嘘は、クラッカウワーの牛の味と変わらないものでした。つまり、彼の嘘は現実に亀裂を生じさせるのです」

沈黙して聞いていたキューバ人の無表情な顔に微笑が浮かんだ。

「嘘で、現実にも変化が起きるということですか？　例えば……」

「例えば、釣りは常識的に水辺でするはずなのに、彼は、氷河期に近づけば土壌でもできると言い出しました。特に水が冷たくなると鰻は直ちに水から出るから、森でも釣りができるはずだと嘘をついたのです。しかし、その嘘が今では本当の現実になってしまいました。現在、庭での鰻釣りは我々ホテルの一番人気の保養プログラムです」

キューバ人はその話に強い興味を示した。Rは続けて、

「現在、氷河期に入りかけているのも、彼のその嘘が作った嘘の現実です」

と、また新たな嘘をつこうとしたが、途中でやめた。どこか

らどこまでが嘘で、どこからどこまでが事実であるのか自分自身も混乱してしまったからだ。キューバ人がそのプログラムを体験したいので、案内してもらえないかと尋ねてきた。案内しないと、彼はRの話を嘘であると疑うかもしれない。文書を書かなければならないとは言えないし、メンザも閉まっているので、仕事があると断ることもできない。他の適当な言い訳も浮かばなかったため、Rは少しだけ時間を割くことにした。Rとキューバ人は厨房でお皿を洗っているSから許可をもらって、フロントから釣り道具を借りて外へ出た。

Sがフロントに戻ると、すでにFDJの秘書が来ていた。しばらくすると電話があり、二人はフロントから出てホテルの後ろの川沿いの温室へ向かった。

温室には社長を中心に幾人かが集まっていた。明日に迫った地域農業労組主催のトマトソース試食会の準備のためである。なにより、行事の主役であるトマトソースの見本があまりできていないので、スタッフ全員が心配していた。ホテルは半年前からトマトソースの新たな商品を開発しようとしているが、内部の試食会を繰り返し行っても質の良い見本が見つけられないままであった。

美味しいトマトソースの見本ができれば、必ず地域経済に寄与できるだろう。トマトソースは家庭料理の基本であり、それをもとにラタトゥイユやレチョー、ソリャンカ、ピザソース、ボローニャソース、チリコンカンなどが作られるため、東ドイツ人の食卓を一層、豊かにしてくれるはずだ。なるほど筋の通った試みではあったが、ホテルのどのコックが作ってみても、既存の商品の味を踏襲するだけだった。そんな中、今日午後にLが作ったトマトソースの味が尋常ではない旨さだったので、スーシェフとパティシエールは少し安堵して、遅い時間にもかかわらず関係者を招集した。場所は明日実際に試食会の行われる温室で、そこで育てられたトマトでソースも作られていた。

地域におけるホテルの評判にもかなりの影響を及ぼすため、良い見本がやっと作れたと、異例の招集に社長まで喜んで応じた。ところが見本を作ったL本人には参加が許されなかった。党の職業教育の規定上、見習いは非公式日課には一切参加できないのだ。その上、Lの所属はもともとハウスキーピング部署である。

Lとホテルの間には複雑な事情があった。Lは五年前からここで雑役の仕事を始め、一年前からはハウスキーピング部署で正式に職業実習を行うようになった。今までの成績も平均一・四を上回っているので、もう一年過ぎればマイスター課程に入れるほど忠実に勤めている。しかし二年くらい前から、シェフが病気になったので、人手が足りない厨房にLは度々顔を出すようになった。特に、外国から訪れる世界労働組合の客がある時には必ず彼の手が必要になる。経済難で困っている国営企業に新たな雇用は禁止されていたため、Lは厨房で特別な存在感を放っていた。いや、ただ彼の労働力が厨房で助けになっているだけで、彼の存在が特別であるとは言えない。

秘書とSが温室に入った時、早くも皆の話題は見事に見本を作ったLに移り、スーシェフが発言しているところだった。

「確かに、Lの料理の味は特別ですね。率直に言えば、言葉を失ってしまいます。破天荒な料理の仕方は全く真似できません。簡単に言えば、彼はジャガイモを茹で、それを食べる時でさえも、我々とは異なる概念を持っていて、異なる舌の感覚で味見をしているのでしょう。しかし、その異質な舌は、彼の嘘をつく舌と関係があるのではないでしょうか。彼の洗ったお皿に点々と付いている乾いたスクランブルエッグのことで、しっかりお皿を洗いなさいと文句を言うと、それはスクランブルエッグの産んだ卵で、その卵からまたスクランブルエッグが生まれると言うんです」

スーシェフは苦笑いをしていたが、トマトソースの皿のスプーンをとっていそいそとトマトソースを飲んだ。秘書がスーシェフの隣に座りながら話し始めた。

「ただの嘘でもないでしょうね。現実には全く影響のない嘘で、悪意はありません。でも、彼がつく嘘の方がより正確に事実をとらえていると感じられることもあります。トマトソースがトマトだけでできていたら、全然トマトのおいしさが伝わりません。オリーブオイルやニンニク、ペーストなどが入っているからこそ、トマトの味がしっかり伝わるように。彼の嘘から広げられる事実の世界があるのですが……」

スーシェフは、今日厨房であったことを思い出して皆の前で話した。Lは咳がひどくなると、生の生姜を噛む。厨房のスタッフの何人かは彼が生姜を少しずつ盗んでいると疑っている。スーシェフが今日彼に直接聞いてみると、「ニンニクは吸血鬼を寄せ付けない。生姜は天使を寄せ付けない。でも、私は天使とは会いたい。来るのを妨げたくはない」という言葉が返ってきたと言うのだ。皆から、口に食べ物を入れて話すのはやめてほしいと注意されると、スーシェフは話を止めてトマトソースの味見をすることだけに集中した。その間、パティシエールが発言のバトンを引き受けた。

「ソースからキウイの味がする。えーと、セロリの味も出てるわ、エルブ・ド・プロヴァンスも最初に、オリーブオイルで炒めてる。刻んだパセリも一緒に。でもね、毎回作り方がいつもアドリブだから、決まったこつが彼にはないんでしょう。彼にとって、嘘とはそのような言葉のアドリブで、その目的は言葉のこつをなくすこと」

ウェイトレスKが秘書とSにトマトソースの皿を運んで、自身も隅に立ったまま食べた。スプーンの先を少しだけソースにつけてことのほか慎重に味見をした。彼女は三十年もホテルで働いているベテランスタッフで、ちょうど一年前に亡くなったシェフとは特別な関係にあったため、心置きなく人前で話す人として知られている。彼女が特有の目の輝きを発しながら感想を述べようとした。睫毛にはシェフが好きだった銀色のマスカラを塗っていた。

「絶賛すべき味には議論の余地なし。嘘のような味！　だけど、この味は我々ホテルスタッフの舌だけに究極の味として知覚されるように作られたのかもしれない。明日、外部の人たちに味を見てもらったら、正確な評価ができるでしょう」

　さて、皆さんの中でこの発言の意味を把握できる人はわずかだろう。Kの言葉をわかりやすく解説してみよう。Lが文書作成の係であるということ、それがいわば公に話せないタブーであることは皆が了解している。つまり、Lが彼らを密かに監視しているのは一つの公務を執行していることなので、それを妨害してはならない。しかし問題は、監視されていることを意識しながら、仕事場での日常を送らなければならないということだ。彼らの行動及び発言は文書に反映されるので、文書に書かれてメンザに掲示されても問題なさそうな世界を自ら作ってきたのが現実なのだ。こうした中で、彼らの喜怒哀楽の感情や感覚の働きも、『意識的な標準化』を目指し、変化してきたと思われる。Kの言うのは、文書の作成者がLである限り、このホテルのスタッフの舌は『Lの文書の教え』の使徒であるということだ。

　Kの判定が下されてから、温室には気まずい沈黙が続いた。この沈黙の中で、皆の思いは、それぞれ異なっているにも関わらず、社会主義の理念の下で否定される個人の固有性に向かっていた。社長はこの反社会主義の雰囲気は文書に書かれる恐れが十分あると感じて、Lという一個人を犠牲にしようとした。

「私は経営者として党の方針を実行する立場であるが、長い間、労組の一員として、スタッフのこともよく分かっているつもりだ。Lはみんなにとって、不快な存在であるというのは私もよく聞いている。『どうしてLは我々のホテルで働かなくてはならないのか？』という疑問は誰にでも浮かぶはずだ。今から少し、この件に関して説明したい。六年ほど前に、ブラックホールに入った光が戻って来るのが初めて観測され、氷河期が近い未来に迫って来たと予測された。みんな覚えていると思うが、その時の混乱と絶望感といったらなかった。死を間近にした国民の一番の望みは、見慣れている自然景観や隣近所との日常生活の中で死に向かうことだった。そこで党は、国を混乱させる恐れのある内部の共存できない敵は外国人だと判断した。党によれば、国民は異なる理念を持っている人より、異なる肌の色の黒人に危機感を抱いている。しかし、この国で生まれたLのような青年には、ここここそが故郷であるわけだ。強制的に追放するには彼らは若すぎ、国際的な問題になるに決まっている。そのため、自発的に外国へ出ていくように動機を与えたい。そのきっかけを作るために、彼らを別々に、外国人と交流できる仕事場に送ったに過ぎない」

もちろん、Lについての話はそれだけでは終わらない。疑問は尽きない。平等な社会を目指す東ドイツに生まれたが、黒人だという理由で生まれつき差別された。職業教育などの社会活動全般に及ぶ制約を考慮すれば、父の国へ移民しても良さそうに思われる。一人息子の情報をシュタージへ密告した母の国を離れようとしてもおかしくないのではないか……。

それは、Lが生涯一度だけ母親と海外へ旅行した時、ルーマニアを走る夜行列車の中で起きた。息子が隣に座っていた西ベルリン人に話かけたのを隣の母親が見てシュタージに密告したため、息子は連行された。シュタージは思春期だったLに午前四時間、午後四時間の過酷な取り調べを受けさせた。また、疲れで取り調べ担当の言葉を聴き逃さないよう、Lは投げかけられた言葉を繰り返す習慣を身につけさせられた。この時、自分の言葉で自分のことを取り調べるあの人格が新たに誕生したのかもしれない。自分のことというのもほぼシュタージによって捏造された嘘であった。

黙って考えることに夢中になっていた社長がまた口を開いた。

「人は母語を話す限り、故郷から離れようとしないんじゃないか。母語は故郷の環境で生まれ育ってきたからね。でも、その母語で人の罪悪を常に書くようになると、母語から離れ、故郷からも離れようとするかもね」

Sが横から話に割り込む。

「しかし、彼は嘘をつくことで、離れていく母語との関係を修復しようとしています。最近は文書を書くときにも、嘘をついているんです」

最近掲示されたSに関する文書を問題にしているようだ。社長の思惑は当たった。皆の不満が一気にLに集中し、その上Lが文書を書く係であると前提し、公に批判していた。Kが独特の仕方で、鼻音を優雅に発音しながら、発言した。

「もしかしたら、LはIM（Inoffizieller Mitarbeiter：シュータジ非公式協力者）ではなく、HM（Hauptamtlicher Mitarbeiter：公式シュータジ要員）では？　先ほど私が言ったことと矛盾するようですが、彼はシュタージの庇護下にエスコフィエのような一流のプロの料理人のもとで学んでからここに来たのではないでしょうか」

徹底的に党の立場に立っている秘書がすぐ迎え撃つ。

「そんなはずはありません。一九八三年から経済難でHMの人数を急激に減らしているほど、党にとって今、資金運用の効率がいつになく大事です。もし一流のプロの料理人のもとで学ばせようとするなら、党はまずLのコック見習いへの志願を受理しその後で、プロの料理人による教育の道を提供したはずです。

そうしてできる限り、プロの料理人の教育期間を短くし、教育費の負担を減らそうとしたでしょう。それなのに、コック見習いへの転科を許さないのはおかしいでしょう。社長！　このソースの味が美味いかどうかは、私にはどうでもいいことです。私の考えでは、Lの職業教育の転科は承諾できません。厨房の手が足りないのは理解しますが、Lはこの国を離れなくてはならないと、ご自分でさっきおっしゃっていたじゃないですか」

その時だった。鈴の音が聞こえて来た。皆、透明なプラスチック製の壁越しに、きょろきょろと周囲を見回した。鈴の中の目が暗闇に崩れていく世界の屋根を一望した。Sが立って電気をつけた。すると、いっそう喧しい鈴の音が野良猫のように温室に入った寸の間に、トマトソースの自然の色を盗みとる。Sが「あっ！」と叫んで、その色を追って外へ出た。鈴の音はそのまま川の方へ向かう坂道を走ったり、転んだりして、後門の側に立っている大きなオークの木の下で止まった。そこに眩しいヘッドライトが輝いていた。鰻釣りの希望者に貸し出す装備の一つである。Sが温室の隣のサウナの庇の下で竿を出しているRの帽子も見つけたが、何も見ていない振りをする。

鈴はキューバ人の竿に付けられたもので、オークの木の下で竿を出していた彼に何かが釣れたに違いない。Rは温室の方からは気づかれないように、釣り道具を片付けてその場を去ろうと、釣り糸をリールに巻いていた。釣り針には三匹のミミズを三等分して刺してあったため、Rの方へ近づいて来れば来るほど、ミミズの血から出る塩っぱい臭いが強まり空気中に広がっていった。彼に今日全く鰻の当たりがなかったのは、ミミズの魂が集まってきたからかも知れない。この辺りの釣り人によれば、鈴が振れても音がしなかったり、波が立たなかったり、釣り糸に露が降りると、ミミズの魂が来ている証拠で、そのせいで鰻は怖がって姿を消し、当たりが全然なくなってしまうそうだ。Rは温室の話に耳を傾けていたため、鈴には注意を払っていなかったし、いずれにせよ建物の隅にいたため川は見えず、水面の皺を伸ばす青色のミミズの魂は確認できなかった。

釣り糸も乾いたままであった。どれほど怖ろしい魂が来たとしても、釣り糸には露は降りないようになっている。蝋を釣り糸に擦り付けるからだ。川の水温が一年中六・五度以上上がらなくなってから、鰻は水から上がり暖かく湿気のあるホテルの周りによく現れるようになった。森で釣りをする時の一番の問題は、水中と異なり、土や芝の上では釣り糸を動かすと草や落ちた枝などにあたり音を立てることである。そうなると鰻が警戒するので、少しでも音が出にくくなるように、釣り糸に蝋を塗るのだ。

釣り糸を最後まできれいに巻いてから、Rは会心の笑みを浮かべた。思いもよらぬ鰻釣りの案内をきっかけに、思わぬ収穫を得たのだ。仕事を終え帰宅しているはずなのに、まだ社内にいるとスタッフたちに変に思われる恐れがあった。鰻釣りの案内の仕事ができたと言えば、誰でも信じてくれるだろうが、文書の執筆は発覚され易いので十分注意を払わなくてはならない。温室から聞こえてきた会話は、非常に貴重な情報で、今後の種々の文書の源になるだろう。

ただ、情報を収集できたので、できる限り早く文書に移さなければという焦りがあった。Sから直ちに空いている部屋の鍵をもらわなければならない。それに、部屋に入る前に今聞いた情報をメモしておかなければならないのに、手元にペンがない。Rは瞬間的に自分が聞いた会話をいかに覚えようかと苦心した末に、特段の措置を取った。まず、頭の中で会話の内容をおおよそ四つのテーマに区別し要約した：一、Lの嘘とトマトソースの味。二、Lの文書の教え。三、母語と故郷。四、秘書の発言。それからRは蝋燭に火を付けて、腕の裏側に傾け、蝋燭の熱い涙を四回に分けて落とす。僅かな痛みとともに様々な形に凝固していくのを見ると、Rには会話が物質に入り込むように感じられた。別に言葉の記号は要らなかった。

Rは温室の裏に回って静かに坂道を降りて行った。キューバ人のことを心配しながら、足音を立てずにヘッドライトも消して夜の空気の中を急いで歩いた。一度などはもう少しで濡れた芝に足を滑らせるところだった。その時、Rは振り向いて、温室の方を注意して見てみた。そこに、Sが一人で立っていた。ペンシルスカートを履いた彼女の下半身は鰻のように見えた。

闇の中でキューバ人はペットボトルの水を注ぎながら何かを撫でていた。

「鯰です。こんなに大きな鯰は初めて釣り上げました。二十キロにはなりそうです。多分、好物の鰻を追って、ここまで上って来たのではないかと思います。釣り針がずいぶん深く入ってしまったようで困っています。針で鰓が傷つくと死んでしまいます。このまま放すわけにはいきません」

キューバ人は、陸に上がって来た不思議な鯰が神々しく思われ、どうにか生かそうと自責の念に駆られていた。鯰の長い髭の一本は水平へ、もう一本は斜め下へ向いていた。Rはその二本の髭をみた途端、鯰に親密感を抱き、なんとか命を助けるために、文書の仕事は少し後にしても良さそうに思えた。二人はすっかり意気投合して、鯰を厨房まで運ぶことにした。Rは鯰の鰓をヘッドライトで照らしてみた。釣り針はちょうど鰓の『思』に掛けられていたが、まだ新鮮な赤色だった。

Rは温室の前を通る道は避け、その逆方向からホテルを半周して厨房に行くことにした。二人は暖炉付きパーティー会場やスタンドバーのある建物の周りをまわりビーチバレーコートで一度足を止めた。キューバ人が続々と鯰を見に集まってきたからだ。彼らは夜遅くまで、長い間、離れ離れになっていたドイツ人の家族と面会をしていた。

遠くに見える正門から社長の車がゆっくりホテルから出るのが見えた。続いてスーシェフ、パティシエール、秘書がそれぞれ歩いて、夜遅く退勤していた。Kは、明日の行事のためにテーブルをセットしなくてはならないので、まだ仕事を終えていないのだろう。

森で釣れた鯰の周りでキューバ人たちが土俗宗教の儀礼を行っていた。簡略化されたものだったが、彼らの心はいつもより熱心に祈りを捧げていた。いつか家族とまた会えるように、近いうちに死ぬとしてもあまり苦しまないように、天国で永遠に幸せな時を家族と一緒に過ごせるように。彼らは、海の女神イエマヤーや川の女神オチュンの名を呼んだ。キューバ人の先祖の故郷であるナイジェリアの神たちが今夜ドイツへ呼ばれて続々と来ていた。

Rは大騒ぎするキューバ人たちからひとまず離れようと、ホテルの方へ歩いて行った。ホテルの前で記憶の触手を動かしてみた。鯰の髭のように。一つは水平に、もう一つは斜め下へ。

ホテルの部屋からはザワークラウトの匂いがする。酸っぱいキャベツから出る発酵したガスの匂い。人間の脇からも似たような匂いがする。Rに特に性欲を起こさせる匂い。鍵を開けて客室に入って、服を脱ぐと、RとSはお互いの脇から出るもわっとしたその匂いに酔って、セックスに夢中になっていくのだ。セックスは労働と違って、肉体の快楽によって体と体を繋ぐ。しかし、それも体から始まり、体で終わる平等な世界、ブルジョアとプロレタリアの間に肉体の快楽の程度に差異はない。だから、セックスをする体と体は同志の関係になるのではないか、とRは思った。そのように、Sとの性関係を自分に納得させていた。チェックアウトした部屋の鍵を渡され、ペンや原稿用紙を用意してくれるSとはいつもセックスをしていた。

しかし、その後、肉体の快楽がまだ残っている間に文書を書くので、罪の意識で書けなくなってしまったことが何度もあった。同志の労働そのものからなる人生に関して厳しい評価をしなくてはならない直前、Sの脇に鼻を擦るRの肉体は性欲のせいで、快楽の虜になっていたのではないか。資本の力から解放される人間社会への夢より、Sからのザワークラウトの匂いが好きになる。しかし、Rはそのような悩みを悲観的に捉えていなかった。それは肉体自身が下す判断というものを仮定することによって可能になる。つまり、人間の意識の領域にまでは達しないが、だからこそ、考えられない、言葉にもならない、想像もつかない、肉体自身の思考や判断があるのではないかということだ。それこそ、同志の関係を築く根本的なものなのだ。物質である肉体を精神の下に位置付ける考え方は、決して受け入れられない。肉体は、ただ料理されて食われる肉みたいなものではないはずだ。我々の意識を維持する精神こそ、信頼できない内部の敵である。精神的に辛い思春期に、唯一Rの心を慰めてくれたマテリアリズムの影響力は非常に強かった。苦い思いばかりする精神、意に反して世界から辛いフィードバックを絶えず受ける精神自体を否定することによって、今日のRの世界観の中心が作り上げられた。

二階のある部屋が目にとまった。スタッフ用会議室から五番目の部屋だ。窓には電気がついていなかった。Rはその部屋を見上げると怒りを抑えられなくなった。なぜなら、彼はそこで、つい精神の力だけに依存して反動的な文書を書いてしまったからだ。

問題はRがSとのセックスに関して皆の意見を聞こうとする大胆な発想を実行した時に起きた。Rはリアリズムに基づいて、Sとのセックスのことを書いた。セックスは労働で、誰でも誰とも同志の関係になれるという経験を記述した。Sはその考えに同意しなかった。そのような文書がメンザに掲示されるのはとても堪られないから修正するように、次の日から繰り返しRを呼び出した。何度書き直しても納得せず、果てしなく推敲を要求する。結局、Rの文書からあのザワークラウトの匂いは徐々になくなっていったが、実際には推敲する度にセックスをしていたから、文書の束自体が発酵される酸っぱいキャベツのように臭くなっていた。そしてある日、彼女の肉体は最高のセックスの快楽を味わう。強制された校正の大変な作業はそれで終わった。文書から彼女の姿は髪の毛一本も残らず消えた。文書は最初に求めていたリアリティから遠く離れ、突拍子もないアレゴリーになったり、そのアレゴリーのアレゴリーになったり、精神世界の深いところにある無意識の言葉で書かれた告発文になってしまった。

国際労働組合ホテル　支所　ベルリン　ケーペニック区

xxxx年　x月xx日

提出：　受け取り：

IMS／…／　Ltn.／…／

ホテルの階段を果てしなく上がっていくと、階段の途中で子供たちがあちこちに乱雑に置かれている赤い煉瓦の中で遊んでいた。ある女児は煉瓦で高さ一メートル程の窓口を造って階段に座っていた。Rが煉瓦を受け渡しのために開けられた穴へ渡すと、穴から煉瓦が一つ出される。女児は煉瓦を一つ受け取ると煉瓦を一つ渡すので、窓口には変化はないはずだが、次々と、Rが煉瓦を渡していく間に、不思議なことに穴は直ちに塞がった。

この文書が掲示された後、あちこちで非難の声が上がり、シュタージの厳しい審査が行われるようになった。それからRの書いた文書は何度も没になった。党の理由書にはただ『文書の目指すべき社会への寄与を果たしていない』と記されていた。

R自身がその文書の問題点を誰よりもよく把握していた。だが、Rは党が認める文書の基本条件に最初から疑問を持っていた。

今でも変わらずリアリティのある文書がある。その中で、Rは書記長の話ばかりする怠惰なウェイターのことを、話の内容についても詳しく書いてメンザに掲示したのだ。書記長の朝食のパンがベルリンから三百キロメートルも離れているバルト海のフィルム島から毎日トラックで配達されていることや、書記長の好きな西ドイツのポルノ映画の女優のことも少しも省略せずに告発した。メンザにはこの文書を読むために、ADNの記者と党の最高監察機関の一等書記官まで足を運んだそうだ。だが、その後にいかなる変化も起こらなかった。ものぐさなウェイターは明日の行事にも来て、昼の激烈な労働を見せるだろう。地上の社会主義国の模範を作ったドイツ社会主義統一党書記長は、夜、家に帰れば、ビデオ画面に映る西ドイツのポルノ女優の前で帯紐を解き、朝には、老いた口の中へ三百キロメートルも疾走して来たパンがゴールインするはずだ。

言葉によって現実は変わらない。文章に描かれた現実は、まるでピンで固定されたカエルの四肢のように、時間が過ぎても動かず、ホルマリン漬けの蛇のように、色も形もいつまでもそのままだ。そのことがRに文書だけでなく、言葉そのものに懐疑を抱かせた。文書を書きながら、人類の化石の中にどんどん入って行くように感じられて驚き、時折ペンから手を放す。すると、Sが秘書に報告し、秘書はシュタージの担当者を呼ぶ。そうしてRは再びペンをとることになる。シュタージはRに別の道をいつでも提供する意思を表明していた。亡命だ。だが、Rはもう少し文書と闘いたいと伝えた。ほんの小さな希望が見えたからである。Rは現実が変化しないのは、記号が変化しないからだと考え始めた。経験の積み重ねによって、それが自然に分かってきたのだ。労働は物質の動きであるのに、それが固定した記号には伝えられないし、記号から読み手にも伝えられない。鮐が陸に上がるまでの鮐の労働や背を曲げて長時間動く時に脊椎から頭まで、まるで無限に上昇するような生々しい痛み、それをなんとか喘ぎ喘ぎ押さえようとする時の息の苦しさは、結局読み手には伝えられないのだ。

その時、Rにはビーチバレーコートのキューバ人たちが儀式を通して、少しずつだが鮐の辛さを理解し始めているように思われた。キューバ人の先祖の言葉は、アフリカ大陸の巨大な滝のような自然のエネルギーをそのまま伝えられる記号であるかもしれない。Rはコートに駆け戻った。

夜の闇の中でただキューバ人の男が一人で鮐を運ぼうとしていた。彼は、焦りの感じられる目でRを見た。鮐の体からネバネバする粘液が落ちていた。余命が砂時計の砂のように落ちているようだ。二人は駐車場の方に走り出した。しばらくしてスタッフ用の入り口の前まで来ると、Sのタバコの赤い火が立ちはだかっていた。彼女はすぐRに近寄って言った。

「くっさい。この魚、何？　もうたくさん！　今日は絶対鍵は渡さないから。ホテル中がチェックアウトされたとしてもね。釣り道具はいますぐ全部返して！」

その時だった。鯰の髭にSのタバコの火が触れた。鯰はブルブルと震え、キューバ人の手から離れて、瞬く間にSの剥き出しの腕から、胸、首、顎まで尾鰭で触れたのだ。皆が驚いて悲鳴を上げた。

Rは Sの腕を取って十五メートルくらい離れた駐車場の隅へ連れて行った。Sを慰めようとしたのだ。Rはなんとしても Sから部屋の鍵をもらい、原稿用紙を用意してほしかった。腕にはまだ四つの蝋涙が硬く付いていた。それを見る度、温室の側で得たLに関する話が聞こえてくる。Rは書きたかった。書きたくて堪らなかった。もしチェクアウトされた部屋がないなら、今ここで書いても構わないというほどに。Rは鯰の粘液が付いている彼女の顎、首、胸を次々舌でなめていった。しかし、どういうわけか舌がどんどん硬くなっていく。「ルンペルシュティルツヒェン、自分の名前も言えなくなったのね。かわいそうに。ほら、あそこにトラバントの影が現れたわ。Lの黒い涙で育て上げた影！」SはRの硬くなった舌を掴んで、影に入った。

二人は駐車場のコンクリートの上で乱暴に縺れ合いながら転がり始めた。影からはみ出そうになると影が移動し、客室の光から二人を隠してくれた。喘ぎ声をあげると、周りに聞こえないように、トラバントのエンジンが大きな音を立てた。

セックスが終わると、Rの舌は柔らかくなっていた。Rは舌が自由に動くかどうか確かめようと小さな声で歌ってみた。

「全てがこの影のお陰だったのだ。昔々、大きなエンジン音が霧の中を走って来て、三人のシュタージ要員の足が地面をたたく、程なく私の足音といっしょに複雑なリズムになって。影は母の密告の文句でいっぱいの街をぐるぐる回った。あー、あー、方向感覚がなくなっているのに、暗闇の未知の空間を走り、走り、見知らぬ『私』になるまで、あーあー、ぐるぐる回ったのだ、ぐるぐる回って、回って、一度も行ったことのない動物園の中まで入って、最も珍奇な姿に成り果てた」

SはRの歌に合わせてとびきり楽しく踊った後、ついに力尽きて、コンクリートの上に倒れた。

「お腹がペコペコ。どこからなの？　ミミズの血の匂いがする。我慢できない。ちょっと食べてから部屋の鍵を渡すからね」

Rもミミズの血の匂いがするマンホールの側に行ってみた。そこには三匹のミミズが三等分に切られて刺さっている釣り針が置いてあり、そこに向かって一匹の鰻が妖しくのたくっていた。

Rはすぐにキューバ人を探しにスタッフ用の入り口へ走った。Rに気づいたキューバ人がヘッドライトをつけてRに叫んだ。

「鯰が逃げました。そこで見ませんでしたか?」

「ダメですよ! 逃げ出した鯰を捕まえようとしてるんですか! こんな夜遅くに、鈴を鳴らしたり、ヘッドライトの強い光で照らしたりして、宿泊客に気づかれて騒ぎになったらどうするんですか」

その時だった。鈴の音がした。それから竿がぐんと曲がった。酷い力だ。Rが竿を取ろうとすると、竿自体が飛んで行った。Rはうわずった。アー、Sよ! Sが釣られてしまったに違いない。Rは鍵だけでも手に入ればという希望をもって、鈴の音を追って行った。音は駐車場から出て、温室の方へ向かっていた。そこからはまだトマトソースの匂いがしていた。

温室には電気が付いていた。時間はもう〇時を過ぎている。RはSの口にかかっている釣り針が深く鰓まで入っていないように祈りながら、一目散に走る竿を追った。

他のスタッフに気付かれないように、Rは明るい温室に近付くと、サウナの庇の下に身を隠そうとした。そこは、少し前に竿を出していたところで、もともと彼にとって格別な思い出のある釣り場でもある。

Rは文書を書いた後、この庇の下で度々一休みしていた。薪が二メートルくらい積まれている。雨が降った後の薪の香りを嗅ぎながら、竿を出して、鰻が来るのを待つ一人だけの時間はどんな他の楽しみとも比べられなかった。ところが、ここが急に仕事場に変わることもあった。もう一年も前になるが、事務の仕事しかできなくなったシェフが、時折、夜遅くに温室でKと密会していたのだ。鈴の音やヘッドライトの光に気付いても、シェフはKに「ルンペルシュティルツヒェンはね、ただの紙だから、無視していいよ」と言いながら、密会を楽しんだ。

Rは敬愛するシェフの話からも私情を抜きに情報を収集し書き留めていたが、余命を宣告されていたからか、Kさえ、Rの存在のせいで不都合を感じることは全くなかった。大きな鰻が釣れると、「ペトリハイル(ドイツで釣り人同士が挨拶したり、大きな魚を釣った時にお祝いしたりする合言葉:『ペテロのようにたくさん魚が釣れますように』)」と大きな声で祝ってくれたりもした。その時は、Rも勇気を出して、「ペトリダンケ(『ペトリハイル』に対しての形式的な返答)」と返すほどだった。

闇の中、Rが庇の下に入った途端、Kの泣き声が聞こえてきた。それにあろうことか、夢でもいいからもう一度、聞きたかった懐かしい声、それは死んだシェフの声だった。Rは耳を疑った。

「K! そんなに悲しまないで! 私には世の中に思い残すことは何にもないんだ。ここでみんなが集まって話し合っていた時、全部聞いていたよ。ただ一つお願いがある、自分の体を冷凍倉庫に置いてくれないか。後で食料が足りなくなったら、みんなに食べてもらいたいんだ。苦しい……」

「大丈夫?　しっかりして!　R!　そこにいるんでしょう。ペトリハイル!　ここに来てちょうだい。助けて!」

Rは「ペトリダンケ」と答えてから、温室の中に飛び込んだ。さっき逃げ出した鯰の髭が、Kの胸から一本は水平に、もう一本は斜め下に出ていた。口から赤い液が垂れていたので、Rは真っ先に鰓の色を確認した。赤色が消えかけて、所々落ち葉の色に変色し始めていた。既に手遅れだろう。変色の進行が一番酷いところから、鰓にかかっている釣り針が見えていた。

鯰は大きな溜息をついた。冷たい息であった。急に温室に凄まじい冷気が入ってきた。Rが走って開いていたドアを閉めに行った。その時、雪が降り始めた。温室の天井はみるみる白に変わっていく。「氷の聖者」の時期には、五月でも雪は珍しくない。しかし、懸念される氷河期の前兆とみなされてもおかしくなかった。

Rはシェフに再会できて、感激の虜になっていた。だが、時間がない。シェフは間違いなく、社会主義の食文化の新たな章を開いた、自他ともに認める偉大な料理人である。彼の料理の極意を学ぶこと以上の喜びはない。それは確実に社会への貢献になるはずだ。Rは彼に極意を授けてほしいと懇願した。シェフは惜しみなくRに全てを教えようとした。やはり、シェフの知識と経験は広々とした畑のようだった。Rの直すべき欠点も指摘してもらった。料理の飾り付けにおいては、美しくない飾り『鯰の二本の髭の全く美しくない角度の組み合わせ』の価値も分かってほしい、と。それから特に心に刻みつけられたのは、Rの先祖であるアフリカ出身の奴隷が、一万キロの距離を漕いでいた時の奴隷船の死ぬほどの乾き、それがRの舌には残っているから大事にするようにと言われたことだ。そうすれば、水の味をヨーロッパのどのコックよりもよく理解できるようになるからだ。Rは感謝の気持ちで胸がいっぱいになって、シェフの話を書き留めようとした。早く!　生涯一度きりのこのチャンスを逃してはならない。Rは再び蝋燭に火をつけて、腕の裏側に蝋燭を振って極小の涙をたくさん落とす。外では寒風が吹き荒れ、川面の波の鱗を梳き引く。温室の屋根に積もった雪も吹き飛ばされて落ちていく。遠いところからサイレンの音が聞こえてきた。Rは不安になって鯰を見た。鯰の『今』が透明になり見えなくなっていった。隣でそれを見つめていたKは泣きじゃくっている。Rは死ぬほど集中力を高めて、蝋燭を振りながら肌の上に沢山の言葉を書き残す。すると、その間にだんだんと、一本は水平にもう一本は斜めに下に向いている二本の髭が、それぞれこの世とあの世を指している角度であることが分かってきた。そして、その時、シェフの顔を見たのだ。鼻には酸素チューブが装着されていた。ひび割れた唇にはこれでもかというほどの乾きが見出せた。シェフの微笑は温かかった。

大量に積もった雪が落ちるような音が大きく聞こえた。作業を終えたRが毒針を刺してしまった蜂のように倒れ、もがいていた。その時、Rを探しに来たキューバ人の男が入ってきて、素早く彼に近づいた。男の口から、

「L！」

と発せられたのがRに聞こえた。キューバのスペイン語の単語によくあるように、RとLが入れ替わってしまっている。Rは満身の力を込めて、

「私はLではなくてRです。Lはあなたの息子さんでしょう」

と訂正すると、Kが、

「ルンペルシュティルツヒェン、私はおまえの名を知ってるよ」

と答えた。

この時、Rに初めて疑いが生じた。「おまえの名を知ってるよ」とはどういうことなのか。私はただRであるだけではないのか。みんながそう思って、自分だけがそれを分かっていないんだろうか。そんなことは絶対あり得ない。みんなが本当にそう思っているなら、早く誤解を解かなければ。

しかし、Rの口は急に渇き、咳が出始める。Kが表情を和らげRに親切に言い添えた。

「確かに、Rだけど、Rは文書の紙の上だけに存在する。Lが自分のことを書く自伝的な人物につけた名前」

キューバ人は目頭が熱くなって、しばらくしてから震える声で息子を呼んだ。

随想——ジェイムズ・ジョイスと『エセ物語』

川口　好美

1　いくつかの思い出

以前本誌のコラム欄に書いたと思うが、ジョイスの小説集『ダブリン市民』に収められた短篇の拙訳を読んで頂いたのがきっかけになって、土曜の昼ごとに室井光広氏の研究室にお邪魔し、氏が自転車での通勤途中に買ってきてくれた美味しいパンをかじりながら小一時間雑談を交わすことが習慣化した。

（余談だが、わたしは昔ながらのこじんまりした町のパン屋に自転車を停める氏を想像していた。いつもパンが古風なあんぱんとクリームパンの二種類だったからなのだが、それはとんだ思い違いであった。亡くなった後、奥さまから場所を教わってパン屋に行ってみると現代的なインテリアでまとめられた洒落た店内は広々しており、小難しいカタカナ名が付されたパンがずらりと陳列されていた。そんな中で氏があんぱんとクリームパンだけを律儀に盆に載せている様子を思い描いて、泣きたいような笑いたいような気持にわたしはなった。氏は書物の中だけでなくパン屋においてもきらびやかな横文字の氾濫の渦中から〝古い問題〟を丁寧に掬い上げ護ろうとしていたのだ、と。藤田直哉氏の言い止めを借りれば「モダニズムの田舎」という氏の姿勢はこんな場合にも一貫していたのである。自分の勘違いを馬鹿馬鹿しくも象徴的な文学的出来事としてカラダに刻んで保存したいと願いながら、わたしは店外のイスに座り、棚からやっとの思いで見つけ出したあんぱんとクリームパンを噛み砕き呑み込んだ。）

＊

これも書いたが、わたしが短篇の翻訳に手を染めたのは『ユリシーズ』や『フィネガンズ・ウェイク』といったジョイスの大長篇を読んでみたもののまったく歯が立たず、短く平易なものを自らの手で訳せばなにかわかるかもしれないと思ったからだった。いちばんはじめに氏にお目にかけたのはたしか「イーヴリン」という題の小品だったはずである。もともとお気に入りの一篇だったようで、その場でじっくり読み、感想を伝えてくれた。全著作に当たってみたところ氏が『ダブリン市民』に直接言及しているのは『縄文の記憶』の中で「先ごろ、アイルランドが生んだ二十世紀最大の前衛作家J・ジョイスの小説『ダブリン市民』の一篇、「土くれ」をしみじみと読み直した」、「男に縁のないヒロインのかなしみが静かに伝わってくる秀作だ」と述べた一箇所だけであった。幸福な生を望みながら種々の不運に堪えつづける下層の女性が主人公であるという点で「イーヴリン」と「土くれ」は共通している。『ダブリン市民』が『猫又拾遺』の重要な発想源の一つだったことはたぶん確実だが、今般、氏の小説家としてのデビュー作品であるその連作短篇を読み直してみて、そこに収められた物語の主役の半数以上が女性である事実に遅ればせながら心づき、わたしははっとした。

＊

ジョイスをかすがいとして氏とわたしのあいだに生起したささやかな触れ合いをつぎつぎと芋づる式に思い出してみる。

あるとき「パートナーが読んでいたものだけど、こういうのはどうだい、良かったら読んでみない」と前置きして氏がこちらに一冊の文庫本を差し出した。『ノーラ　ジェイムズ・ジョイスの妻となった女』という本で、映画化もされていたらしく、若い俳優と女優（ユアン・マクレガーとスーザン・リンチだそうだ）がロマンチックな表情で接吻を交わすシーンの写真が表紙に使われていた。たんにその表紙にドギマギしたせいだったのか、正面からジョイス文学に取り組もうとしている自分にそんな甘たるいラブロマンス風の色彩は不要だという思い上がりがあったためか、パートナーが云々という氏の留保を忖度した結果だったのか、今となってはわからないがとにかくわたしはその本を持ち帰ることを拒んだ。つい先日奥さまに問い合わせたところ、たしかに昔読んだ気もするような……というお答えだった。ネットで古本を買ってわたしも読んでみたのだが、どうも奥さまを持ち出して勧めたのは照れ隠しで、氏のほうこそ主体的に真剣に面白くそれ――妻の視点、女性の視点から作家の聖と俗を見据えるドキュメント（両者の夜の生活をめぐる事象に多くのページが割かれている）――を読んでいたに違いないと思い至り、あのときはちょっと悪いことをしたと反省した。

＊

またある日――高名なジョイス研究者リチャード・エルマンによる伝記を通読したおかげで、実際は全然理解できなかったのに『ユリシーズ』も『ウェイク』も面白く読めたかのように錯覚することができた、というような話をわたしがすると、――そうだよ、あれを読めばジョイスがわかったような感じがするのだけれど、ほんとうにそれで十分なんだよ！　とさも満足そうに強く同意してくれた。当時のわたしは、氏に「リチャード・エルマン『ジェイムズ・ジョイス伝』が翻訳刊行された」と語り始められる『あとは野となれ』というユニークな作物があることを知らずにそんなことを言ったのだが、今思えば、氏のそのような反応は当時取り組んでいた長篇評論『プルースト逍遥』に記されたつぎの一節に呼応するものだったのだろう。「『ドン・キホーテ』のように、何度読んでも治療薬としての効能がだんとつに高いと判った作品もあれば、若年の頃面白く読んだはずのジョイス『ユリシーズ』や、セルバンテスと並ぶルネッサンスの巨匠ラブレーの書にみなぎる「奔放な血気」が産出する遊戯的な笑いが、必ずしも治療薬たりえないという意外な事実にも直面したのだった」。つまりこういうことだったのではないか。読書に本源的な癒しの効能を期待する心持が強まっていた氏にとって、ジョイス作品の本文には希薄だと思えたそれが、エルマンの伝記にかえって濃縮的に存在していると感じられた。「治療薬」としての可・不可は作家の内奥の倫理の質とそれの表出仕方に左右されるが、根っこにどれほど強烈なモラリッシュな衝動があったとしてもそれを「遊戯的な笑い」の過剰にのみ託すことは最終的には誤りだと氏は考えていた……。

だが、ジョイスの原文に不足していて伝記作者のテクストに備わっていた薬効とはどんなものか。わたしはそれを、索引も含めればゆうに千ページを越える大部の伝記にではなくエルマンの別の著作の中に求めてみる。たとえば『ユリシーズ』の以下のような読み方に。「作品の最後の段階において、ジョイスは大胆であるにもかかわらずある種の当惑と寡黙ぶりをみせている。彼は愛という言葉を使うことなく、愛について語る。芸術を自然の本質的な一部と称えるが、彼はその証拠を無造作になんの説明も加えずに提出する。当代にたいする彼の道徳的批判は鋭いが、それはすっかりイメージに託して表現されている。彼はなんの予告もなしに、物語を文学的段階から神秘的段階に引き上げている」(『リフィー河畔のユリシーズ』)。愛について、愛という言葉を用いず、神秘的段階に引き上げた上でソレについて語り尽くしたいと念じる。大胆に、ただしある種の当惑と沈黙は絶対に手離さずに。——これはそのまま室井光広その人に当て嵌まる姿勢ではないか……。そんなふうに深く感じ入り、わたしは思う。たしかにラブレーと共通する「言葉の「下痢」状態」を「半分しか評価でき」なかった(『プルースト逍遥』)としても、しかし少なくとも「愛」をめぐるジョイスの「当惑と沈黙」=「スペシャルな及び腰」(同前)に寄せる氏の信頼は終生揺るがなかったはずだ、と。ちなみにエルマンの言う「作品の最後の段階」とは『ユリシーズ』の最終挿話——夜更けにベッドの中でまどろむモリーという女性の脳裡に浮かぶ様々な想念(そのうちの大部分を夫や夫以外の男たちとの性的な交わりにかかわる回想や妄想や予期が占めている)を描写した、いわゆる〝モリーの独白〟を指している。ジョイスは独白の中身のほとんどを妻ノーラの実体験に取材して書いたそうだ。

＊

これでさいごにするが、ちょうどプルースト論が刊行された頃、わたしは——カフカ、プルーストと来てつぎはジョイスですね、と軽口をたたいた。すると氏は——いや、それは痛いところを突かれたね、ほんとは書かなきゃいけないんだが、そこがどうにもぼくの泣き所なんだよ、と応じられた。氏の顔に苦り切ったような痛ましく険しい表情と人懐っこい笑顔がほとんど同時に浮び上がる不思議な瞬間がわたしは好きだったが、このときもそうだった気がする。今にして思えば『プルースト逍遥』の「後記」に「本書を書き終る頃から、転生への新たな願いにつつまれるようになった。〈世界文学イニシエーション〉批評篇をそのまま創作篇にメタモルフォーゼさせたいというドン・キホーテ的見果てぬ夢がそれである」とあるその「創作篇」＝『エセ物語』こそ、二十世紀文学の巨星ジョイスと氏との真摯な対話の場所だったはずなのだが、わたしはそのことに気がついていなかった。

まだ読んでいなかった、そのときは気づかなかったが今にして思えば……式の物言いを繰り返してきたので、開き直って恥の重ね塗りに及ぶが、わたしは氏の文字どおりのレイト・ワークとなった『エセ物語』を「三田文学」連載時（第一部）には読んでいたのだが「てんでんこ」連載時（第二部〜第三部途中までで中絶）は読んでいなかった。氏が亡くなってから全体を通読し、その底深い魅力に打たれた次第である。その魅力について語りたいがためにあらかじめジョイスに絡めて〈女性性〉という視座、〈（性）愛〉という視座を浮き立たせておいたのだと言えば批評的に聞こえはいいが、前置きばかりの尻切れトンボに終わる可能性が高いだろう。しかしそれも悪くはない。『エセ物語』を遅れて読んだのをきっかけに思い出をいくつか引き寄せ、味わい直すことができた。それだけでも十分に意味のあることなのだから。

2　根源の場所に響く「然り」の声を聴く

世界文学神殿が無尽蔵に放出する癒しの成分に長いあいだ当たりつづけた結果として念願された「創作篇」の主題が、ある種の〝メンタルケア〟にかかわるものであったことは当然だろう。『エセ物語』はそれぞれの巻をひとりの人物が担当するという形式で語り進められる。第一部の担当者室井光広（第二部で松井光晴という人物の筆名だったことが判明する）は、ユダヤ系アメリカ人と台湾のチャイニーズのミックスで「いわゆるバイセクシャルの人」でもあった義弟の重さんから物心両面でケアを受けているし、第二部では在日三世で時折失語の症状に襲われる三井幸という女性が、松井光晴も含まれる物語の編纂人たちとやり取りしつつ、かつて同棲していた松井光晴とのベッドにおける「むつみ合い」＝〝言葉〟による相互ケア（二人とも種々の病を〝複合的コンプレックス〟として患っていた）にまつわる様々なことを思い出し語り直す。作者の死によって中絶した第三部の担当者は松井と三井が共同で運営していた塾《一寸法師》の元塾生である八木タキ。彼女はわかりやすい具体的な性行動として同性愛を実践しているわけではないが「男より女のほうをより深く理解し愛したい気持が強い人間」で、以前は三井幸に思いを寄せていた。木地師を先祖に持ち、現在三井幸の夫となっている彼女の弟八木速雄は山人を思わせる異貌の大男である。作中彼女は主に「僕」と自称するが、ときどき「私」という主語も混じる。「僕」と「私」のあいだで揺れ、分裂に悩むタキは書いている――「伊勢や日向の物語としての『エセ物語』三の巻を、二の巻のように展開したいと、僕と私は願っている。サッチーとマッツィ［幸と松井のこと――川口］の性愛的遊戯に漂う幸福にあやかりたいのだが、女性としての私との語り合い、むつみ合いだけで「二度あること」（二の巻）を三度あることにするのは、僕と私の仲を日向の山師のように引き裂こうと働く力を考えても、至難のワザだろう」と。

　本源的メンタルケアの可能性を、プルーストの話者が追い求めた〝失われた時〟のように見做して追尋する「物語」、それが『エセ物語』である。ただし、それは、著者特有の「スペシャルな及び腰」によるユーモラスな中断・晦渋・逸脱・飛躍・袋小路が随所で待ち設ける似非物語である。だからただ話の筋を追っても、ソレニツイテ知リタイ、書キタイと筆者が心の底から祈念したケア＝「愛」の全容は明らかにならず、癒しの効果も得られないだろう。タキ自身こんなふうに語っているくらいなのだ。「物語の名にだまされて読む人は、K語にいうタンマッ（甘い味）のチョコレートを期待したはずなのに、スンマッ（苦い味）のカカオ99％のそれを食わされた時のような心持におちるだろう。1％の物語成分がどんなものか答えられない編纂人（たち）は、「不断に物語を破壊する力にさらされながら、しかし不断に物語に誘惑されて生きる生き物」としての人間を、〈可憐〉な存在と形容する」……。「不断に物語を破壊する」云々は、井口時男の柳田国男論からの断りなしの引用である。渾身の「物語」をあえて「物語」の破壊99％、誘惑1％という転倒した比率で書きあらわした点でジョイスと室井は一致しているが、前衛作家としてのジョイスの作物にはそうした「物語」の在り様の根底に人間存在の「〈可憐〉」さを見据えるマナザシが若干不足していると、室井には思われたのだろう。『ユリシーズ』や『ウェイク』への不満、不安はその一点に集中していたに違いない。ただ、すでに触れたように『ユリシーズ』の最終挿話のベッドは「〈可憐〉」なものへのマナザシによって満たされている。『エセ物語』は『ユリシーズ』のベッドの高次での反復＝受け取り直しなのであって、作者のモノ深い「当惑と沈黙」の姿勢ゆえに醜く＝見にくく歪められた「愛」の「物語」にほかならないのである。

＊

　これも奥さまから伺ったことだが、事前の構想ではひとりの語り手によって物語が語り進められるかたちは第三部まで

（三十六回分）で、残りの二十四回分は註釈に当てられる予定だったらしい。つまり八木タキは『エセ物語』最後の語り手なのだ。それは氏が――中絶した以上、結局は勝手な想像の閾を出ないのだが――各登場人物が抱える数多くのトラブル（性的不能、同性愛的傾向、頭痛、嗅覚障害、発達障害、失語症、〝在日〟として生きること……）のうちでタキにおける「僕」と「私」の分裂こそ、もっとも根源的、原型的な病だと考えていたことの証左ではないだろうか。丁寧に言い直せば、彼女の分裂を根源的、原型的な場所に差し戻した上で、それがいかなる「愛」によってケアされうるのかを見きわめること、これこそが最後まで語られることの叶わなかった第三部の、そして物語全体の究極のねらいだったのではないか。

見たように、タキは自分の中の「僕と私」が互いに語り合い癒し合うことが、松井光晴と重さんの場合、松井光晴と三井幸の場合と比べてより困難であることを自覚している。もちろん、たんに性的トランスの心性が主体にとって呑み込み難い厄介なものだというだけの話ではない。なにかしら根源的な（室井光広がベンヤミンから深く摂取した〈本源〉や〈根源〉という言葉を安易に着服し乱用する癖がわたしにはある）分裂あるいは分割にかかわるがゆえに困難きわまるものなのだ。しかしだからこそ、それは特別な癒しの種子を内部奥深くに孕んでいるのだとも考えられる。タキのものなのか編纂人たちのものなのか判然としない、ある種形而上学的な声にわたしは耳を澄ませる。

――「君は二重の責任を負う、と彼らがいうその言葉の調子がさっそく僕に伝染する。伊勢や日向のティーパーティーにおける二重の責任は、終りなく分裂し、僕は僕に責任を負うと同時に、僕の前で応答しなければならない、われわれに責任を負い、われわれの前で応答することによって。／君も僕もわれわれも案山子のオドルデクになる。案山子の性別を問う者はいないだろう」。

タキの語りを中心に進行するこの巻には、正体不明の編纂人たち（室井＝松井だけでなく三井幸もすでに加わっているようだ）の声が多量に流れ込んでいる。他の巻とくらべてその分量は圧倒的に増えている印象だ。第四部と第五部がこれまでの巻にたいして註の役割を担うと語った氏の脳裡には、「物語」が特定の語り手を失い、無数の声に浸透されて一度は霧散するにもかかわらず、根源的な「応答」と「責任」（＝responsibility）についての「物語」が虹のように複雑で多彩なグラデーションを帯びてふたたびよみがえり立ち上がり、ついにはドラゴンのように神話的な世界を翔ける――そんな事態がイメージされていたのではないだろうか。

カカシの性別を問うものなどいないとのたまうその声は、あるときタキに愛を告白していた。「われわれは、あなたのなかにある、あなたではなくわれわれである何か、が好きであることを隠そうと思わない」と。わたしの実存を寸断する内部の分割線をまっすぐ見つめ、分裂を引き受けようとすること。わたしの中の「われわれ」（「僕と私」）の声に「責任」をもって「応答」しようとすること。その過程で徐々にわたしは性別不明のカカシ＝オドルデク＝欠損を抱えた欠け端としての「〈少〉神」（『多和田葉子ノート』）に変容してゆく。そんなわたしに他なる「われわれ」――それは無数に存在しており、各々がタキと同質の「二重」性を刻印されている――がおいでおいでをし、ほんとうにほんとうの癒しにかかわる「共同事業」へとわたしを誘う。「――そう、究極の心理は個人の言葉で言い表せないほど奥深い。だからわれわれの呆れかえった共同事業が許される」と。

　ここで言われる「究極の心理」とは分裂を徹底的に押し進め、ついにカカシと化した人間＝「徹底的な自己破壊」者だけが触れうる、ある深淵の感触のことなのだろう。深淵の感触が伝染し、共有される星座的布置を描き切ることこそ「呆れかえった共同事業」としての『エセ物語』が実現したかった当のものであったはずだ。その星座から滴り落ちる癒しの効能は本質的かつ魔術的で、過去・現在・未来の時制の区別を一瞬消し去り、〝今ここ〟におけるあらゆる他者との共存の可能性を幻視させるほどにブリリアントなものだが、あくまでも過剰さや大袈裟さとは無縁である。いずれも第二部、三井幸の語りの中にある、詩的に素敵なそのサンプルを前後の文脈には触れず書き写してみたい。

（……）そのささやき・つぶやきは――「ときおり苛酷になることはあっても、やはり苛酷ではない言葉――どこか悲鳴のごときもの、歌になるものの彼方で発せられた声は、決して暴力的でなく、他の者に襲いかかることがない」。そのささやき・つぶやきが、いかなる攻撃・破壊に対しても、か弱いこのわたしを保護してくれるように確信できるのは、すでに彼らの「自己攻撃・自己破壊が済んでしまっている」からだ。

　闇の中で長いこと抱き合ったまま臥していた自分たちの姿を、まばたきカメラでとることもイーロプタ［不要――川口］だった。マッツィがどう思っていたにせよ、決して現像されえないネガフィルムのような結びつきを今の私ははっきりと愛惜している。ここにいう今の私とは、編纂人（たち）とのコラボレーションに従事するようになってからの私を指す。

　私の身体のいたるところに一度はたしかに孕まれたものも、結局その地形のように霧の中に隠れてしまったのだが、私はその運命をうらみに思ったことはない。ほんの数時間しかつづかぬという固雪の朝、後向きのまま「透明な天使の通路」をどこまでも歩いてみたいという願いも叶わぬままだったけれど、固雪の話を聞くたび奇妙な現象が私にしのびよった。

その現象をもたらす風は二つの「ほう」を混じり合って吹き流れるものだ。一方で、未体験だったはずの、マッツィが現に今話している事がいつかもあったと思われ、はっきりいつと思い出せないものの、たしかに自分が体験したことがあるような気がするにもかかわらず、一方では逆に、今眼前にいるマッツィその人が見も知らぬ他人のように見えてしまったりするのだった。

*

『エセ物語』の「三田文学」連載パートを形式的にまとめれば、義弟重さんが段ボール（「重箱」）に遺したテクストをよすがとして、室井光広（松井光晴）が重さんとの交友を、そして作家失格者である自らの文業を想い起し辿り直す、となる（ちなみに作中で室井＝松井は短篇「ナワの回転」の発表を最後に職業作家の看板を下ろしたとされているが、じっさいの室井光広がそれを発表したのは二〇〇三年である。この設定には、ボルヘスについての論考で商業誌デビューして十五年が経過していたその頃には隠棲＝山を下りることへの願いがかなり強くなっていた、という意味がこめられているのかもしれない）。それは一面ではパロディ化された自伝であり、もう一面では男性同士の濃密な友愛の物語で、この時点でははっきりと『エセ物語』は二人の共編著だとされていた。他の巻とちがって、そこに編纂人（たち）のアモルフな声が入り込む余地はなく、閉鎖的、排他的ムードがそこはかとなく漂っている。一巻を拾い読みしたタキはそのことを「『耳で妊娠して口からお産をする』いとなみを雌の力をかりずにやり了せたい……少なくとも『エセ物語』一の巻にはその種の願いが強く沁み渡っているようだ」と鋭く言い当てている。二巻と三巻は、男性中心の一巻の書かれ方、語られ方への反措定としてあるのだ。

　したがって本作にとって真に重要なポイントはあの《3・11》を機に連載を一旦打ち切った後、手ずから作り上げた文芸誌「てんでんこ」で再開した時点にあったと考えるべきなのだろう。「てんでんこ」創刊の辞「願文」では、無数の「ニーマント」（＝カフカの短篇「山への遠足」に登場するキャラクター。〝誰でもない者〟の意で、性別不明の幽霊のような生キモノである）たちとの協働のイメージが強調されているが、それは二の巻、三の巻の在り様に深いところで通じている。ただ、わたしは、氏が『プルースト逍遥』の「後記」で洩らした〈世界文学イニシエーション〉「批評篇」シリーズが「創作篇」に化けたという実感も大切にしたいと思うのだ。世界文学のスペシャルな「男・女」たちがそれぞれのベッドで実践した特異な「愛」のカタチ、そこでの凄まじい「自己攻撃・自己破壊」に瞠目する経験がなかったならば、そうしてそこから自らの内部の分裂線を感動的に受け取り直す経験がなかったならば、「創作篇」への脱皮あるいは羽化という

「ドン・キホーテ的見果てぬ夢」が膨らむこともなかったと思えるからだ。

ところで氏が『ダブリン市民』に言及したのは『縄文の記憶』で「土くれ」にふれた一箇所だという先ほどの断定は誤りで、評論文「声とエコーの果て」(『零の力』所収)に「対応」(〝counterpart〟)という作品への丁寧な言及がある事実を今ごろになって思い出した。氏はこう述べている。――わたしたちは「声」の存在をうすうす感じながらも、聴術を失ってしまったために、ソレがいったいどのようなものだったかわからなくなってしまった。言い換えれば、自分がなにか本来的なものの「片ワレ、割符」であることの自覚はあっても、そのもう一つの存在がどんなものか不明になった時代にわたしたちは生きている。ジョイスの「対応」は「かかるアモルフで無定型な時代精神を先取りしたうえで書かれている」……。短篇の具体的な中身には触れずに、モダニズム文学の本質をあざやかに言い止める氏の言葉をさらに追おう。そのような「時代精神」を全身で受け止めた作家は、ふつう一般の意味とは異なる次元の「眼高手低」を強いられることになる。「眼」の高さは、喪われた割符のある彼方に位置し、作品をものする「手」は低い低いモラルの荒野に這いつくばって仕事をする。その乖離は大きい。いつまでたっても天堂篇はおろか浄罪篇への橋すら視えてこないという現代文学の世界に背を向ける人は多いだろうけれど、何のへんてつもない声の背後に木霊を聴き、さらにそれを自家製の天堂で言霊に翻訳する手続きは今や読者の想像=創造の領域に位置するものとなったといういい方も許されよう」。ロマン的な彼方に響く「声」と、この現実における「声」とのあいだに横たわる、眩暈を起こさせるほど巨大な「乖離」。しかし「乖離」があるからこそ、われわれにはわれわれ自身の卑小な「声」をエコーさせた上でそれを「自家製の天堂で言霊に翻訳する手続き」が許されてもいる。いや、そこにしか文学の可能性は残されていない。「現代文学」が深い祈りの姿勢を取らざるをえない所以である……。

無意味に積み重なる「声」の「現代的な音調」(秋山駿)に耳を澄まし、その「低」さに賭けて「高」いものを想像=創造的に回復しようとすること。そうすることで断片化・細分化された「わたし(たち)」を救抜し、高次の複数性を帯びた謎の存在(ニーマント)として甦らせようとすること。――これこそが、モダニスト室井光広の文学実践上の一貫したモラルであり原理だった。ジョイスによる文学革命を「新生コミュニズム運動」と言い換えたのも(『あとは野となれ』)、どんな些細な事象の表層にも棲息する「おどるでく」は「天使の通路」であると述べたのも(「おどるでく」)、そうした意味においてだった。『エセ物語』もまた同質のイデーに貫かれていることは、すでに引用したいくつかのキレハシを読めば十分に明らかだろう。

ただ、それでもわたしは〈世界文学イニシエーション〉「批評篇」――とくに『カフカ入門』と『プルースト逍遥』の二冊――で氏が作家たちの秘められた〈性〉の問題（自己の性意識を外部にたいしてどの程度秘密にしていたかは作家によって異なるが）に特別な興味を抱き追究した事実を重視したい。それは氏が、あらゆるものの断片化・細分化という、すぐれて現代的な問題に「時代精神」の面からのみ肉薄するやり方を退け、あえて少々危険を冒してでも作家個人の根源の場所に下降し、そこに走る分裂線に注目することで答えようとしたことを意味している。ここに、凡百の学術的モダニストと田舎的モダニスト室井光広を隔てる決定的な差異があったと、わたしは思うのだ。

カフカ論で氏は、無意識のまま眠っている〝異性〟の可能性を自分の人格の全体像に繰り込むことが男の後半生の重要な課題であるとするユングの「アニマ論」を祖述している。氏自身がそのような「統合」を後半生におけるのっぴきならない課題として受け止めていたことは確実である。もちろん、誰かが同性愛的心性の持ち主だとわかったとしてその文学への理解が深まるわけではないことは自明だし、カフカやプルーストを苦しめた性意識は自分にとって他者であると氏ははっきり断っている。氏にとってあくまでも大事だったのは、他者のテクストから「AとB、半A半B。非A非B……こうしたドッペルヴェーゼン（二重の生キモノ）の中核に潜むツナギとしての蝶番（hinge）と縁（fringe）」の痕跡を救い出し、受肉することで、ソウイウモノニナリタイと本気で念じつづけていた「決して空にすることも、満たすこともできない器のようなもの」に、「死と再生からなる化物」に自分自身が変身することだった。尋常ならざるその祈りの強度は、最終的には、同性愛を特別視する狭隘な視野を破砕するに足るものだった。なぜ氏が、〈男と女〉を種々の分割――〈大人と子ども〉、〈聖と俗〉、〈明と暗〉……――のうち人間存在にとってもっとも重要な原型的分割であると考え、世界文学神殿における特別な位置を与えたのかについては、もっと深いところで考えなければならないだろう。今はそれを謎のままにし、「ツナギとしての蝶番」＝「謎のてふてふ」が「最終的にどんな故地に帰ってゆくか、おぼろげにもわかっている」、それは「〈字を書くこと〉」であるという、室井光広的あまりに室井光広的な洞察を胸にたたんでおくことにする。

カフカとならぶスペシャルな「男・女（もしくは女・男）」と氏が見なしたプルーストについての本には、こうあった。

dialect［方言――川口］は、普遍性につながるとおぼしき言語との不断の dialogue（対話）と切り離せない。真の dialogue をやめない限りにおいて、dialect は、dialectic（弁証法的）な存在でありつづけるだろう。

〈男と女〉の分割線＝「と」に特別なマナザシを注ぐだけでなく、境界としてのその「と」に棲みなしたいとさえ願う者にとって、神的・絶対的な「普遍性」との「真の dialogue」は不可避であろう。そしてそうであるかぎり、ちっぽけな dialect 的存在である彼は同時に「dialectic（弁証法的）な存在でありつづける」。弁証法的存在であるとは、end（終り、目的）としての希望を放棄し、不安な、寄る辺ない宙づり状態の生を引き受けることであって、そのような事態をあえてすすんで欲しつづけることこそが本来的意味での「自己攻撃・自己破壊」であると、氏は考えていたに違いない。震災以降の氏がとくに強調した〝山を下りる〟こと、〝遅れる〟こと、「「低い」調子」（『柳田国男の話』）を身につけること、〝なにを〟書くかよりも〝いかに〟書くかを大切にすること……これらはみな、弁証法的存在になり了せるためのレッスンの中身を色々に言い換えた言葉だったのだ。じっさい、氏の「自己攻撃・自己破壊」はほとんど済んでしまっていたので、その言葉は――「ときおり苛酷になることはあっても、やはり苛酷ではな」く、「どこか悲鳴のごときもの、歌になるものの彼方で発せられた」その声は、「決して暴力的でなく、他の者に襲いかかることがな」かった。

　大袈裟ではなく、彼の言葉、彼の声にこもるぬくとい「保護」の感触を、わたしは死ぬまで忘れることができないだろう。

＊

学生時代のわたしは、『ユリシーズ』に全然歯が立たなかったのと同様、思想家ジャック・デリダによる註解書――『ユリシーズ グラモフォン』がまったく理解できなかった。十年以上ぶりにそれを読み返してみて、自分の読解能力にほとんど進展がない現実に衝撃を受けたのだが、それでも、収録されている二つの論考のうち「ユリシーズ グラモフォン――ジョイスが「然り（ウィ）」と言うのを聞くこと」のほうは、あくまでも部分的にだが、楽しんで読むことができた。氏の著作を、とくに『エセ物語』を通読したおかげである。

　デリダは、ベッドに横たわるモリーに寄り添い、彼女が幾度となく口にする言葉――「然り」（イエス、ウィ）にひたすら耳を澄ませる。イエスではじまりイエスで終わる最終挿話は〝モリーの独白〟と呼びならわされてきたが、「モリーの「独白」ほど独白らしからぬものはない」とデリダは注意する。それはイエスが意味に先立つ「力のごときもの」であり、「他人への差し向けが存在することの刻印」にほかならないからだ。この指摘の現代思想的に高度な意義について説明する準備も能力もわたしにはないので、『エセ物語』との関係で琴線にふれた箇所を継ぎはぎして満足したい。一言で言えば、わたしはその難解な言説を、深淵における決定的出来事――分割であるとともに綜合でもあるような根源的「と」の発生をめぐる思考として受け取ったのである。

「この差し向けは対話や交渉では必ずしもない。それは声も対称性も想定しておらず、応答の先行性、それもすでにして要求であるような応答の先行性を前提としている。なぜなら、他人がいるとして、ウィがあるとして、その場合、他人は同一者もしくは私によってはもはや産出されえないからだ。一切の署名と一切の行為遂行的発話の条件たるウィは、私が構成したものならざる他人へと差し向けられる」。イエスとはわたしから他者への要求である。この要求からしかわたしはなにもはじめることができない。だが、にもかかわらず、わたしが他者へ要求する（イエスと言う）のは、それに先立って他者がわたしにイエスと言ってくれと頼んだからで、その要求への応答として、わたしは他者に要求するのである。この奇妙にねじれた関係から本源的「時間」が発出する（たぶんそれは〝失われた時〟でもあるのだろう）。デリダは言う、イエスによる「自己措定」は「円環を開始させ［傷つけ］（entamer）ながらも、円環を開かれたままにする」と。また、それは起源・創始であり、あらゆる応答責任の根源に位置するものだが「かなり滑稽なもの」である、と。

「わたし（たち）」の根源の場所に響く「然り」の声――それこそ氏の念願だった「真の dialogue」を起動させる魔法の呪文である。『エセ物語』第三部に記された言葉をわたしはふたたび引き寄せる。「（……）二重の責任は、終りなく分裂し、僕は僕に責任を負うと同時に、僕の前で応答しなければならない、われわれに責任を負い、われわれの前で応答することによって」。「われわれは、あなたのなかにある、あなたではなくわれわれである何か、が好きであることを隠そうと思わない」。ニーマント（たち）が愛するのは、「然り」を言う「わたし」である。「然り」を言うことで「わたし」を措定すると同時に「わたし」を「われわれ」へと無際限に分裂させてしまう、弁証法的「わたし」＝「われわれ」である。「然り」を言うことで「わたし」＝「われわれ」への無限の応答責任を負う、「わたし」＝「われわれ」である。どうしても氏はそんなふうにニーマント（たち）から愛されたかったたし、また、ニーマント（たち）がやるような根源的な愛し方で、誰かを愛したかったのだ。

わたしは思い出す。失語の症状を少しでも和らげるために、松井光晴（室井光広）が三井幸の隣で「死体に添寝する死体のように」横になる場面を。どうして二人とも「死体」なのか。それは、幸が回復しなければならない言葉とはほとんどこの世ならぬ――「然り」という言葉であったためだ。そのために出来ることといえば、死んだように息を殺して、静かに、共に在ることだけだった。どうか彼らの耳が、深遠な本文に付されたささやかな序文のようなか細い声でもいいから、根源に響く「然り」の声を聴き収めることができますように……。氏はそう祈っていただろう。本文（本編）の不可能性に堪えながら、それでも希望を捨てずに序文的な場所に立ちつづけること。文学の本質はそうした営為の内部に潜む。長篇評論の本文末尾にあえて「（以下本編！）」と記したこともある氏は、そう考えていたはずだ。

「ヤレヤレ、いいかげんにしてくれよ」という氏の呆れ声が聞えてきた気もするが、真逆の〝もっとエエ加減にやりなはれ〟の意にねじ曲げ、あとひとつだけ、『エセ物語』の最後の回から引用したい。これから先わたしは、文字どおり在り難く貴重な「テキスト湿布」として、このひとくだりをなにか事あるごとに繰り返しカラダに貼り付けるつもりである。

わたしたちの苦しみとは何だろう。本文的な深淵が、たえず序文的な浅瀬にうち寄せられる……その反復の波と戯れるわれわれの練習と、わたしたちの苦しみと（以下、数行欠）

横浜市郊外の生家を出て、喜多見に住んだのは職が見つかった二十四歳の春だった。当時この町には、私より一年早く働き始めていた大学時代の友人が暮らしていた。

初めて勤めた職場で机の前に坐った日の次の週末に、喜多見駅を下りて不動産屋をめぐった。その次の週末にも回って部屋を見つけ、五月の連休に引越をした。職を得るまで貯金もまったくないその日暮らしをしていたので、アパート契約の敷金と礼金は友人に借りた。以来、喜多見で暮らして二十三年が経つ。

勤め先の所属が月刊誌編集部に移ったのが二〇一〇年で、その折に幾人かの書き手の方に手紙を出した。その中で電話を下さったのが室井光広さんだった。きちんと話をしたのはその時が初めてだった。電話口でふいに、生まれた場所と時間、今住んでいる場所を訊かれた。

「ほう、喜多見に十二年ね」

そんな声をきっかけに、室井さんは柳田国男の話を始めた。それは今思い出しても不思議な魅力をたたえた話ぶりであった。

室井さんが『柳田国男の話』を執筆されていたのは、二〇一〇年から一四年にかけてだった。震災、原発事故をはさんで日本社会が大きく揺れ動いた時期であったが、まったくペースも乱れることなく連載を完走され、本に書き上げられた。私は室井さんと柳田国男が暮らした喜多見を歩いてみたいと夢見ていたが、言い出せぬまま叶わぬことになった。


伝わっている土地の歴史の話をごく簡単に書く。太田道灌に江戸城を明け渡した江戸氏と家臣団が十五世紀に移り住んだ郷であった喜多見は、古墳時代後期の墳墓群をはじめ、旧石器時代から多摩川の水辺の環境をたよりに人が暮らしていた痕跡が見つかっている土地である。柳田国男が移住した昭和二年当時は、砧村大字喜多見。昭和十一年に喜多見の地籍が半分に分かれ、台地側が成城町になり、低地側が喜多見町になった。

現在の喜多見町には、どういうわけか梅の木を植えた家が多い。成城町は春になると並木道の桜が一斉に咲く。注意深く見ていると、桜の後に町の住宅の幾箇所かで杏の花が咲くことにも気づく。

柳田国男の三女、堀三千の『父との散歩』に、戦前の成城町で杏の苗木を住人に配って歩いていた柳田の話が書いてあった。室井さんとこの町を歩くことは叶わなかったが、もしも折良く花の時期に、杏の咲く住宅の家主と話が出来たら、お宅の庭で育てているのは、もしかして柳田翁に分けてもらった苗木ではありませんか、と問うてみたいと思っている。


（寺田幹太）

『おどるでく』考

藤田　直哉

しかしもちろん、オドラデクなるものがこの世に実在していなければ誰もその研究に没頭したりはしないはずだ……（P18）

『おどるでく』は、『群像』一九九四年四月号に掲載され、第百十一回芥川賞を受賞した小説である。

作者は室井光広。一九五五年、福島県の南会津郡で生まれた作家である。『おどるでく』は室井の代表作であり、その後の多くの作品で披露される思想や考え方、技巧などの原型が収められた小説である。であるから、『おどるでく』を理解することは、室井光広という作家そのものを深く知る助けになるはずである。

作品は、福島県の山奥にある生家の二階で、仮名書露文という筆名の旧友が書いた「ロシア字日記」を発見するところから始まる。その日記には「おどるでく」という謎の言葉が、キー概念として登場する。この「おどるでく」の意味を探求していく思索と、（室井自身の経歴と重なり合うところのある）書き手自身の過去の想い出などが錯綜するという構造の小説である。以前、室井の生家を訪ねたことがあるが、作品の中に登場する建物や場所は、室井自身の生家やその周辺がモデルになっていることは間違いない。

最初に総論めいたことを言ってしまえば、「おどるでく」は多義性の塊であり、探求しても何がなんだかハッキリは掴めない「聖杯」のようなもので、辿り着く事ではなくその手前の過程の中にこそ充実した何かが宿るようなものだ。だがしかし、そのような構造になっているものはこの世に無数にある。そう断ずるだけでは、この『おどるでく』という小説が固有に表現しようとしているものが何なのか、その微妙な差異が見えなくなってしまうのだ。

なので、本論は、ひたすらに愚直なやりかたを採用し、『おどるでく』という小説の中で「おどるでく」がどのように書かれているのかを、具体的に書き写して引用しながら、検証していくことにする。室井自身もこう書いている。「おどるでくをうつ

されるのを好む人は何よりも『写す』行為をいやがらないと露文氏はいっている」（単行本、以下同。P43）

ドイツの小説と、会津の民間伝承の接続

「おどるでく」とは何か。それは「ロシア字日記に頻出する」（P15）言葉である。それは「スマッコワラシ」（座敷童）と「印象が似てい」ると、書き手は述べている。ロシア字日記のページを初めて「めくったとき私の眼に躍り込んできた文字は暗い部屋の隅にうごめくスマッコワラシのように見えた」（P14）。

それはロシアの文字そのものであり、スマッコワラシに似たものである。そして、それは連想や言葉の類似などで、次々とスライドして語られていく。これこそが『おどるでく』という小説のあり方である。

本作冒頭には、防衛庁についての会話がある。電話をかけてきた相手が、戦場でだれかが戦死したときに、肉親が「予兆のようなもの」があったかを防衛庁が研究していると言うのだ。「虫のしらせ」や、遠く離れたものを繋ぐ「霊的な感覚」と、「おどるでく」はどうも結びついているようである。

「おどるでくは要するに（と私はそのあいまいさにがまんできず一義的な定義をする）幽霊である」「霊的存在」「霊的視点」「二つの世界に踊りはねる霊的人形」「ひどい胸さわぎとなっておし寄せ、予兆の感覚を引き起こす」「ねこまたのきかせ」（＝猫又の聞かせ？　いわゆる虫の知らせのこと）「眼には見えぬものを見えるようにする実利的な道具である」（P26）

防衛庁についての会話の中で「踊る木偶」「踊る字句」（P17）という言葉が出てくる。それは「踊る」「木偶＝木でできた人形」であり、同時に文字そのもののことでもあるようだ。

そして「オドラデク」（P17）という単語が出てくる。それはカフカの「父の気がかり」という短編に現れる単語である。「父の気がかり」で描かれる「オドラデク」は家の中に神出鬼没に現れる生き物か精霊のようななにかで、話しかけると楽しそうに笑ったりする。星形の糸巻きのような形をしていて、様々な糸などが縒り集まった形をしている。

『おどるでく』は、この「オドラデク」を下敷きにしている。先んじて言えば、このドイツの作家が書いた「オドラデク」と、生家周辺に伝わる「スマッコワラシ」（座敷童）への民間信仰の類似点の発見から奔流のように迸った思索と思考と言語こそが『おどるでく』という小説だと言っていい。

カフカの「父の気がかり」では、このような会話がなされる。「なんて名前かね」「オドラデク」「どこに住んでるの」「わからない」（P18）。これが、『おどるでく』作中の「ロシア字日記」では書き換えられている。「オドラデクのかわりにおどるでく、さいごの『わからない』が『農家の三階』となっている」（P19）。「おどるでく」とは、「スマッコワラシ」のことであり、カフカの作

品と、土着的な民間信仰が融合した何かのようだ。
　仮名書露文氏が民俗的なものと「おどるでく」を結び付けている箇所は、このようである。「茅葺き屋根の高天井には『おどるでく』という一種の厄除け人形が萱で作られて吊り下げられて」（P20）「しかしもちろんそれが実在していたからこそ、おどるでくの多義性は生まれたのだ」（P20）「おどるでくの本質的実在を、そしてその様々な現象的形態を信じる」（P22）「カマイタチの方言」「川の源流を構成する分水嶺の雨滴のようなもの」「南ヨーロッパに棲息するという蜘蛛タランチュラによく似た毒虫。これに噛まれると舞踏病にかかる」（P22）
　ドイツの作家が書いている「オドラデク」と、自身の生家の周囲に伝わる「スマッコワラシ」がとてもよく似ていることに、二つの文化と言語の差を突然飛び越えてしまうほどの霊感（インスパイア）を受けたのだろう。後の室井の言い方で言えば「コインシデンス」を見つけたのだろう。ドイツの「世界文学」と、自身の故郷に伝わる民間伝承とが接続される、そういう共通の文学の根源のような場所を見つけたと思ったのかもしれない。それは後の「世界文学シュンポシオン」構想に繋がっていったのだろうと思う。『おどるでく』は、その着想の霊感の震えに全編が満ちた作品なのだ。

忘却された物たち——再発見と解釈による価値転倒のドラマ

「『オドラデクは、忘却された物たちがとる形態なのだ。物たちは歪められている』と、ヴァルター・ベンヤミンは『フランツ・カフカ』の中で書いている。わが『おどるでく』幻想も、忘却されたことへの復讐心をつのらせた『物たちがとる形態』のひとつ、あるいはオドラデクがさらに『歪められ』たものであると、取りあえずいうことができようか」（P185）と、室井は単行本のあとがきに書いているが、ベンヤミンの一節には『おどるでく』を書き終わってから出会ったという。

　ベンヤミンの「フランツ・カフカ」は、「忘却されているもの」をこう説明する。それは「けっして、たんに個人的なことにはとどまらない。忘却されているものは、例外なく、太古以来の忘却されたものらと混じり合い、それらと数限りない曖昧な婚姻を、相手を変えながら結んでは、くりかえし新たな奇形を生み出していく」（野村修編訳『ボードレール　他五篇』P44）。その世界では「精神」は「亡霊」の形を取らなければならない……。「父の気がかり」の読解を、ベンヤミンはそのように行っている。

「オドラデク」は具体的にどのような形をしているのか。「平べったい星型の糸巻きのよう」「使い古しのぼろ糸で、いろいろな種類をごちゃごちゃにつなぎ合わせたふう」（P25）なものである。

　様々な糸が縒り合わさったオドラデクの形態と、その神出鬼没の出現の仕方は、忘却された文化の寓意だとベンヤミンは読んでいるのである。おどるでく＝スマッコワラシには、そのような「忘れられたもの」であったり、長い歴史の過程で紡がれては解けていった様々な文化や言葉、精神たちという寓意がある、と考えてもいいだろう。

「父の気がかり」について、『おどるでく』ではこのように言及している。「オドラデク」という言葉の語源の曖昧さについてだ。「オドラデクという言葉はスラヴ語起源だとする説とドイツ語から派生したものでスラヴ語の影響を受けただけだという説とふたつあるが、どっちにしても頼りなく、どっちにしても意味不明であることにかわりはない、しかしもちろん、オドラデクなるものがこの世に実在していなければ誰もその研究に没頭したりはしないはずだ……というふうにはじまる」「おどるでくはロシア語だったら面白いのだが、じつは単なる方言にすぎない……」（P18）。つまり、それは、言葉として、かつてある言語とある言語が「婚姻」した結果生まれた「奇形」かもしれないが、もはや系譜や文脈が失われてしまったものと見做している。

室井はこう書く。「現在の関心事は、たしかに因果の糸をたぐり寄せるが、順序正しい記憶などありえない。記憶のフィールドでは『やあやあ吾こそは記憶されるべき者！』と過去の亡霊たちが互いに存在を主張しつつ駆け巡っている。だが亡霊の前後関係は脱落し『そこ』だけが『それ』だけが浮上する」（P13）

そのような、文脈がなくなり、断片だけが突出するような歴史・記憶のあり方を、室井は『おどるでく』で体現する。それは、「オドラデク」の現れ方と同じである。

「それは彼方から飛来して、表層に踊りたわむれる。まるでタンチョウ鶴のように」（P28）「神の啓示」「啓示は、〈いつどこで誰が何をどのようになぜ〉という全体状況から突然もぎ放されて降ってくるものだ」（P33）「言葉の深層にではなくその表層に啓示のカケラが踊っていた」（P33）

ここで「神の啓示」のように受け取られている言葉は、大学のゼミにて教員に「君は次回から来なくていいよ。君は読解力などということ以前に、基本的な日本語のイロハを勉強し直した方がいい」（P33）と叱責されたという個人的で苦い屈辱的な記憶の中のものである。それが文脈を失った断片として「神の啓示」のように機能し、日本語の基層、基盤、根源を探っていくように書き手を促した。

そのような断片が突出する書き方をするのは、過去というものが、そのような形でしか残っていないと室井が考えているからだ。たとえば『縄文の記憶』では、縄文土器の欠片こそが、その時代の全体を浮かび上がらせる「欠け端＝架け橋」になると考えている。そのことは、地元に残る方言に、様々な古語の残滓が残っているという彼の言語的な経験からくるものでもあるのだろう。『おどるでく』の中でも、万葉集の頃に「ら」を親愛の情を示すために使った例が挙げられる。それは、会津弁に残っており、そのことを室井は「万葉のしっぽ（＝おどるでくの糸くず）」と表現する。

「オドラデク」は、忘却された役立たずのものである。それはこの親愛を示す会津弁の「ら」もそうであろう。この「役立たず」性を、室井は様々な類語とつなげていく。「会津弁での『やくざれ』（＝役立たず）」「『おんぞこない』（『御損ない』と翻字してみた。欠陥のある者という意味だそうだ）」「『おいなしっぽ』（生い無しっぽ？　子供の状態のまま成長しきれない者）」「『しがない』（＝死なない）」などだ。

また、仮名書露文も、書き手も、自身を「役立たず」と意識している。それは、文学や詩の、すぐには実用的な役に立たないようなあり方と重ねられてすらいるかもしれない。

『生ける屍』をおどるでくに関連させている」「一応生きながらえてはいるものの死んだも同然の人間」、それが作品の後半に行くに従って「何かポジティヴで霊的なもの」になっていく。

それを示すのは、NHKのラジオテキスト群の読み方の記述だ。「まぎれもなくその間にスマッコワラシがいる。それを視るのはやはり霊的視点によってである。知人がいった通りその視点は変幻自在でなければならない。順序正しい科学的記憶（そんなものがありうるかどうかしらないが）などにすがっていたらスマッコワラシを、ひいてはおどるでくを取り逃してしまう」（P34―35）

ラジオテキスト群の間に「符合一致」（P35）があると言う。それは「オドラデク」と「スマッコワラシ」の間に「符号一致」を見出した書き手自身の「インスピレーション」の迸りと近しい。科学的にこれが正しい、とされている階層的・システム的な「決まり」を超えて繋がってしまうそのインスピレーションや言葉の短絡の回路こそを、室井は「おどるでく」と呼びたがっているようである。

方言のなかの「ら」のような、周縁にあり、正統な研究が着目しない、見捨てられた言葉。それが、読み手の再発見と解釈により、「ポジティヴで霊的なもの」に化していく。本作は、そのような、解釈と発見による価値転倒のドラマでもある。

その読みによって、つまらない、つらいものは、価値を転倒させる。「面白くない事実は小説によってではなく、おどるでくによってのみのりこえられる」（P35）

落差と価値――「創造的誤読」の悲喜劇

『おどるでく』の作品後半は、この「落差」の悲喜劇を繰り返し様々に描いていくところに特徴がある。これは一体何なのだろうか。たとえば、「おどるでく」は霊的で深みのあるものと読者は思うが、通俗的な商品の名前に過ぎなくなり、神秘的な文学者かと思っていた仮名書露文氏は、山師ではないかという風に、敢えて卑俗的に描かれるようになる。

仮名書露文氏と書き手の共通の友人である到さんが、「かるかや商事」を作り、水を売るようになる。その水の名前が「おどるでく」である。「『ブナの原生林から流れ落ち、葉のそよぎに浄化されたお水をあなたのご家庭に』――かるかや商事の目玉商品である自然水『おどるでく』のパック瓶に印刷された文句である」（P52）「ヒット商品『おどるでく』の生みの親はもちろん今日の仮名書露文氏である」（P53）。田舎の自然の中で無料だったものを、都会などに持ち込むと「価値」を生む。その世俗的・商業的な例の一つが、この自然水「おどるでく」である。

それほど価値を感じられていなかった茅葺き屋根も、他の地域と接続されると価値を生む。近隣の集落が観光地になり、茅葺き屋根が観光資源になることに、茅葺職人である岩男はこう感想を漏らす。「茅葺き屋根といえば、昔は俺みたいな水呑百姓の家を代表するものだったが、今じゃ金のかかる見せもの道楽になっちゃった」（P55）。田舎において生きるためにやむなくやっていたことが、都会の人間には物珍しい、だからこそその落差で観光資源としての価値が生まれる。

ある文化と文化、ある体系と体系の間を短絡させることで生まれる、落差のエネルギー。、ある地域ではありふれているものが、別の地域では希少で人気があるとすると、その落差は商人が利益を得る機会になるだろう。また、それはアンジャッシュの「すれ違いコント」のように、ユーモアや笑いも生む。異なる言語や体系の間を「自由自在」に動く「霊的視点」は、あるところとあるところを短絡させる線を引くことで、「価値」「笑い」を迸らせる。

つまらない、面白くないものを、「読み替える」誤解の悲喜劇が、いくつものエピソードで変奏される。茅葺き職人の岩男がする長い語りがそれだ。

岩男は、第二次世界大戦後に、ソ連の強制収容所に入っていたことがある。そこに「共産主義の理想にもえる若き女性リーダー」（P60）がいた。彼女は聞き手が理解できるようにするために、共産主義の概念を儒教の言葉を使って説明してもいる。「彼女にとって天とはもちろん共産主義の最高指導部を、君子とはコミュニストとして『完全な人間』を指す」（P61）

マリアは、様々なことができる「百姓」である岩男を「イワン」と呼び「完全な人間」「はじめから理想を体現している人間」（P62）扱いする。「マリアは奇跡のような岩男氏のこうした労働を目撃して惚れ惚れする。しかしはやくに孤児になった氏にとってそれらは全部故郷の『谷間で生きるのに必要な最低限』の技術にすぎない。兵隊にとられる前にカラダで覚えた単純労働ばかりである」「岩男氏の能力は『御損ない』（専門家でない）のものである」「なんでもやることを看板にしていないとおまんまが食えないかなしさで」（Ｐ63）墓堀り人夫をやっていたこともある。

岩男氏は「霧下音頭なる奇っ怪な踊りの名手」（Ｐ63）だが、それはブルジョアの「社交ダンス」を駆逐する「民衆ダンス」としてもてはやされる。それは、シベリアがあまりにも寒いので「『しょっちゅうハネオドッテ、しかもカラダじゅうを撫でさっていないと凍りついてしまう』状態でさらに磨きがかかった」（Ｐ64）ものである。そのうちに彼は「『社会主義の英雄』にまつりあげられていた」（Ｐ64）。

このような悲喜劇は、仮名書露文氏によっても演じられる。彼は、サチ子さんを「愛するサーシャ」と表現して祭り上げている。「岩男氏が社会主義労働の英雄イワンに変貌させられたように肥田サチ子が『愛するサーシャ』にまつりあげられたのではないだろうか」（Ｐ80）

彼女が、彼の働いていた学習塾の隣の建物から飛び降りた。それが心の痛手になっているが、それを仮名書氏は「真間の手児奈」に例えている。それは、葛飾の真間で、ある美しい処女が、複数の人に思いを寄せられて、思い悩んで身を投げたという伝説で、万葉集の歌人たちに着想を与えたものだ。仮名書氏は、自分と書き手からの恋心（書き手は否定している）に思い悩んで身を投げたという「物語」をしたためているが、兄である到さんと、書き手から言わせてもらえば身投げの理由は「純粋な心の病におちた」（Ｐ81）だけなのである。

特に意味も物語も理由もないような、突き放すような出来事を、物語化し、詩化し、美化し、咀嚼し、納得するために「ロシア字日記」は、書かれているのだ。その「事実」「現実」のつまらなさと、物語化・詩化・美化されたものの落差の中に、行間に「おどるでく」が宿る。本作の言い方で言えばそれは「Ｉｒｏｎｙ」である。

「イロニー」について、教科書的な説明をすれば、それは「君はバカだな」という言葉で親愛の情を示したり、「あら素敵なお召し物ですね」という言葉で「変な服だよ」と示すような、表面上の言葉と違う意図を示す文学的技巧である。ソクラテス的イロニーやロマンティッシュ・イロニーなど色々と分類もあるが、ここでは深入りする必要はないだろう。直接示された言葉そのものではない意味や感情を指す文学技法であり、二つの意味の落差から生じる味わいこそが重要であることだけを確認しておけばいいだろう。

「おどるでく」は、「読み」に関わるものであるが、同時に「語り方」に関連すると記述される箇所も多い。「書かれた内容よりもむしろその〝書き方〟が限りなく重要である」（Ｐ14）という趣旨が、繰り返し語られる。「おどるでくは語り方、その表層に姿を現す」（Ｐ35）

そして、「急に話題がかわるときに出現するものも『おどるでく』かもしれない」（P17）「あらゆる翻訳は最終的に原作の行間にただようおどるでくを読者の心底にうつすことを目的とする」（P42）と言う。何かが飛躍するときの「あいだ」の接続を読者が能動的に行うことを本作は要求しているし、言葉にされていないものを読むことを要求している。「おどるでく」とは「イロニー」に近いものであり、読者が能動的にその創造的読解に取り組むことを要求する「書き方」によって表されるものなのだ。

岩男氏とのこの会話にあるものも「イロニー」だろう。

「何度か出た前線で、負傷した戦友を何人も見殺しにして逃げ帰るときに、おちこちから、ぶっつありてい、ぶっつありてい、っていう叫びがあがった気がしたことがあったんで……」

「シベリアを離れるとき、マリアさんは、ぶっつありてい、とはいわなかったんですか」と私が訊いた。

「はっはは。マリア様の方でなく、この俺が負っつありたかったら負っつあれよ、って心の底で何回も呻いたぞい」（P72）

「ぶっつありてい」（負ぶさりたい）という言葉を、戦場で死んでいく人々が助かりたくてあげる声と、セックスをしたいという意味と重ねているのである。死と性が、ここでは並列になり、その両者が短絡することで「イロニー」の味が出る。

「Ｉｒｏｎｙ」についての記述のあとに、「薬物」（P63）の話が出てくる。しかしそれは文字通りの麻薬ではない。「大麻やLSDなど見たことすらない」。そして「民衆のアヘン」（P49）という言葉が登場し、「氏にとっての薬物はついにコトバしかなかったという苦い事実」と記述される。「写生」と翻字されるべきところを「射精」と書く本作は、ここで、ある「陶酔」について語ろうとしている。

聖なるものと性なるもの

『おどるでく』には、性の話が数多く現れる。これも一体何なのだろうか。

たとえば、岩男氏は、「共産主義の理想にもえる若き女性リーダー」であるマリアに崇拝され、岩男自身も故郷の「マリア信仰」と重ねるようにしてマリアを崇拝した。そして岩男氏は、マリアに頼み込んで、あることをする。それは、マリアの下着を洗濯する係になることである。それが、伊勢神宮の萱を替えた経験と並ぶ、岩男氏の「人生の二大至福のひとつ」（P64）なのだ。

このような、聖なるものと、性なるものの並列は、一体何なのだろうか。

そもそも「ロシア字日記」の元ネタである石川啄木「ローマ字日記」は、娼婦を買いに行く話を書いた日記であり、読まれてもすぐに内容が分からないようにするためにローマ字でしたためられたものである。ローマ字でしたためられた「存在しない日本語」は何かを「隠す」ためのものであったとも言われる。

さらに、一七世紀の長崎に来日し、キリシタン禁止令が出ている中で布教したディエゴ・コリャードの『コリャード懺悔録』についても長い紙幅が割かれる。その「懺悔録」の中身は、具体的で生々しい性的な告白ばかりである。それを、日本語が覚束ないコリャード氏がローマ字で書きとり、それに漢字などを当てたものが引用されているが、それは異様な日本語、「存在しない日本語」、翻訳と異文化の往復によって生まれた謎の奇形である。その内容は「教科書にも週刊誌の告白手記にもなりきれない」(P45)ものである。

「娼婦を、神父に重ねる」(P48)し、耳を「かす」ことは陰部を「かす」ことに繋がると『おどるでく』は記述されている。精液を「外に漏ら」すことは、言葉とも重ねられる。「啄木の心情のIronyは、日本語の『外に漏ら』されることでかろうじて命脈を保てるものだったろう」(P48)と。

ここでは、精液と、心情や精神のようなものが重ねられており、それがIrony(イロニー)だとも表現されている。正嫡としてでなく、「外に」出されて奇形的な育ち方をした「役立たず」こそが、ある心情や精神の命脈を保つと言おうとしているのだろうか。それは、「数限りない曖昧な婚姻を、相手を変えながら結んでは、くりかえし新たな奇形を生み出していく」、言葉や文化の持っている乱交的な性質の隠喩なのだろう。「日本語」として形が整えられる以前にあったその姿は、今では隠されてしまっている、ということなのだろうか。

会津の隠れキリシタン

『コリャード懺悔録』が参照されていることには理由がある。実は会津にも隠れキリシタンが実際にいたらしく、あちこちに「キリシタン塚」と呼ばれる巨大な岩があり、観音様に見せかけたマリア像がある。岩男氏の先祖は、隠れキリシタンであったと書かれている。そこではかつて、白人の人骨が発掘されたという。
マリアについて、岩男はこう語る。「村の先祖が隠れて拝んだ、キリシタンのオンバマリア様のような女性だった(オンバは乳母と表記していいだろう。お上の弾圧を逃れるため顔かたちは赤子を抱いた観音様にしてじっさいは聖母マリアである石像をいい、霧下温泉の敷地の地ならしをしていて、計五つのオンバマリア像が出土し、到さんはマリア地蔵堂を建立した)」(P61)
そして、岩男氏は「霧下音頭」の達人だ。「霧下音頭」とは「キリシタン音頭」が変形したものだろう。キリスト教と、現地の民俗的なものが組み合わさって生まれた、混血の奇形のようなものだ。その踊りの描写と合わさるように、『おどるでく』という小説が、「異次元」へと飛翔していこうとする。
「霧下音頭は慶弔両用だが、それが踊られる『そこ』を吹き抜けるのがもののけで、その表記はものの怪でなくものの仮である。とてつもない喜びでもかなしみでも畏れでも狂気でも、胸騒ぎの予感でも何でもかまわないが、これに取り憑かれるときの振りがふり仮名ふう、弾圧あるいは戦争などによる死者を弔いこれを葬送するときが送り仮名ふう（正式には前者の場合雨ふり用の「ふり蓑」を、後者の場合通常の「ばろん蓑」を着る）、そして『これらヨミの踊りは吹き抜き屋台なる不可視のやぐらの廻りを巡って本振りになるまでおこなわれる』と氏は解説する。本振りは『本降り』にかけられているのだろう、天から『御大切』（＝愛）が雨のように降りそそぐまで、身を踊りよじらせる」（P65―66）「さいごには、おぶさってくるものがあって身体は重くなる。『くるすにかかりしぜずきりしと』（イエス・キリスト）と同じ姿形をそれぞれ思い思い連想しそのかっこうで静止する。静謐な空間にはらいそ寺がほの見えるまで」（P66）

「愛」が降り注ぐ、身を踊りよじらせる、と、ここにも性的なエクスタシーとの重ね合わせがある。そしてそれは「ヨミの踊り」でもあり、「ものの仮」など、仮名などの言葉が関係しているものと表現される。性的・身体的な踊りと、読解の愉悦のようなものが重ねられている。そこには「異次元へ飛翔するときの解放感」（P16）もあるだろう。

　この「踊り」は「はらいそ寺」＝paradiseを目指す。「すべての禁圧は、はらいそ寺、いやはらいせ寺へ参る原動力を生む。人々は霊的なマナジリを決し苦しげに踊りながら『そこ』へ進む」。この「踊り」は「叛乱」でもある。到さんは「積もり積もった労働者階級の怨念をハラス場所がはらいせ寺である」（P66）と解釈する。露文氏は「われわれにとってはらいそとは、ついに広義の復讐でしかない。だが、そうであるとしても、はらいそへの階段＝天使の通路＝おどるでくだけは実在すると僕は信じる」（P68）と述べる。

　それはマルクス主義的な見方からすれば、痛めつけられた労働者階級の「民衆のアヘン」に過ぎない。唯物論的にはそうであるが、同時にそれは天使などの霊的な存在と関係していることも肯定される。「おどるでくは移動する階段。露文氏のいう『ヤコブの梯子』である」（P35―36）唯物論的な見方と、霊的な観点と、その両者が肯定され、ここにも「イロニー」が醸し出される。

異次元への飛翔——未知の文学作品へ

　そしてこの「仮名」は「おどるでく」である。「万葉仮名はおどるでくの元祖！」（P50）

「存在しない言葉、より正確にいえば、実在する言語の意味を捨てて読みと文字だけを採用した段階でわがイロハは産声をあげたのであるから、氏の指摘通り、日本語は幽霊＝おどるでくそのもの」（P73）「娼婦のいる町そのものがローマ字日記という場所だ」「漢字に取り憑く仮名のように寄り添って寝る」「おどるでくとしてのふり仮名」（P75）と、万葉仮名、ふりがななどが生まれた瞬間の、文化翻訳のあり方に遡り、「意味」を振り捨てるあり方に「おどるでく」性を見つけ、それを性のメタファーで語っている。

「『寄り添って寝る』『うつしとって寝る』『寝てから、うつしうつされる』あるいは『移動する階段』『流れる水』の如きもの、氏はその典型を、ふり仮名や送り仮名にみる。それは『隠れ蓑』としての漢字の背後に身を潜める」「漢字の一角から生まれたスマッコワラシみたいなその仮の存在は、どんな漢字にも取り憑き、かつこれをおくることができる」（P74）

うつすとは「写生＝射精」として、性的な、しかも、子供を作る可能性のある言葉として、既に読者に示された言葉である。

そして、意味を失った書き言葉としての「文字」そのものが、宗教的シンボルであることも示される。イスラム圏では「一切の偶像崇拝が禁じられる。神を絵姿にすることが厳禁される。神は千変万化するがゆえに不動の無形物、ゆるぎない零でなければならない」（P66）「言語が絵姿に限りなく近づいたもの」「文字そのものが舞踏的にならざるをえなかったのだ」「私はその記号をみて『ねこまたのきかせ』を体感する。そこから一羽の謎の鳥がはばたくのを目撃する。宗教的シンボルとはそういうものだ。『ねこまたのきかせ』は時間を飛び越えてやってくる」（P67）「一つの記号がシンボルと化するところには必ず霊的視点が存在する。その視点の前には自制など無用である」。言葉が「意味」や「文脈」から切り離されると、霊的なシンボルに化し、超越的なものへの飛翔を促すようになる。

何かに殺到する衝動。性的なものと重ね合わされる、ある「勢い」のようなものがここにある。「おどるでく」はそれと結びついている。「何らかのかたちでの記述へ駆りたてる感情だった。その感情をさえ、氏は最終的におどるでくと呼びたがっているようだ」（P25）

それは抑圧されたものの叛乱である。ロシア字やローマ字で書くしかなかったもの、禁圧されているがゆえにストレートに表現することができず、変形させられたものの叛乱である。その衝動こそが「おどるでく」であり、霊的な世界への「通路」なのである。それは意味や通常の文法などの体系から自由になった、言葉それ自体の自在なつながりの世界であり、万葉集と会津弁がつながるような過去の日本語の世界のあり方である。その次元＝「はらいそ」こそが、ここで解放されているのだ。

何を隠しているのか

では、ロシア字で書いたり、イロニーを使ったりする「隠れ蓑」は、なんのために必要なのか。「隠れ蓑」は「いったい何から何を隠すものなのか」（P73）。「百姓一揆」のときには、「顔や姿を隠すためだろう、蓑と笠を着用することから蓑笠一揆などともいわれる」（P70―71）。

「蓑ひとつだにあれば助かる」という文章を、書き手はかつて書いたことがある。それは「要するに支配権力に江戸期の地元百姓がどのように抵抗したかをテーマにしたもの」（P69―70）であった。「蓑ひとつ置けば隠れてしまうような隠し田も、また田んぼの境界をわざと曲線にし大小様々にしたのもひとえに検地役人の眼をごまかし、年貢算定を混乱させるためだ。しかしそうしたのらりくらりの抵抗もついに限界が来た」（P70）。それは本作の語り方と重なるだあろう。蓑を置いて田んぼを隠す、曲線にしたりしてのらりくらりと､肝心のところを語らない。「おどるでく」も多義性の霧の中に散っていき、「何を」指しているのかは分からない。

そうする理由の一つは「ありのままを誠実に告白しさえすれば真実としてすんなり受け入れられるとは限らないのである」（P69）からだ。

あるいは、この「隠れ蓑」とは、小説という形式そのもののことかもしれない。形こそ小説だが、その実はもっと古くから民間に伝承されてきた「何か」を表現するもの、民衆たちの信仰やそのエネルギーを「翻案」して表現するものだ、と語っているのだろうか。霊的なものや、土俗的な信仰を軽視する近代以降の社会の中での「禁圧」により、小説という形を採らざるを得なくなったと語っているのだろうか。「あらゆる合理化は妖怪変化を封殺する」（P77）。隠れ蓑を着て、「スマッコワラシ」的なものが形を変えて生き続けていると言いたいのだろうか。

思想史学者の石田一良は、民俗信仰をベースに発展した神道について、「日本人にとって神は人間をはじめとして、それを取り巻く動植物の生命を生産し豊富にする・目に見えぬ・神秘的な力（産霊 Productive power）である。祭りは、この産霊の力を更新・増長させる儀式であり、祭の諸儀礼はそのための呪術である」（『日本の思想』P22）と述べている。

『おどるでく』が語ろうとしているのは、このような意味での「神」「産霊」と近いのかもしれない。「おどるでく」にあるのは明らかに、多産で、混淆していて、猥雑で、世代を超えて形を変えて進んでいく文化の生命力の肯定である。本作は、土俗的なそれを、現代文学の隠れ蓑で表現しようとする試みなのかもしれない。

とはいえ、これは民俗的な何かや、平安時代の日本人の持っていた詩情そのものとイコールではないだろう。『おどるでく』という小説が表現する「おどるでく」は、カフカの参照によるインターテクスチュアリティや、イロニーの技法など、現代的な小説の技術によって発生させられているからだ。

だから、これはとても孤独で単独者的なものだ。実際、本書は読者に恵まれておらず、難解で意味不明な作品だという感想を多く見かける。現代文学や世界文学の読み方と、会津の土着的な感覚の両方を併せ持っている読者は、多分恐ろしく少ないだろう。「異次元へ飛翔」するとは、そのようなまだ誰も書いていない、それまでにない組み合わせによる未知の文学世界を創造する地平へと足を踏み入れることと、言い換えてもいいだろう。普遍的な広がりを持つものでありながら、単独者としての室井個人の資質に大きく依存するものであるという両義的な性質を「おどるでく」は持っている。おそらく、後の「単独者の共同体」構想に、これは通じるのだろう。単独で孤独で孤立していながら、大きなものに繋がるという逆説がここにはある。「いずれの国の言葉でもない過渡的な読み（＝黄泉？）の世界を愛した」（Ｐ82）とある通り、国や言語と関係なく、意味が立ち上がるか上がらないかの手前の、様々に連想が繋がり合い、インスピレーションが迸り続ける「読み」の経験そのものから生じるものでもあるはずだ。それは室井個人の言語感覚に大きく依存している。

『おどるでく』を個人の資質に即して言えば、それは室井の頭の中での「オドラデク」と「スマッコワラシ」の類似性の発見からスパークし、様々なものを巻き込みながら奇々怪々な織物のバケモノのようなものを作り出すような創造性の発露でもあるだろう。「おどるでく」とは、そのような脳内の観念や言語が、通常の文法や規則を食い破って自由に繋がり合う運動そのものだ。

個人の脳内で起こるそれと、民衆が行っているそれと、言語が発展していく過程で起きたことを、室井は重ね合わせている。繰り返すが、それは、世界の文学の基層に流れているある生命、日本語や日本文化の中にある詩情、民衆のアニミズム的な信仰のような「大きなもの」そのものではないだろう。それはむしろ、室井がこの作品を書くことで系譜や繋がりを作り出したものなのではないか。古くからあるものを継いでいるが、同時に、これを書くことによって、古いものの流れや繋がりを作り出す、そのプロセス、その創造性のメカニズムそのものが活字に定着したものこそが、『おどるでく』だと言ってもいいのかもしれない。

門の入り口から、先に入れないということ

さて、門の前で、中に入れないままである、というモチーフが本書では頻出する。それは後の室井の著作でも何度も繰り返されることである。「目次と序文という書物の玄関口で私は憩いの日々を送った」（Ｐ31）「いつまでたっても成熟せず体系化しない序文中毒者」（Ｐ41）「奥の奥にゆき着かず門だけをたたきつづけるのが『おいなしっぽ』だ。入門という名の門の前で『おいなしっぽ』はゆきくれる」（Ｐ41）

仮名書露文氏は、結局「処女を奪う」ことをできなかったし、

岩男氏もそれを遂げることなく、むしろ下着を洗い、その手前に留まることに「至福」を見出していた。何かを遂げることなく、門に触れるだけの状態が至福なのだ。これはどういうことか。

門が開いた先にある「はらいそ」は、ひどく広く深い世界である。その全体像を考えれば、室井が『おどるでく』全体で（あるいは生涯での全仕事を通じて）行い得ていたのも、「門をたたく」だけに過ぎない、という謙虚さの表現でもあり、埋もれているものの巨大さを表現するためでもあるのだろう。

門のモチーフは、小説の終わりにも表れる。サチ子さんが女将をやっている霧下温泉の「ぶっつあり亭」に行く。そこには「もの云う石」があり、露天風呂へ降りる長い階段の「踊り場」の右手に「観音開き（霧下村でいうマリア開き）」があり、サチ子さんはそこを「開けてわれわれを招き入れた」（P83）。

門は開かれている。「観音様」なり「マリア様」なりの、聖なるものへの通路は開かれた。そこは「はらいそ」であるのかもしれない。その手前に「踊り場」がある。「おどるでく」は、「天使の通路」であり、「ヤコブの梯子」である。

小説の最後の言葉は、このようだ。「われわれ三人が下へ、サチ子さんが上へ階段を進んで別れた」「私が何とはなしにふりかえると、数十段も上のサチ子さんも一瞬ふり向いたような気がした」（P84）

超越的なもの、聖なるもの、神なるものは、思いもよらぬところに、断片のように現れ、超越的な世界への通路を開くという恩寵を与えてくれる。だが、そこに辿り着くことは、人間には出来ない。どこまで頑張っても、常に門の前にいるだけでしかないのかもしれない。単なる世俗的かつ唯物論的な「事実」の世界に我々は生きているだけではなく、言葉によって超越的な世界と繋がる「階段」「梯子」を作り出すことが出来ていた。「おどるでく」とは、言葉の持つ合理的な意味の秩序を超えた、「聖なるもの」（言葉がアナーキーにつながっていた状態）と繋がる機能のことでもあるのだろう。だが、門の入り口を超えて、奥にまで進んでしまうわけにはいかない、おそらくそれは完全なる狂気を意味する。この世界に留まりながら、あっちの世界を見るには、常に門の手前に留まるしかない。

『おどるでく』とは、そのような、言葉そのものにより、想像を絶する大きな物とのつながりの通路が拓かれていくという「価値転倒」を、活字として定着させた小説なのだ。そのような、コトバの持つ意味・合理性以前のアナーキーさを解放した状態で「カミ」「霊」の世界と接続し、「霊媒師」（medium）のように室井はこの小説を書いたのだろう。あるいは、「霊媒師」たちが、本当は何をしていたのかを、再発見・再解釈したということなのかもしれない。

そして、「意味」に従って使われている「言葉」たちの奥に隠されている広大な、巨大な、聖なる、アナーキーで多産な世界を——言葉の、民衆の、生命の始原的な世界を——垣間見させる。『おどるでく』はそれ自体が、その世界への「啓示」となるような、「断片」なのである。

室井光広論その序論の門前ノート

杉田　俊介

言葉は無尽蔵の空に棲みなす。それは空しく、かつ一切である。ここで唐突にジョイス『ユリシーズ』第二挿話の一句をつぶやいてみるのもいい——Weave,weaver of the wind.（織るがいい、むなしい言葉の織り手よ）。創造即破壊、文学即非文学——。

（『零の力』「こぼし屋の独語——あとがきに代えて」）

イジチュールの廻りをとりまくのは、祖霊たちの「無駄な努力」の結実物（それは一種の墓碑銘である）で、彼はそこに最終的には安らうかにみえる。（略）登場人物の思いは生涯の最後「消え去るにあたって、遺産として、いずれか或ものに」伝えられる。そして彼らは「星座」になる。

（『そして考』「あとがき」）

生前の室井光広と直接会っていない。だがそれが必ずしも重要だとも思えない。たとえば室井は、カフカやプルーストやジョイスに直接会っていないが（パウロがイエスに会っていないように）、それを彼らの文学を読む支障とは考えなかったろう。

テクストを前にする時、生前と死後、数日と百年、現前と遠離、それらの違いにはあまり意味がないのだろう。読者と作者の出会いは、その人間（作者）の死後にも、いつもここから、はじまりうるのだろう。その意味でもテクストとは、不死の何事かなのだろう。では、それを読む「読者」はどうだろう。

おそらく室井は、「不死の人」としての「読者」になってテクストの迷宮（円環、廃墟）に迷い込むのでない限り、私たちは何かを読んでいるようで、じつは何を読んだことにならない、と考えていた。どういうことだろう。そこには不思議な躓きの石が（少なくとも私には）ある。不死とは何か、この私もまた不死の読者になれるのか。室井が書いたものの門前に立って、いつか書かれるべき室井光広論の序論として、ささやかなノートを書いてみようと思った。

その前にひとつ、確認（早速脱線）する。室井にとって読むことは、密室の中の孤独な営みではなかった。個人の生死や時代を超えて他の読者たちと共にテクストを読むことであり、読者とはつねに星座的協働を生きる単独者たちだった。

たとえば「てんでんこ」は同人雑誌ではなかった。「同人」はいません。「主義・傾向・趣味などを同じくする人たち」かどうかに主眼はないし「共同で編集発行」しているともいえない。同人費を徴収するわけでなし、合評会を開くでもなし。良質の《原稿》と製作《費用》が「てんでんこ」に集まって、自ずから雑誌の姿に結実する……」(「同人雑誌ではない!」)。あるいは室井は、羅須地人協会の「発願者」の「小輩の名を出すなからんことを。必嘱!」という呼びかけに声を重ねて、「てんでんこ」の活動を無名の単独者たちによる「非在」の「単独者組合」と言い、「不可能性のギルド」と言った。「単独者の組合とは、すなわち単独者の精神を極限にまで尊重し、各自の主体的創作行動を信頼し尽すという見果てぬ夢の組合、不可能性のギルドです」(「願文——『てんでんこ』創刊覚書に代えて」)。

追悼や哀悼はふさわしくないのだろう、もしもそれが読むという営みをどんな形であれ断ち切ることを意味するならば。その人の生前と同じように、ただ各自の必要に基づく営みを必要なやり方で続行すればいいのだろう。生れた時から死に損ねているこの身で。生を引き延ばすこととしての生き延びの中で。悲しみや喪失の思いが消えるわけではない。ただ、哀悼がそのまま喜びに転じていく。そうした生者と死者の不可視の協働としての翻訳作業を生きればいいのだろう。

今たとえば私は、「そして考」の氷山先生を思い出す。大切な人を失い、教師の仕事を辞め、古書店主をはじめた氷山先生のことを。彼は「無店舗の古書営業」での「氷山一角」の活動を、「氷片としてバラバラ」なものにとどめず、「無上の価値あるマボロシの書物」たちの力を結集して氷山=「すばらしい民衆の革命列車」へと至らしめようとした。重要なのはそれが死者との協働であり、かつ、別の場所で別の協働を戦う人々との星座的な連結においてありえたこと、それが滑稽な躓きや失敗とともにある協働だったことではないか。

*

室井は、或る時期に無職となり、もう人生に後が無くなって、「そのときはほんとに命がけで何か書いてみようと」したという。それが最初に公にした批評的作品「零の力——J・L・ボルヘスをめぐる断章」として結実した(「パッチワークふうに——あとがきに代えて」『ドン・キホーテ讃歌』)。

ボルヘスは三〇代後半に『汚辱の世界史』を刊行したが、これは一年で三七部しか売れなかった。ボルヘスはその「莫大な数」に満足した、と述懐している。室井にとって、ボルヘスのこうしたユーモアは、「人生の旅の半ばに道を失い森に踏み迷う人間にとって切実な危機と転生のシンボル」になったという。その当時の自分を「自業自得の矮小地獄篇を生きるハメに陥った中年男」とも自嘲している(「あとがき」『猫又拾遺』)。

さらに言う。「いわゆる中年の危機を迎えつつある四十男は身近な断崖を見て見ぬふりし、〝翁〟の境地を夢見る。他ならぬボルヘスがそのようにして危機を切りぬけたと信じているからだ。(略)この〈詩・批評・物語〉サンミイッタイは私にとって一種の守護神的存在となり現在に至っている」(「こぼし屋の独語——あとがきに代えて」『零の力』)。

室井の批評的文章の中心点にはまず何よりボルヘスの作品があり、特に『伝記集』所収の「『ドン・キホーテ』の著者ピエール・メナール」があった。ボルヘスの自伝的文章『ボルヘスとわたし』によれば、ボルヘスはこの超短編をフィクションというジャンルへの起死回生の願いを込めて書いたそうだが、室井にとってもそれについて評論を書くことが起死回生の試みになった。

具体的には室井のその人生上の危機がどんなものだったのか、私は少しも知らない。はっきりしているのは、室井の個人的な起死回生が「読者教」の信徒として覚醒する、という形でなされたことだけだ。読者教とは「作家はすなわち読者である」という教えだという(『ドン・キホーテ礼讃』)。しかしそれだけではない。読者教の信徒になるとは、言語感覚の根底的なルネサンスによって、世界感覚をラディカルに組み替えることであり、そのことを鬱的な精神の危機からの起死回生と為すことだった。「憂鬱体質の人間にのみはたらきかける種類のユーモアが『ドン・キホーテ』ににじんでいることを察知した文人は少なくない」。たとえばアランは鬱的な思考様式に対し批判的であり、「幸福のなかには人の思っている以上に強靭な意志がある」(神谷幹夫訳、『幸福論』)と書いたが、室井のユーモアの中には鬱病質の「強靭な意志」があっただろう。メランコリックであり続けるという勇気があったろう。

読者教の信徒にとっては、物語と現実、テクストとこの世界が等価になる。それは文字通り、誰もがドン・キホーテになりうる、ということだ。ドン・キホーテは、当時のあらゆる騎士道物語を読んで、現実と物語の区別を溶解させ、作者と読者の境界線をも破壊し、物語内人物として現実を生きんとした。そこでは、この世界全体が連続するテクストとなり、テクストを読むことと現実を生きることの違いが無意味になる。読むことを、そこまで徹底化できるか。無限としてのこの世界を切り詰めるのではない。無限の世界＝テクストの中に「読者」としての生を切り開くことだろう。

室井はそれを自分の特殊な経験とは考えなかったろう。パウロにとって生前に一度も会っていないイエス・キリストとの死後の「出会い」によって眼から鱗が落ちたということ、そのことは彼一人に固有の特権的な奇跡ではなく、時間も場所も超えて誰もが経験しうる普遍的で単独的な「出会い」を意味したように。イエスという人間との出会いは、イエスの言葉との言語的な出会いだったように。パウロやキホーテのようにして、目の前のテクストと出会ってみよ。他者の言葉を世界そのものとして読む読者としての自分の不死を信じてみよ……。

こうした回復＝起死回生は一回的なものではなかった。たとえば『ドン・キホーテ礼讃』が書かれたのも、「ものが読めない状態に転落」し、リハビリのためにシェイクスピア、ラブレー、セルバンテスなどの「ルネッサンス文学の最高峰」を読むことで「ルネッサンスの原義通り再生し、復興をとげた」からだという。それは何度も何度も繰り返されてきたのであり、「読む」という経験のたびごとに反復され変奏されるべきものだった。

＊

あらためて、読者教信徒にとって、読書とは何か。それは普通の意味での読書とは少し違う。正確には、普通の意味での読書と特別に何も変わらない。本を読む人であればだれもが実践しているし、誰もが経験していることだ。ただし、私たちが常日頃、ありふれた形で経験しているにもかかわらず十分には自覚しきっていない「読むこと」の潜在性を押し開くような読書があるのであり、テクストを読むこととこの世界を生きることが完全に等価になるような「読む」という経験があるのだ。「ドン・キホーテは世界文学最初のアナクロニストであった。書物の世界を「ほんとうにあったこと」とみなすキホーテの「信仰」は狂気と裏合わせであった」(「木乃伊取り」)。

メナールは、セルバンテスの『ドン・キホーテ』とは別の『ドン・キホーテ』を書こうとしたのでも、『ドン・キホーテ』の原本の機械的な転写を行ったのでもない。『ドン・キホーテ』そのものを書こうとしたのである。それはどういうことか。そのためには何が必要なのか。セルバンテスその人に「なる」こと、である。セルバンテスになって、『ドン・キホーテ』そのものを書くことである。

それが成功したなら(成功したのだが)、読者の前には、別人の二人の作者が書いた、まったく同じ内容の二つのテクストがあることになる。ところが、セルバンテスのテクストとメナールの断片とは、全く「言葉は同じである」にもかかわらず、「後者の方がほとんど限りもなく豊かである」、とボルヘスは述べる(と、室井は述べる)。ここでは、何が生じているのか。

ボルヘスの『ドン・キホーテ』論は、もはや、たんに作品を解釈するだけではない。何事かを創造している。というか、ボルヘスにとって解釈とは、そのまま創造である。ただしこれは批評が創作になり、「創造的批評」(小林秀雄)になる、と言うのとは少し違う。創造的批評という言い方では、依然として、批評／創作の間に線が引かれている。しかしボルヘスにとってのあるべき批評とは、作品のみならず、もはや「作者」そのものを創造するのである。メナールという架空の人物を創造しただけではない。作者セルバンテスをすらも再創造したのである。

そのとき、実在の作者セルバンテスと作中人物メナールは「作者」としてフラットに並び立ち、隣人となる。そして「ボルヘスはひとりのドン・キホーテ」の著者ピエール・メナール「『ドン・キホーテ』の著者ピエール・メナールである」。では、ボルヘスの超短編「『ドン・キホーテ』の著者ピエール・メナール」は、批評であるのか、小説であるのか。どちらでもあるし、どちらでもない、としか言えない。テクストの迷宮性においては、そうした「あれかこれか」という構えこそが「わな」だからだ。(個人的なことを付け加えれば、私は以前から批評の方法として「憑依」を意識してきたが、ボルヘス＝室井的な「作者＝読者＝作中人物」のラディカルさからいえば、憑依などとはいかにも甘っちょろく、中途半端な批評的態度だったと思う。)

室井はボルヘスの講演を引用する。「ハムレットはもはや、十七世紀初頭にシェイクスピアが思い描いたハムレットではない。それはコールリッジの、ゲーテの、ブラッドリーのハムレットなのである。ハムレットは何度も生まれ変わってきた。これはキホーテも同じである。(略)書物は読者によって豊かなものにされてきたのである。／古い書物を読むということは、それが書かれた日から現在までに経過したすべての時間を読むようなものである。それゆえ、書物に対する信仰心を失ってはならない」(『ボルヘス、オラル』、邦訳『語るボルヘス』)。

徹底的な同一性にこそ、徹底的な差異がはらまれる。円環はそれが外部を持たず完璧に閉じているから、円環の廃墟となる。廃墟だからこそ、迷宮となる。重要なのは、同一性の中にこそ真の差異が孕まれるというそのこと、それは「読むこと」の定義そのものでもあることだ。それは「物語と批評とにひき裂かれたはざまに辛うじて存在する」。考えてみる。実際に私たちは、作者が書いたものを、時空の遅れ(差延)を差し挟みながらも、まずは、作者が書いたとおりに読もうとするだろう。ところがそれが全く同じ読みを志向すればするほど、作者のそれとは異質な経験になってしまう。作者と読者とは別人だから当然だ、と思われるかもしれない。だがそうではない。テクストを読むことの迷宮の中では、作者と読者は違う、書くことと読むことは違う、というのは必ずしも自明ではない。それもまた一つのドグマであり、思い込みにすぎない。事実作者もまた、自分の手で書いたものを自分の眼で読むのであり、自分の創作の最初の読者に「なる」のだから。

円環の廃墟としてのテクストの迷宮に自ら迷い込んで、永遠に佇む不死の人、それが読者である。メナールは手紙の中で書いた。「わたしの仕事は、本質的には困難ではありません。それを遂行するには、わたしが不死身であれば充分なのです」。ならば私たちは、室井自身に「なる」ようにして、室井に転生し不死の読者となって、室井のテクストを「読む」ことができるのか。室井にとって、読むとはそうしたことだった以上、私たちもまたこの問いを避けて通れない。

室井は書いた、《通常人は、新しい一日を迎えるとき、昨日は死んだものとみなす。そうみなすことで未来を成熟への希望のあかしと考える。しかし「不死の人」は、一日、一月、一年という区画はおろか、自分の人生の境界をもとびこえてしまう。千年前に生きた人のライフサイクルが「まさにまさしく、いま」じぶんに実現されるのを実感してしまったりする。かれにとって昨日は死んでいないのだ》。

そんなことは超常体験か、狂人の錯覚である、と思われるだろうか。しかしそれは「まったく平凡な人間のありふれた」経験でありうる、と室井は言う。それはもう「批評」とすら呼ばなくていい。ただの「読書」である。ボルヘスを前衛詩人、文芸批評家、小説家などに区分することに意味があるだろうか。ただ「八十余年の全生涯にわたって彼は類まれな〈読者〉でありつづけた」だけだ。重要なのは「読むという普遍的な行為に従事する者のすべてが内蔵する精神の旅」であり、その意味でのただの読者になることだ。

《騎士道物語の数々の行実をひとつひとつ検証しようとするドン・キホーテ。その検証の旅を三百年後にそっくりそのまま再現しようとするピエール・メナール。この〈円環〉の構造が〈読者〉という異名をもつ理由は明らかだろう。時間をも特定の土地をもとびこえてしまう〈円環〉の愉しくも異様なる旅は、なんら特権的でないふつうの読者の誰にもひらかれているからである。》

ボルヘスはその生涯の大半を図書館で過ごし、視力が衰弱して、八度に渡る手術のかいもなく、失明状態に陥った。図書館の中で無数の本に囲まれた盲者。このパラドキシカルな状況は、ボルヘス的な「読むこと」＝「読者という不死の人であること」の「〈読者〉病の末期患者」こそが、そのまま、読者教の敬虔な信徒である。繰り返すがそれは天才や狂人の異様な姿ではなく、「読むこと」の原理を突き詰めていくと、誰もがやがてそうした異次元に迷い込んでいくのだ。「私はとつぜん思い出す。遠い昔私がボルヘスと同じ言語を話していたことを」。

実際にボルヘスは、はっきりと「私は不死を信じている」と言っている。「むろん個人のそれではなく、宇宙的な広がりをもつ広大無辺の不死です。われわれはこれからも不死であり続けるでしょう」と（『ボルヘス、オラル』）。「異様」な言葉ではある。だがここをつかみ損ねれば、私たちはボルヘスの作品をその門前から読み損ねてしまうのだし、ボルヘスを読む室井の言葉をも読み損ねてしまう。ここでいう不死とは、個人が無制限の時間を生き続ける、という不老長寿の意味ではない。君は魂の転生を信じるか、という話である。この私の一回限りの生は閉じられているが、閉じられているがゆえに転生があり、転生ゆえに生は無限であり、この私は（不老ではないが）不死である。テクストを読むことの経験にかけて、そう信じられるか、という話である。

この無限の円環＝転生は、そのまま迷宮でもある。ボルヘスは、人は二度同じ川に降りない、というヘラクレイトスの言葉を繰り返し引く。そして「書物はそれを開かない限り書物ではないのです」「書物はひもとくたびに変化するのです」と読者に語りかける。これは当たり前に思える。しかし当たり前ではあるが、それをラディカルに考え抜くなら、永遠や無限の領域が開けてくるような、恐るべきことでもある。

　読者教の信徒になるとは、ただの読者になるとは、ボルヘスと全く同じように、転生を信じることだ。この私の不死を信じることだ。そんなことができるのか。しかし室井にとって重要なのは、そうした読み方が本当にできるのかできないのか、ではなく（それはできるに決まっているから）、その唯物論的な転生という事実にこの私の精神が「耐えられ」るか、という一点だった。「もしも既視現象が永続化しているのにわれわれの感官がそれに耐えられないだけだとしたら、と考えてみる。すると、「あらゆることが、まさにまさしく、いま、ひとりの男におこるのだと気がつ」くだろう。凝縮された「今」「ここ」の歴史が、世界の全歴史の隠喩であることに気づくだろう」。

　ある人が自分の敵を自らを愛するように愛したならば、その時にキリストの不死性は今ここに甦る、とボルヘスは語った。その瞬間、その人は転生してキリストになったのである。キリストに限らない。「われわれがダンテ、あるいはシェイクスピアの詩を読み返したとします。その時、われわれは何らかの形でその詩を創造した瞬間のシェイクスピア、あるいはダンテになります。ひとことで言えば、不死性は他人の記憶の中、あるいはわれわれの残した作品の中に生き続けることなのです」。そして歴史に名を遺す聖人や天才に限らない。「その作品が忘れ去られたとしても、気にすることはありません」「その時、自分の名が知られているかいないかは問題ではありません。そんなことは取るに足らないことです」（『ボルヘス、オラル』）。

　有名でありたい。名を残したい。人類の歴史に自分の達成を刻みたい。そう考えてしまうこと、その止み難い呪い、この自分が特権的な作者でありたいという呪い、それを室井は「〈作者〉病」と呼んだ。あらゆる場所にこの「作者」の病は蔓延している。作者病から全治するのは極めて困難であり、おそらく私たちは「もうひとつの」病にかかるしかない。つまり、「〈読者〉病」に。

　ドン・キホーテは「〈読者〉の純粋結晶」なのであり、しかも「ドン・キホーテはあらゆる読者の中に潜在するのだ」――「彼は詩人であり、批評家であり作家である以上に図書館員であり、編集者であり、翻訳者であったが、ある意味ではそのいずれでもなかった。彼は雌鳥が卵をあたためるように、あるいは、永訣を体験した者が愛する者のおもかげを追いつづけるように〈物語〉を抱きつづける〈読者〉であった」。

　こうして世界＝テクストは、無限としての迷宮となる。廃墟となる。「すべての人間が、それはふたつの仕事だと思った。本と迷路とはひとつだと考えた者は一人もいなかった」（「八岐の園」）。世界とテクストは「ひとつ」であるという真理を前にするとき、私たちは誰もがドン・キホーテとなり、「不死の人」としての「読者」になりうるはずだ。繰り返すが、ボルヘス的な「不死の人」へと自らを変態＝メタモルフォーゼさせるようにして目の前のテクスト＝世界を読むのでないならば、私たちは決して室井的な意味での「読者」ではないし、何かを読んでいるようでじつは何も読んでいはしないのである。これはぞっとするような恐ろしいことでもあり、それがそのまま、あっけらかんとした至福に満たされたことではないだろうか。

＊

私は依然として、室井文学のはるか手前、門前にいる。門前に佇みつつ、今さらながら、素朴なことを考える。室井光広は世界文学の読者であろうとした。では、室井の残したテクストは、世界文学なのか。室井に倣い、室井のスタイルを擬いて(?)、迂回的、寄り道的、迷子的にこのことを考えてみよう。

よく知られているように、ゲーテは「国民文学というのは、今日では、あまり大して意味がない、世界文学の時代がはじまっているのだ。だから、みんながこの時代を促進させるよう努力しなければならない」と語った(エッカーマン『ゲーテとの対話』岩波文庫上巻)。個々の国民性や民族性から出発しつつ、様々な国や民族の芸術を摂取することによって、「われわれドイツ人は、われわれ自身の環境のようなせまい視野を抜け出」すべきであり、それによって世界的な普遍性を目指すべきである、と(ただしゲーテはあくまでも、古代ギリシアとローマの中に究極の規範性を見出していたのだが)。

これに対し、二十一世紀の現在、文学ははじめからグローバリズムという規範性に巻き込まれ、価値観や感受性を画一的に均されている。それがデフォルトである。その点が十九世紀の世界文学と二十一世紀のグローバル文学の違いだろう(そうした国際的な状況を受け止め、それを戦略的に世界批評の方法論としたのがフランコ・モレッティの世界文学論『遠読——〈世界文学〉システムへの挑戦』(原著二〇一三年、秋草俊一郎ほか訳)かもしれない)。

ただし重要なのは、そうしたグローバルな画一性の中にこそ、グローカルなものとして、各々の地域性や民俗性が再発見されていくことだ。たとえば藤井光『ターミナルから荒れ地へ——「アメリカ」なき時代のアメリカ文学』(二〇一六年)によれば、現代アメリカの若手作家たちに目立つのは「無国世界な雰囲気を漂わせる設定で、ポップな幻想に満ちた寓話」であり、その象徴が「ターミナル」という場所であり、その重要な先駆者の一人がハルキ・ムラカミである。しかし彼らの作品は、無国籍的なターミナルだけではなく様々な異形の「荒れ地」をも増殖させていく。「たとえば、夢も希望もないように感じられる仕事、現代に特有の紛争や内戦によって傷付き疲弊した社会、さらには効率化とスピード化の名目によって「無駄」だと切り捨てられていく作家という職業……」。

　これに対し、世界文学論における翻訳論の重要性を強調するのが、デイヴィッド・ダムロッシュ『世界文学とは何か？』（原著二〇〇三年、秋草俊一郎ほか訳）である。「世界文学とは、翻訳を通して豊かになる作品である」「情報伝達のためのテクストは、よい翻訳を通しても豊かになることも貧しくなることもない」。実際にそもそも世界文学論のマニフェストとしての『ゲーテとの対話』はドイツ本国では売れず、英語に翻訳されることで成功し、世界中に翻訳され、その意味を豊かにしていった。

　文学は「国外において、自国とは異なった姿を現す」のであり、「あらゆる作品はひとたび翻訳されると、発祥文化の専有物ではなくなる。あらゆる作品が原語で「始まった」だけになるのだ」。世界文学とは、世界中の偉大な作品たちのカノン（正典）一式、という意味では決してない。重要なのは読者の「読みのモード」であり、ダムロッシュによれば世界文学のモデルは楕円である。「起点文化と受入文化の二つが焦点となって楕円の空間が生みだされ、そのなかで作品は、どちらか一方の文化に閉じこめられることなく、双方と結びつきながら、世界文学として生きる」（ゆえにダムロッシュは、ノースロップ・フライやモレッティのような世界中の文学の原型やパターンを取り出していくタイプの研究方法には批判的である）。

　たとえば村上春樹の小説は定期的に日本語から諸言語に翻訳されているが、「言語のオリジナル」よりも「翻訳されたテクスト」の方が重要になり、そちらが「決定版」や「正典」になるかもしれない、という状況にすでにあるらしい（河野至恩『世界の読者に伝えるということ』）。オリジナルの日本語で日本文学を研究することが絶対的な理想状況とは限らない。海外で翻訳された日本文学を世界各地で「世界の読者」が読むこと。そこには独自の意義がある。「翻訳で伝わりやすい・翻訳しやすい」からこそ、「そこに残る翻訳不可能性・歴史性・ローカル性が際立つというパラドックス」、それこそが（普遍性でもグローバル性でもなく）世界性を開くのではないか。

*

　多和田葉子は『エクソフォニー』で、「世界文学」という枠組みそのものにやや懐疑的な姿勢を示している。たとえば多和田は、ゲーテの生誕二五〇年祭のパネルディスカッションの場で、「国民文学と対になった世界文学という概念そのものにはあまり興味を持てなかった」というステイトメントを出した。後者の強調はむしろ前者のナショナリティを強化してしまうからだろうか。むしろ「今の時代に「世界文学」というのは翻訳文学のことではないか」と彼女は言うのである。他言語・多言語への翻訳でその意味を豊かにしていく、というだけではない。重要なのはつねに翻訳過程と共にある文学であり、強いていえば、進行中の翻訳過程そのものに世界文学性が宿るということなのか。ではあらためて、翻訳とは何か。

英語のtranslationという言葉は、日本語の「翻訳」とは意味が完全には重ならない。英語のtranslationは、一つの言語を別の言語に移し替えるのみならず、何かを「移しかえること」一般を広く意味する。ITの分野においてデータを別の領域に移動すること、生命科学の分野においてRNAの塩基配列をもとにタンパク質が生成されること、これらもtranslationである。

スコット・モンゴメリは、その壮大な翻訳論で、外国語が読めない人にも翻訳はできる、と述べている（『翻訳のダイナミズム――時代と文化を貫く知の運動』）。なぜなら、言語間の翻訳のみならず、交易や交通や教育をふくむ複合的な過程として、文化の翻訳がありうるからだ。モンゴメリは古代ギリシア（という言い方自体にすでに遠近法的な転倒があるが）の天文学や科学という知的文明の、壮大な、世界史的な伝播の過程を詳細に論じているが、人類の知的進歩の中核にはまさに翻訳があったのだ。

『翻訳のダイナミズム』の序章では、アリストテレスとその弟子のデメトリオス・パレレオスについての言及がある。アリストテレスは古代で初めて図書館を築こうとした人物の一人であり、パレレオスはアテナイからアレクサンドリアへと赴き、当地の大図書館長になったが、図書館への各地からの書の蒐集作業は、古代における植民地的な暴力を一方では意味したものの、他方では、翻訳作業のために何万人もの奴隷や虜囚者が図書館に集められ、結果的に、それが彼らの命を救い解放することにもなったという。翻訳における政治性にはそういうダイナミズムがはらまれていた。

言語翻訳と帝国主義的植民地化の暴力は切り離せないが、エミリー・アプター『翻訳地帯――新しい人文学の批評パラダイムに向けて』（原著二〇〇六年、秋草俊一郎ほか訳）によれば、翻訳地帯（translationzone）とは文字通りの軍事地帯であり、帝国主義的な現地語の収奪、戦時下の諜報活動、暗号戦争、マイノリティ言語をめぐる闘争、情報化時代の真偽の闘争や好戦的レトリック、ゲノムすら翻訳可能にする遺伝子工学……等々、複雑に絡み合う翻訳のポリティクスを避けられない。

第二次世界大戦後の西洋の比較文学論には、文学の国際的研究を通じて、ナショナリズムを乗り越え、異なる文化の間に共通の基盤を見出す、という理念があった。ここで触れてきたような世界文学論たちには、比較文学論と翻訳研究が合流し流れ込んでいるが、一九八〇年代からの北米の翻訳研究には、もともとポストコロニアリズムの文脈が接合していた（バスネット、スピヴァク、ホミ・バーバなど）。比較文学的な試みは、依然として西洋中心的な暴力性を帯びてはいないか。そうした批判的な反省意識の先に、世界文学というかつてのゲーテ的な大文字の理念が回帰してきたのである。

アプターの『翻訳地帯』は、アウエルバッハ、シュピッツアーなどの西洋／非西洋の軋みの中で巨大な仕事をなした文献学者、そしてそれを継承した世俗的人文学者としてのサイードなどを重視している。サイードは、文献学→比較文学→ポストコロニアリズム→世界文学論をめぐる議論の中心的存在の一人であるが、サイード的姿勢からすれば、当然、それらが依然として西洋中心的な植民地意識を回避しえないのではないか、という反省意識は強くあるだろう。たとえばモレッティなどは、世界文学論もまた依然として西洋限定であり、おおむねライン川をぐるぐる回っているだけだ、と皮肉を込めて批判している。世界文学はNATO文学にすぎないのではないか、と（エミリー・アプターも、二〇一三年の『世界文学に抗して――翻訳不可能性のポリティクスをめぐって』（未邦訳）では、文学の翻訳不可能性を重視して、「反世界文学」というポジションをはっきりさせたという）。

しかし生前のサイードは、それでも多様な文化を総合しようとする人文主義の伝統を継承し、それを現代文化の世俗性の中に開こうとしてきた。世俗的な文化の最先端と困難な政治の最先端が切り結ぶところに批評があり、そこに人文学の歴史の継承があり更新がある、と。たとえ人文学の普遍主義がかつてオリエンタリズムや帝国主義などと共犯関係にあった（る）としても、である。

この点で東アジアの一員として興味深いのは、韓国の若い批評家ジョ・ヨンイルの『世界文学の構造――韓国から見た日本近代文学の起源』である。

マルクスとエンゲルスはゲーテの世界文学論を参照し、資本主義の発達と世界市場の形成が自ずと世界文学を生み出す、という世界文学論を展開した。わざわざ国民（民族）の文学を世界化する努力を払う必要はない。むしろそれは不自然な努力であり、重要なのはマーケットの論理に適応し文学が生き延びることである……。他方で、反グローバリズム的な考えから、市場の発達に適合することは文学の堕落であり、国民や民族や各言語の特性に根差した真の文学作品を生み出さねばならない、というタイプの世界文学論もまた根強くある。

これらに対しジョ・ヨンイルは、柄谷行人の理論を参照しつつ、世界市場の発達が自ずと世界文学を生み出すというマルクス的な考え方を批判し、あらためて、ゲーテの世界文学の理念の決定的な重要性を論じる。帝国戦争を克服し、超国家的な連帯を作り出そうという平和的理念への「衝動」こそが、世界文学（という理念）を生み出したのではないか、と。そこには、トラウマとしての世界戦争ゆえに、敵対する国家同士の非社交的社交性（カント）を求めようとする衝動があった。世界文学とはもとより、十九世紀のナポレオンが象徴する世界侵略（そしてそれに対する抵抗）の後に生れた戦後文学だった。「ゲーテにとって世界文学は個別の民族文学の綜合とは無縁であり、むしろそれを超えて超自我として存在すると言えます。近代文学の始まりとともに誕生した超国家的な世界文学は、終始一貫、民族文学と緊張関係を維持してきました」。

十九世紀的な世界文学とはゲーテのように、ひそかな西洋・ギリシア優位の前提の上に世界中の国家・民族の統合を夢見るものであり、二十世紀のグローバル文学とは、世界の画一性＝ターミナル性をもとにその中に各々の地域性を見出していくものだとすれば、二十一世紀以降の再帰的な世界文学とは、コスモポリタンな理念がばらばらに砕け散った現代のバベル的な翻訳状況の中で、多文化性や多民族性をデフォルトとしつつ、あらためて、世界文学的な理念を回復しようとするものなのかもしれない。現代の世界文学は、私たち読者に永遠の田舎者、よそ者、他者であることを感じさせるような「惑星思考的＝プラネタリー」（スピヴァク）な文学であるのかもしれない。この世界≠地球に対する寄る辺なさ、無力さを強いられるからこそ、私たちは他者に対する想像力と寛容をそこから見出していけるのかもしれない……。

＊

実際に世界文学はマイナー性においても定義されうる。ドゥルーズ＋ガタリ『カフカ――マイナー文学のために』によれば（この本自体は世界文学論ではないが）、マイナー文学とは必ずしもマイノリティの人々が書いた文学ではなく、メジャー言語をマイナー的に使用した文学のことである。マイナー性においては個別的なものがそのまま政治的になり、欲望が集団化していく。

ただし、欲望の速度を上げよ、資本主義／ファシズム／スターリニズムの囲い込みよりも欲望の速度で上回れ、というD&Gの呼びかけは、現代の文脈では画一的な方向での（マルクス&エンゲルス的な）グローバル文学の欲望に適合してしまう危うさもある。実際にニック・ランドらの加速主義の一つの起源はD&Gの『アンチ・オイディプス』だった。D&Gのカフカ批評は、迷宮や巣穴で迷うことはなく、新たな出口を探し、欲望を外へと逃走させていく。そこには加速的な自由があり、情報の交換速度があるが、ボルヘス的な円環≠迷宮としての「読む」という経験が生じる可能性は縮減される。

あらためて考えてみる。

言語使用者の数が多い英語圏や中国語圏、スペイン語圏の人に読まれた、だから世界文学だ、ということにはならない。より多くの数の言語に翻訳されているから世界文学である、とも言えない。

これに対し室井は、カフカやプルーストやジョイスを、そのまま、宮沢賢治や柳田国男と交錯させ、マイナー文学的に読もうとしてきた。賢治や柳田は日本文学（国民文学）であるより前に一地方文学、あるいは東北文学なのであり、私たちはそれをそのまま――つまりグローバルな規範性に接続することなく――、世界文学として読みうるはずである。それは賢治や柳田を世界文学のカノンの中に登録する、ということとは全く違う。マイナー文学という言葉がカッコよすぎるなら、それを田舎者の文学（井口時男）と言ってもいい。マイナー文学とはマイノリティが書いた文学、というだけの意味ではなかった。

世界文学としてテクストを読むということ、それは日本語（国語）をマイナーな方言（地方語）へと翻訳し続けるようにして読むことであり、国語＝標準語のスムースな自然さ、当たり前さの門前で戸惑い、躓き、読み損ねながらそれを読み続けることであるだろう。たとえば井口時男は、日本語の自然な表象＝代行を支える近代文学の在り方に抵抗し、それを失調させる文体を「悪文」と言った（『悪文の初志』）。

世界文学とは、その非自然的な悪文性において、田舎者の文学たらざるをえないマイナーな文学たちであり、室井によれば田舎者とはまさに「異中者」である。しかしその読むことの悪戦と苦闘によって、世界中の多様な地方＝田舎で書かれた文学たちと星座のように共鳴しうる文学たちのことだ。「必ずしも中心と対立する周縁ではなく、そのマージンに佇むことで中心が幻視されるようなフィールド――それが私のイメージする〝田舎＝異中〟であり、そこで耳をそばだてる者こそ、迷宮のイナカ詩人というわけです」（「現代文学とボルヘス」）。

たとえば多和田葉子は、日本語を他言語（ほかの国語）に翻訳するというよりも、日本語の中で日本語を異国語として使用するということ、それをエクソフォニー（脱国語）と呼んだ（『エクソフォニー』）。標準語＝国語からのエグゾダスへと開かれ続ける言語使用。一つの言語をマイナー的≠田舎者的に翻訳すること。そこに開かれる普遍性ならぬ世界性。

多和田はツェランの詩を読み解きながら、そもそも「一つの言語というのは一つの言語ではない」のであり、「母語の外に出なくても、母語そのものの中に複数言語を作り出すこと」ができる、と書く。エクソフォニーとは「母語の外に出た状態一般」である。「自分を包んでいる（縛っている）母語の外にどうやって出るか？　出たらどうなるか？」。たとえ「一つの言語しかできない作家であっても」、こうした翻訳過程がありうるのだ。なぜなら「誰の中にもいろいろな文化と言語が混在している」からであり、「その言語の中に潜在しながらまだ誰も見たことのない姿を引き出して見せること」、それが移民文学やクレオール文学とも異なるエクソフォニー文学だからである。

ただしここには、室井と多和田の微妙な違いもまたある。多和田は、最初から、複数言語と複数市場をデフォルトとして文章を書いてきた。それが多和田の作家性を際立たせてきた。これは英語と日本語の間で小説を書きはじめ（『風の歌を聴け』は、最初に英語で書いた文章を自ら日本語に重訳するという形で、その文体を獲得している）、のちには戦略的に日本市場とアメリカのマーケットの間で身を処してきた村上春樹もそうである。

ここでも素朴に考える。室井は世界文学について考え続けたが、おそらく、自分の著作が日本語以外の他言語に翻訳されるという可能性を想定していなかったろう。それを必要としていなかったろう。そればかりか、室井はそもそも、日本国内の一般的市場（純文学市場）やアカデミズムにも積極的に眼を向けていなかったし、次第にそこから身を引きはがしていった。

世界文学でありつつ、カフカやキルケゴールはある局面では自分の著述が市場に流通しないこと、誰にも読まれないことを望んだ。室井がこだわったのはこの根源的なパラドックスである。室井が「公的な著作活動家の理想」としたのは彼ら「非商業系」の人々であり、その理想を自らの「実存的マナー」としてきた。「絶対少数者しか関心をもたないであろうこのマナーは、どうやって身につけるのか？　という問題に、私はとりあえず答える——正しく不安を学びつづけることによって、と」（「〈混在郷〉について」『詩記列伝序説』）。一つも残らず読まないで焼き捨ててくれ、とカフカはブロートに私信で伝えた。ほんたうに俺が見えるのか、という宮沢賢治の言葉が室井の中にエコーし、残響した。できれば聴衆・観客無しで済ませられたらありがたいのですが……、バートルビーのようにそう呟き続けた。

国民国家の言語流通とグローバル市場の商品交換を脱臼させていく言葉。それらの暴力からエクソダスし続けていく文学……。いや、わかるようでやはりよくわからない。これは一体どういうことなのか。読者から読まれる／読まれないをめぐるこの迷宮的な理解不能性は、私たちを不思議と混乱させ、おびやかし、失語させる。ではあらためて、室井にとって世界文学とは何か。

室井は書いた。「世界文学というゲーテゆずりの言葉を私はいささか濫用しているかもしれないが、その概念を学問的にはっきりさせる能力などもちあわせていないことはことわるまでもあるまい。私の理解は、ゲーテが強調した通りの——確固として存在する何かではなく、絶えず生成し発展する性格のものであり、本質的に社会に、隣人に、世界に開かれたものである」（「パッチワークふうに——あとがきに代えて」『ドン・キホーテ礼讃』）。

こういうことではないか。創作をしようとして、その門前で躓き、佇み、失敗する、そこに一つの物語が書かれる。批評を試みようとして、うまくいかず、批評家失格に追い込まれ、いつまでたってもイニシエーションが終らない、そこに一つの批評が残される。詩を望んで、何が詩かわからず、わけのわからない瓦礫の山がうずたかく積まれ、それすら砕け散り、断片と砂礫になっていく、そこに詩が産まれる……。

もはや、物語／批評／詩という区別が無意味であるようなもの。その「異様」な言葉の廃墟と堆積を室井は「小説」と呼んだのだった。「詩と批評と物語という三種の神器をいったん溶解させたうえで出来上った小説の文体を保持すること」（「木乃伊取り」）。その意味では、室井が残したテクストたちは、見かけの物語、批評、詩や歌の区別にもかかわらず、そのすべてが「小説」であると言っていい。しかし、批評の失語、詩の断片、物語の死産、それらの失敗のオオモト（アルケー）には、人類の普遍的な行為としての「読むこと」があり、あるいはむしろ読むことのたえまない失敗があり、その躓きと読み損ねにおいて「本質的に社会に、隣人に、世界に開かれ」ていくものがある。その無限の死産のプロセスの中に生成＝消滅していくもの、それが「世界文学」としての目の前のテクストであり、「世界文学を読むこと」の経験なのではないか。その「生成」において、「読者」は無限に「世界」に対して開かれ続けていくのではないか。

室井的な世界文学とは、それを読めばその場所固有の地域性を、或いはそれをモナド的な「窓」として世界の全体性を理解しうる、そうした文学のことではない。今この場の文脈や規則から切り離された「世界の読者」（河野至恩）が同じテクストを読んでいる、そう感じさせてくれる文学でもない。たとえ世界のどこにいても、何語で読んでも、原文でも翻訳文でも、どんな方法的な読み方をしても、自分が生きるこの場所が世界の一部分にすぎず、一地方であるにすぎないこと、自分がひとりの一田舎者であること、この私の言葉が国語でもなく地方語・方言でもなくクレオールでもなく、「たったひとりのクレオール」（上農正剛）でしかないこと――そういうことを感じさせてくれるのが世界文学であり、世界文学を読むという経験なのだろう。おそらく。

その点でも井口時男の次の指摘は重要だろう。室井が好んだボルヘス（アルゼンチン）もキルケゴール（デンマーク）もジョイス（アイルランド）も「田舎者」だった。その点では中上健次も大江健三郎も「世界文学を読む田舎者」であり、遡れば近代日本の文学者たちはすべてそうだった、と（「「田舎者」の世界文学」）。

*

メジャーなもの、都会的なもの、国民文学的なもの、それらをマイナー化／田舎化／非国民化していく、という具体的過程（翻訳過程）の中に、文学の――普遍性でもグローバル性でもなく――世界性が宿っていくのだとすれば。

売れない「から」いい、読まれない「から」いい、誰も翻訳しない「から」いい、ということではない。売れるものはすべて堕落だ、という反商業主義は惨めであり、むなしい。そうではなく、世界文学の根源には、多数派の読者たちに読まれ、資本制市場で売れることに根源的に抵抗し続ける何かがあり、そうした根源的な世界性に根差して書かれたものであるならば（あるいは不死としてのテクストの側から見るならば）、たとえばカフカやジョイスやプルーストのような超有名作家たちと、星の数ほどもいる無名のマイナー作家たちとを区別することにはもはや意味がない、ということである。

素朴に考えてみれば、室井は群像新人賞を取った、芥川賞を取った、大学教員だった、それらの外的条件が室井のテクストを世界文学たらしめているのだろうか。そんなはずがない。たとえ何の賞を取っていなくても、大学教員ではなかったとしても、身のまわりに同人たちがいなかったとしても、ただ一人屋根裏で発表の当てのないノートの山を書き続けていたとしても、室井の文学をマイナー文学＝世界文学たらしめている何かがある。私たちが読むべきなのはその何かである。

＊

こうした意味での「読者」がいる限り、あらゆる文学がひとしなみの世界文学でありうる。読者の人数の問題ではない。評論家に評価されたかでもない。重要なのはその文学が「不死の人」としての「世界読者」に公共的に開かれているか、である。

ヴァルター・ベンヤミンは「翻訳者の課題」（原文一九二一年、野村修訳）で「翻訳は原作から出現してくる。たしかに原作の生から、というよりはむしろ、その〈死後の生〉からだけれども」と書いた。この言葉はよく知られている。しかし重要なのはその直後に「芸術作品の生、および死後の生という考えは、比喩とはまったく無縁に、即物的に把握されるのでなければならない」と書かれていることだ。「有機的な生命体についてのみ生を語るのは不当である」。

ベンヤミンは「生」の範囲を人間や動物、植物に限定していない。芸術作品やテクストも文字通り生きている。これは比喩ではないし、「あの人は死んだけれどみんなの心の中、記憶の中で生きている」というような観念的な話でもない。文字通り、テクストは生きているのであり、作者の死後をも生き延び続けていく、と言うのである。「生きたものが死後の生のなかで変容し更新してゆくのでなければ、死後の生という呼び名は意味をなさなくなるだろう。定着された言葉にも、死後の成熟というものがある」。

重要なのは、ベンヤミンが翻訳と批評を連続性の中で捉えていることだ。作品の生という概念を一早く洞察したのはドイツロマン派の人々だが、彼らは批評の方に目を向け過ぎて、翻訳が「この生を証拠だてる至高のもの」である事実を十分に認識しえなかった。「批評もまた作品の死後の生の一要因だけれども、翻訳ほどに大きい要因ではない」。ルター、フォス、F・シュレーゲルたちは創作者よりも翻訳者として決定的な仕事をした、とベンヤミンは考える。ここで言われる「批評」や「翻訳」は、多くの人がイメージするそれとはずいぶん異なる。批評とは至高の領域へと未だ高められていない翻訳である、とされるのだから。逆にいえば、翻訳とは批評以上に批評的な批評である、と。

次の言葉はほとんど世界文学論として解釈≒翻訳しうる。「むしろ、歴史を超越した諸言語の類縁性は、あげて、完全な言語としてのおのおのの言語において、ひとつの、しかも同一のものが、志向されている点にある。そうはいってもこの同一のものは、個別的な言語のいずれかによって到達されるようなものではない。それは、諸言語の互いに補完し合う志向の総体によってのみ到達可能となるもの、すなわち純粋言語である。いいかえれば、異なる諸言語のすべての個々の要素は、語であれ文であれ文脈であれ、互いに排除しあうのだが、これに反してその志向自体においては、諸言語は補完しあうのだ」。

東アジアの人間は、ここに先ほどのジョ・ヨンイルの世界文学論を重ねてもいい。無限に続く批評≒翻訳の過程の中に、「純粋」としての世界文学が夢見られる。あらゆる意味や伝達を超えた究極の理念（メシア的なもの）として。ベンヤミンは「多言語の中に呪縛されていたあの純粋言語を自分の言語のなかで解き放つこと、作品のなかに囚われていた言語を改作のなかで解放することが、翻訳者の課題である」と書いたが、これはそのまま批評家の使命であり、「世界＝テクスト」を読む「世界読者」たちの使命なのかもしれない。しかし世界文学としての純粋文学は、本当は、誰にも読みえない文学なのだろう。するとテクストを読むとは――批評と翻訳が連続的なものであるならば――、対象をむしろ無限に読みえないもの（暗号）としていくことなのか。うまく読み損ねること、翻訳し損ねてどもり続けること、カタコトでしか何も書けないことの中に、純粋文学が宿るのだろうか。世界文学とは、永遠に産まれ損ねるテクストであり、水子であり続けるテクストなのか。

室井光広もまたそうやって、私たちに呼びかけているのかもしれない――その死後に、片隅に残された暗号的なノートを解読＝翻訳＝批評し続けることを、図書館で本の洪水に溺れてなおそれを読みえず立往生するバベル的な盲人≒読者であることを、狂人であり病人であり依存症患者であることを……。「あらゆる翻訳は最終的に原作の行間にただようおどるでくを読者の心底にうつすことを目的とするといっていいだろう。そのうつし方は、病気をうつすようにしてなされる」（「おどるでく」）。「現れているものと隠れているものが直線的にむすびついているとは限らない。（略）人の子が包帯をした場所とはズレたところで神が癒しの技を見せることがある。私はこれを奇蹟と呼びたいと思う」（「大字哀野」）。

星に祈るということ——言霊集より

室井　光広

　五十年占星術を実践してきた私にむかって、多くの人が性急にそのエキスを伝授せよとせめたてる。台湾にいた頃、秘伝をさずけられてはいたから、私は隠しだてせず、人によって異なる魔方陣の星表をみせて、それを伝える。するとたいていの人が失望する。たったそれだけ？　そんな星表でこの複雑な人生行路がわかるわけ？　といったふうに。かつての共生会長と同じように、私にも、内に秘めた志がある。会長は若き日に工場に入り過酷な労働を共にしたうえで貧苦にあえぐ工員の仲間となった。十分親しくなった頃「無産者新聞」をみせてオルグの対象とした。貧苦であるところにつけ入ったというわけだが、私の場合も、純粋に星の相談に来る人というのはおおかた不幸の波に翻弄されているから、当方の最終的志をもちだすのに都合がいい。困るのは、興味本位の人間だけだ。

　占星術はかくれみののようなもので、宗教団体を主宰している。そこで大半はうさん臭さを感じ、遠ざかってゆく。いたって正常な反応である。が、それでもひきさがらずに興味をもつひとにわが宗教の内実を告げしらせる。占星術とまったく同じ失望の色がみてとれる。星にむけて祈りをささげる儀式を死ぬまでつづけること——ただそれだけ？　たったそれだけで宗教と呼べるのか？

　一年ほど前の夏の終りに風変りな訪問者が二人あった。ひとりは極道者のようななりをした中年の男で地元猫又の実業家だという。もう一人は、東京からやってきた私の尊敬する共生会所属の英国人ホワイトヘッド氏である。二人をいっしょくたにするのもどうかと思うが、同じ日の午前と午後にやってきた。隠喩の星からいうとこれは偶然ではない。本人にいえば気分が良くないかもしれないが、しらべてみるとこういうときの二人は星辰構造が似ていることが非常に多い。そうでなければ、その日に私に巡る星が全く別の人間を呼び寄せたということになる。まあ私の占星術のなかみを語っても退屈でしかないだろうからそれはどうでもよいとして、くだんの極道風の男はいきなり二百万円の布施を申し出た。私はすんなりとそれをうけた。こういうところが、世人の悪評をかうのだろうけれど、私の星堂には児童を含め多くの寄宿者がおり、またこのとき、室町時代に建立されたと伝えられて市の文化財指定もうけている星堂付属の塔のラセン階段の破損がひどかったこともあって、私はどのような種類の布施でも断ることはしないつもりでいた。しかし、現金をうけとった後に、男は単刀直入に、私の占星術のノウハウをすべておしえてくれと言い出したのである。私はおよそ二時間ほどかけて、あらましを伝えた。男は熱心にノートした。やがて立ち去り際に、駐車してあった車からひとりの若い女をひき連れてきて、「しばらくここへ預っておいてください」と、まるで荷物のように言うと足早に消えてしまった。こういうことにはなれている。その日の午後、ホワイトヘッド氏にお茶をだしてくれたのは荷物のように置いていかれた女性であった。そういうことにもなれている。ホワイトヘッド氏は達者な日本語で「このお茶はとてもおいしい、こんなおいしいお茶はのんだことがない」とお世辞でもなさそうに言った。あんまり熱心にいうものだから私も一口すすってみた。たしかにうまい。後できいてみると、かの女性の持ってきた品で、玉露だそうだった。私とて玉露くらいこれまで幾度ものんでいるはずだが、たぶんいれ方のもんだいなのだろう。そのとき彼女がだしたお茶の美味はたとえようがなかった。これも後に知ったことだが彼女はとある茶道の流派の師範であった。しかし茶道をやっているからといって、日常のお茶をおいしくいれられるとは限らないのである。

つい最近、この女性が私に「申しわけない」と突然言い出した。あの男が中央猫又市内をはじめ、近隣の小都市で、私の名前をつかって占星術事務所の看板をだしたというのである。折り込みチラシに私の名前が刷られているのはなんとかしてもらわにゃならんが、あとはさほど気にする必要はないと私は女をなだめた。こういうことにもなれている、とはいわなかったが。

ホワイトヘッド氏は、もちろん極道男のようなふるまいをしはしない。ただ、やはりあの日の午後、共生会から託された百万円を持参してきたと言い添えた後、二時間ばかり話をした。彼の国などでもかなりの勢威をもつフリーメイスンをひきあいにだして、私の宗教も門外不出の教義があるのか、と彼はいい、まったく無いと私が応じ、大笑いになり、以後は歓談になった。ラセン階段を案内したとき、それが猫又地方をネジロにしていた木地師たちの手になる信仰の塔らしいと私が解説すると、あやはりフリーメイスンと少しは似たところがありますね、あれももとをいえば、石工たちの中世的ギルドが「ロッジ」を拠点としたことからはじまったのです、などと言い感心していた。

夜になってラセン階段の頂上の狭苦しい部屋で氏と二人夜空を眺めた。このとき再び、師範の彼女がお茶をもって入ってきた。三人のひざ頭がすれあうほどの小部屋を眺めわたした彼女が、低く澄んだ声で「まるで利休の茶室みたいですね、ここは」と言い、すぐに階段をおりていった。会長もここで星をみるのがお好きですよ、と私は英国人にささやいた。ふ、ふん。Rikyu

というよりも、モンテーニュの塔ですね、と彼は言った。

素敵に甘い（こういう云い方が私らの若い日には流行したものだ）玉露をのみながら、その夜、私が氏より聞いた自国の科学者の宇宙論は感動的だった。アインシュタイン博士を超える天才といわれるケンブリッジ大学のスティーヴン・ホーキング博士のほとんど詩的といってもよい宇宙生成をめぐる新説。氏は興奮しながらも、わかりやすく話してくれた。むろん理論物理学や天文学の世界は私にはお手あげだが、私のおどろきは、自分が五十年も実践してきた単純な儀式の意味をそこにみつけたような気がしたからだ。われわれが空を見上げる。その空をどこまでもどこまでも行くと、どこへ行き着くのか？　この子供じみた疑問に大科学者が大まじめな解答を与えようとしている、と氏は言った。宇宙は、百五十億年ほど前にある一点の爆発によって始まるという「ビッグバン」の理論は有名だが（私などはその内容もまったく知らない）、ではなぜそれが起きたのかについては説明がつかない。宇宙の全部を一点に凝縮すれば、けっきょく「無限大」を相手にすることになっていかなる科学法則もたちうちできない。それはそうだろう。宇宙全体という言い方がすでに、特殊な限定によって成り立っている。ひとつの宇宙、といえば、たちまち、その宇宙のとなりには何があるのか？　という問いが出てきてしまう。たとえば有名な「オルバースのパラドックス」というのがある。宇宙には億兆の星があって光を放っているのに、夜空全体がその光によって輝きわたってしまうことがないのはどうしてか？　その答えは宇宙にもヒトと同じように経歴がある、というものらしい。星たちは無限の過去から光っているのではなしに、ある有限の時点から光を発しはじめた。つまり、いまだその光が宇宙全体を満たすほど時がたっていない……という、なんだか分ったような分らぬような話。私がもっとも面白かったのは、宇宙における時間が本質的には空間と同じものだ、すなわち宇宙の無限性と時間の永遠性とが重なりあうものだというホーキング教授の理論である。科学のことなど何もしらぬ、私のところの星の会員である素人詩人が数年前に書いた次のような一節を私は思い出していた。

越えられぬ涯を
どこまでもどこまでも(これは、おや、いつまでもいつまでもと云っても同じなんですな）ゆくときのめまい
きらめくものが
現われると中継基地を見出したように
　安堵する
つかのまのかすがいとして
いつかは（どこかで）時間（空間）に

変貌してしまう。そこにとりあえず祈り
うちつけて

　ホーキング博士の理論は、虚数（2乗すると負になる数）で測る虚時間というもので説明するらしいが私にはちんぷんかんぷんだ。ただ英国人の平明な解説をきく限りではわれわれの星の信徒を勇気づけてくれる内容ばかりだ。虚時間などという前提そのものが神や祈り同様、眼にみえる実体ではなく、一種虚構的である――そこが私の気にいった。虚時間を設定してかんがえるとき、われわれの宇宙は始まりも終りもなくなり、地球表面のように大きさは有限であっても、境界や果てというものがない、ひとつの連続体であるととりあえず説明される。私が安堵するのは、「今ここ」というちっぽけな時空をきわめること、すなわち「今ここ」で祈りを深くすれば宇宙の初源につながる何事かが解明されるというところだ。われわれの考えうる一つの宇宙。当然、そのとなりにも、そのまたとなりにも世界がある。博士によれば、そうした他世界へむけて、われわれの宇宙の連続体からは、むすうの管のようなものがのびてつながりをもっているという。まるで糸電話のように、また地中の水道管ガス管のように他宇宙に連絡のパイプがのびているという。「今ここ」にいるわれわれの時空、さらにはわれわれの身体からさえも、そうしたパイプがのびつながっているというのだ。なんと魅惑的な宇宙理論ではないか。

　これがほんとうだとしたら、大昔から人類がいい伝えてきた「星への祈り」は唯物論的にたいへんな基礎を与えられたことになる。ホーキング理論を私の独断にねじ曲げれば、われわれ一人一人が星である、星であるわれわれの祈りは宇宙全体のきわめつくせぬところまで届けられるのだ。電話線のことは信じられて、この不可視の星のパイプラインが信じられないことはない。われわれは芽ぶくジャガイモのようになる。祈りをひとつ捧げるたびに四方に向いた芽がのびる。

　星を見る時、われわれは実は時間の精髄をみている。輝く星は、二百億光年という時間のかなたにあるからだ。われわれの身の廻りにあるものでこんなおそろしい存在は他にない。しかもその時間と空間の中に、われわれの身体からのびたパイプラインが銀河鉄道として敷設されている。それが空想ではないことを博士は告知してくれたのだ。中国の民間信仰の多くがそうであるように、わが「隠喩の星」でも北斗七星や北極星をとくに祈りのヨリシロとして重視する。このことをめぐっても博士は興味深い言葉をのべている。すなわち、宇宙の始まりの部分を地球の位置でたとえれば、それはちょうど北極星にあたる、と。そこをゼロにしてわれわれの宇宙がはじまる、と。

　数の神秘さに畏怖することは魔方陣ひとつでできる。「隠喩の星」はとりわけゼロという数字を信仰の対象にしている。が、その内実をここでのべたてようとは思わない。しょせんは新興宗教のあさはかさをまぬがれてはいないから。しかし、ともあれ、博士の理論の子供向け解説をきくに及んで、二十世紀末まで生きてきてほんとうによかったと老人はしみじみ感じたのである。

やがてこの宇宙は光に満たされるという。私が死ぬと私は光となって遠い故郷の星に帰る。これからは、足の神経痛がひどくなったら、ああ私の足の神経が星に帰りたがっているな、と思うことにしよう。そんなことを考えているうち夜も更け、時計は十二時を指した。するとホワイトヘッド氏が「隠喩の星」において、夜の十二時ちょうどに生れた人は生れ日をどちらにすればよいのかと訊いた。よくある質問の一つである。境界線にあるのだから、国境線と同じでふたつの日の運命がまじりあう現象もおきうる、と私は答えた。フランス語圏とドイツ語圏の境界に住む人々と同じような事情。国のありようによって言語状況も変わる。統一性が強烈であればどのような辺境地帯の国民もひとつの言語に生きているだろうが、そうでなければあいまいになる。人の生れ日にも似たことがある。

じつはディケンズが『デビッド・コパーフィールド』の冒頭で、主人公が金曜日の夜十二時ちょうどに産声をあげたと書きはじめています、とホワイトヘッドさんは言った。で、そういう時に生れた人間はまず第一に不幸なめにあう、第二には ghosts and spirits 幽霊やら妖精やらそういうものを幻視するとくべつの能力をあたえられているというふうな言い伝えがある。私の思うに、これはディケンズ自身の事実をそのまま書いていると思うんです。私も夜の十二時生れなんだが本当にそうなのか、と。もちろん、私は否定した。ただ、生涯を通して、ボーダーライン的な場所に生きる可能性が強くなる、とだけ付け加えた。ふ、ふうん、と彼はうなずいた。でも、一日と翌日とは、一つの宇宙と別の宇宙とまったく同じ関係にあるし、あなたが古代遺跡の探求者となったのはいってみれば ghosts and spirits を視る仕事ともいえそうですね、それは面白い話ですね、by George! と私がさらに言った。さいごの英語はなんのことだかわからない。私のところに寄宿している元英文科の大学院生が、ジョージ・ホワイトヘッド氏の名前にかけて、ぜひ使ってみてくれといったのである。氏は微笑しつつ、「書き言葉的でしかもわが国でしか用いませんですが、そのシャレなかなかいけますよ。ついでにアメリカのものを一つご紹介しますと、私の名はこんなふうに使われるんです。Let George do it. いやなことは他人にやらせろ！」と、これまた私にはさっぱりワケのわからぬことを言った。

その後ふたたび話題はディケンズに移った。ホワイトヘッド氏のいう通り、ディケンズが金曜日の夜十二時ちょうどに生れた人だとすると、たとえば『クリスマス・キャロル』などという作品はじつに興味深いものとなる。ケチなスクルージ爺さんが改心する話であるが、それはghosts and spiritsの物語といってもよいからだ。

どうしてこの俺は目を伏せたまま同胞たちの群を通りぬけ、東方の賢者たちを貧しい住家へとみちびいた、あの聖なる星を見あげなかったのか！　と嘆くのは、スクルージの改心をうながす使者としてやってきた故人マーレーの霊である。マーレーは重い鎖をひきずってあらわれる。スクルージはそれをみて、思わずじぶんも巻きつけられていないかと身体の周辺を見廻す。が、なにもみえない。ここに出てくる「鉄索」iron cableや「鎖」chainは、むろんおそろしい懲罰の象徴としてかかれている。だが、私はホワイトヘッド氏の解説をききながら、それらをまるっきり別のもの、すなわち祈りの「因果」のクサリとしてうけとった。

氏が美しい英国発音で一行を読んでくれた。

――Scrooge was not a man to be frightend by echoes.

「スクルージはこだまでびっくりするような男ではなかった」

そういう男が、ghosts and spiritsの声を聴くにいたって「こだま」の何たるかを悟る。家じゅうのあらゆるものが「それぞれ独自のこだまをもっているらしかった」と作者は書く。そう、すべてのモノがこだまを、言霊を孕んでいる。聖なる星をみあげる心に降り下る祈りの世界に入ることによってそれらの声をきくことができる。星をみてもたかだか光があるにすぎない。けれどもその光は時間の精髄だ。光は祈る心にふり下る。星々と祈る心との間は、むすうのcableやchainでむすばれている。唯心論と唯物論の二元論は解体した。ホーキング教授の理論である「時間＝空間」をひき寄せれば、モノはついにココロに融合する。

さあわれわれもスクルージのように改心をとげよう。ついに光となってしまうのだとしても、祈りを積んで、chainをおびただしく身にまとって星に帰るときのミヤゲにしよう。

「星に祈るということ」のこと

山本　秀史

今年六月、室井陽子さんから小冊子をいただいた。手触りの良い茶色の表紙に二箇所ホチキス留めがあり、縦書に印刷された紙が数ページ、表紙をめくると「星に祈るということ　室井光広」とあった。後日のメールで、この小品が見つかった経緯を知ることができた。

「意志をもって目の前に出現したかのような、不思議な発見ではありました。遺稿類は未整理の状態で、大磯の書斎の隅で埃にまみれていたものも、四街道の小屋裏に置かれていたものもごちゃまぜに幾つかのダンボールに入れていました。まだまだ整理する気になれず、かといってどのような類いのものがあるのかわからないままでは気がかりで、大まかに内容を確認すべく、ダンボールを一通り見てみることにしたのです。川口好美さんが整理・分類をしに来てくださって、なんとかそこまではやる気になれた、ということでしょうか。作業の後片付けをしていて、「星に祈るということ　エッセー」と付箋をつけた原稿が目にとまり、タイトルが気になって開くと、エッセーという体裁の小説だということがわかりました。

気配からして、『猫又拾遺』の母胎となった「言霊集」の中の一篇のようなのですが、「言霊集」の膨大な原稿の中に埋もれたままだったら、まだ見つけられていなかったはずです。

ここに光広がいる、という実感が強く、星をテーマにしていることもあって、お見せしたいと思いました。執筆当時ワープロ専用機で入力しているはずのものですが、機械もフロッピーもすでになく、入力し直しました。星がテーマになっていることに加え、人物や背景が生々しくよみがえるために、客観視できにくく、事実を知らない立場でどう思われるのかが知りたくもありました」

この「星に祈るということ」は、私にとって衝撃であった。室井先生が黄泉から蘇った感じであるというのが適当な言い方かはわからないが、本当に先生が今ここにいる感じがするのだ。この中に、私が次に先生に会ったら問うてみたい、しかしもう二度と聞くことはできないと思っていた幻のような質問への答えがあった。それは占星術師で宗教団体主宰の主人公や、英国人ホワイトヘッド氏、ホーキング博士といった登場人物を通して語られるのだが、宇宙における時間が本質的には空間と同じもの（時間＝空間）という答えであり、私自身が長年考えて至った結論でもあったからだ。

私もここには室井先生がいると実感した。言葉全てに室井先生の星への祈り（ピュアーな）が入っているようにも感じた。この追悼集に、先生の未発表作として蘇らせることが私にできることかな!? という思い自体も先生の祈りであったとしたら素直に嬉しい。

メールには続きがあり、最後にこのように書かれてあった。

「身も心も解き放って、のびのびと生きていっていい、と思ったら、曇り空の晩年に柔らかな光が差しました」

時間＝空間を精髄として、先生は「祈り」についてのメッセージを全篇に渡り発している。特に「光は祈る心にふり下りる」と先生が最終頁で伝えたこの言葉は、陽子さんに差した光（時間の永遠性と、宇宙の無限性の重なり合い）そのものであり、光を感じることが星に祈るということ。そして星に祈るということは、星の意（意志、意向、意図）に乗る境地（今ここ）のことであり、「祈り」こそが「安堵」につながるのだ、と私は受け取った。しかし、先生は、中学生の頃から頭痛（先生のは偏頭痛、群発性頭痛、緊張性頭痛の統合型で閃輝暗点を伴うという通常では理解できない程の激痛だったと思われる）を現実に抱え、肉体的な苦痛を伴うときにも果して安堵はあったのか？ ずっと気になっていたその問いに対しての答えも、作中の詩の一節の中に感じることができた。

「つかのまのかすがいとして／いつかは（どこかで）時間（空間）に／変貌してしまう。そこにとりあえず祈り／うちつけて」

この追悼集に参加している皆様が、それぞれの大事な時間を大きな意味合いを持って室井先生と過ごされたように、私も室井先生の晩年の数年間のうちの数日数時間、幸運にも同じときを過ごすことができた。私が治療院を始めて間もない二〇一〇年十月七日、五十五歳の先生に初めてお会いして、昨年二〇一九年九月十四日に陽子さんに支えられて帰っていくまでの短い期間ではあったが、私の鍼を受けながら文学入門、易、算命、宗教、柳田国男、言語、縄文、大学、権力、大磯、故郷会津、そしていたるところの身体の痛み等々、先生の話はあらゆる方向へと飛んでいった。そしていつまでも尽きることはなかった。先生の言葉は逆に私のツボに深く響いた。まさに先生は私にとっての師である。

昨年七月に入院されていた眺望の良い平塚共済病院八〇五号室で「生きるとは、普通に空気を吸い、水を飲むこと、そして美味しいものが喜んで食べられること」とのことを最後に先生から聞くことができたのは忘れることはない。今後も先生の残された作品から、先生が語る言葉に安堵への祈りを感じていきたい。

てんでんこ　総目次　2012 No.1 ～ 2019 No.12

2014 No.5

2015 No.6

2015 No.7

てんでんこ　2020　室井光広追悼号　目次

装丁・表紙銅版画《天伝呼》…… 関 典子

てんでんこ　室井光広追悼号　2020年　10月10日発行

編集　てんでんこじむしょ

発行　(有)七月堂
〒156-0043　東京都世田谷区松原2-26-6-103
電話　03-3325-5717　FAX　03-3325-5731

定価　1500円(税・送料込)